ELLE ET LUI

George SAND

ELLE ET LUI

Texte établi, présenté et annoté
par Thierry BODIN
avec une préface de Joseph BARRY

Ouvrage publié avec le concours du
CENTRE NATIONAL DES LETTRES

Les Éditions de l'Aurore
4, boulevard des Alpes, 38241 MEYLAN Cedex
Tél. : 76.90.59.36

© *Éditions de l'Aurore*, 1986
ISBN : 2.903.950.16.7

Préface

« Elle » est George Sand. « Lui » est Alfred de Musset. Leur liaison fut, peut-être, la plus passionnée et passionnante de l'histoire littéraire française. « Tout est extase, fureur, et littérature », disait Henry James avec admiration.

Mais... il y a des écrivains qu'on peut considérer comme des anti-sandistes inconditionnels, ou plus simplement des réductionnistes — parce qu'ils réduiraient ce merveilleux conte d'amour à une question pudique : oui ou non, George Sand a-t-elle fait plus qu'embrasser le Dr Pagello avant la guérison et le départ de Musset de Venise pour Paris ? Et ces experts invoquent avec tout le mélodrame du mouchoir d'*Othello* la seule tasse de thé à laquelle les deux « infidèles » buvaient. A ce propos, Musset lui-même remarquait : « Dans quelle comédie burlesque y a-t-il un jaloux assez sot pour aller s'enquérir de ce qu'une tasse est devenue ? » (*La Confession d'un enfant du siècle*, V, 4).

En vérité, être cent pour cent mussettiste (ce que je suis) *ou* cent pour cent sandiste (ce que je suis aussi), c'est trahir les amants de Venise, l'un et l'autre. *Ils s'aimaient.* Paul de Musset dixit (*Lui et Elle*, IV). Or, le frère aîné d'Alfred ne se comptait pas parmi les meilleurs amis de George Sand. Pour sa part, Charles Maurras consacrait un livre important à cette passion, en la déplorant ! « Cette aventure de Venise, écrivait-il, renferme toute la philosophie morale du romantisme. Elle en renferme aussi toute la condamnation... Guérissons-nous du romantisme. » (*Les Amants de Venise*, Conclusion).

Guérissons-nous, donc, de l'amour ?

L'aventure de George Sand et d'Alfred de Musset à Venise (on le sait bien) commence comme elle finit, à Paris. C'était en juin 1833, après le printemps noir de George Sand, quelques semaines avant son vingt-neuvième anniversaire. Elle sortait péniblement de la liaison passionnelle avec Marie Dorval, du fiasco d'une huitaine de jours avec Mérimée, de dix années de tension, de mariage raté, d'illusions et de désespoir — tout cela raconté dans le roman qu'elle était en train de terminer — le troisième édité en moins de quatorze mois — le remarquable *Lélia*. Le vécu féminin, analysé par une femme qui en avait épuisé toutes les formes, constitue, peut-être pour la première fois, le thème central d'un roman sondant les insuffisances de la vie, le point où hommes et femmes sont acculés à l'impasse ; où l'auteur, une femme, s'est soumise à son propre examen — et s'est dévoilée — au prix d'une immense souffrance affective et d'une humiliation personnelle (et un critique, masculin, devait déclarer que *Lélia* sentait « la boue et la prostitution ! »[1]). On l'appellera « Lélia l'Impuissante ».

Mais ce n'était qu'un printemps dans la longue vie de George Sand, qui était et n'était pas Lélia. L'été de 1833 resplendissait. Et Musset avait déjà fait son apparition.

A dix-sept ans, on le sait, il éblouissait, à dix-neuf, on le portait aux nues ; à vingt-deux, il rencontrait George Sand. « Je dois tout essayer », déclarait-il à son frère Paul. « Je sens en moi deux hommes, l'un qui agit, l'autre qui regarde. Si le premier fait une sottise, le second en profitera[2]. » En mai parurent *Les Caprices de Marianne* dont les deux héros symbolisaient les deux visages de Musset : Octave, cynique, libertin, et Célio, sentimental, mélancolique, splénétique, en un mot — romantique. Et en juin, Musset rencontrait Sand.

Qui séduisait qui ? Chacun l'autre. Au dîner donné par Buloz, ils se sondaient l'esprit et l'âme. George sentit que « le besoin d'aimer dévorait le cœur d'Alfred »[3]. Alfred la trouva « très belle » quoique « pas à première vue... brune, pâle, olivâtre, avec... des yeux énormes, comme une Indienne »[4]. Souvent il célébrait les Andalouses dans ses poèmes. Mais... Même leur première soirée intime chez George au quai Malaquais fut interrompue par un ami berrichon, et par Gustave Planche que tout Paris, et Musset, donnaient pour amant à George Sand. Elle recevait qui elle voulait et l'avait indiqué à Musset depuis le début. Tout en sortant avec Alfred, elle flirtait, si ce n'était pas simplement couchait, avec un bel Italien de passage à Paris, Alessandro Poerio.

Et Alfred ? Se conduisait-il différemment ?

Quand même, et en fin de compte, George choisissait Alfred, Alfred choisissait George, tout en parlant d'une espèce de camaraderie « sans conséquence et sans droits, par conséquent sans jalousie et sans brouilles »[5]. On doit ajouter aussi que Musset ne s'était pas encore déclaré. « Mon cher George, j'ai quelque chose de bête à vous dire... Je suis amoureux de vous »[6]. Mais se souviendra-t-il à Venise de sa promesse antérieure ? (Et Charles Maurras et Henri Guillemin se souviendront-ils de cette promesse de non-jalousie de la part de Musset ?) Bien sûr, sa déclaration — « je vous aime comme un enfant »[7] — sut toucher George Sand. L'aspect incestueux de leur amour n'était pas le moindre des composants, et *George Sand en était consciente.*

On a beaucoup écrit sur la visite de Sand à Madame de Musset pour lui demander la permission d'emmener son fils Alfred en Italie, de le lui arracher, dira Paul de Musset. Mais ce fut vraisemblablement la promesse de prendre toute la responsabilité de cet enfant prodige et prodigue, qui n'avait pas encore vingt-trois ans, qui persuada la mère de confier son Alfred à cette femme.

Ainsi les amants, tout le monde le savait, tout le monde le sait, partirent pour l'Italie le 12 décembre 1833 avec la passion de l'artiste pour la péninsule légendaire et l'illusion que leur vie y pourrait être et plus douce et plus intense. A Paris ils montaient dans la treizième malle à destination de Lyon et à la fin de leur voyage s'installaient dans la suite n° 13 au Danieli, ou Albergo Reale, à Venise.

Mais entre leur départ de Paris et leur arrivée à Venise, il y eut leur séjour à Gênes. George, on s'en souvient, était très malade ; énervé, Alfred fréquentait les filles de la ville. De même à Florence, où George, toujours abrutie par la maladie, ne montrait pas l'ardeur amoureuse à laquelle, racontera Musset, l'avaient habitué les prostituées, reproche qui, loin d'enflammer George Sand, ne la glaçait que davantage (*elle* racontera à son tour).

Elle l'avait aimé, confia Alfred à son ami Hetzel, « avec sa tête, avec son cœur », mais lui avait refusé « la griserie qu'on trouve chez toutes les filles ». Au désespoir, Sand avait rétorqué qu'il n'était pas fait pour être l'amant d'une femme ordinaire. « J'en convenais », admet Musset, « et nous pleurions tous deux sur moi »[8].

Le spectacle de George, malade, mais travaillant avec acharnement sur un roman, ajoutait à son agacement. Elle le pressait de travailler lui aussi à sa pièce, *Lorenzaccio* ; elle avait eu l'idée du scénario, dont elle avait déjà écrit des scènes, ce qui n'arrangeait rien. Il n'était pas un ressort, protestait toujours Musset, prêt à réagir automatiquement, comme Sand, dès qu'on appuyait sur un bouton. Lui était un créateur !

On a beaucoup écrit aussi sur la maladie de Musset à Venise, mais on a tendance à oublier que Sand d'abord et encore tombait malade, et c'était, du point de vue de leur amour, presque aussi fatal. A peine installée au Danieli, George fut victime des horreurs de la diarrhée, le tueur ignoble du rêve romantique. La colère, l'indignation et le dégoût physique, peut-être aussi quelque honte devant sa réaction, révulsèrent Musset. Il maudit son sort et caressa ses fautes. Il abandonna George aux soins du personnel de l'hôtel et d'un jeune et beau médecin de vingt-six ans, Pietro Pagello, pendant qu'il se plongeait dans les plaisirs qu'offrait Venise — ses actrices, ses danseuses, ses bordels.

Un soir, avant de sortir, Alfred s'approcha du lit pour lui dire, comme Sand le lui rappellera : « George, je m'étais trompé, je t'en demande pardon, mais je *ne t'aime pas* ». Si elle n'avait été aussi malade, précise Sand, ni eu le sentiment de sa responsabilité envers cet « enfant » que sa mère lui avait confié, elle aurait quitté sur le champ et Venise et Musset. Au lieu de quoi, « la porte de nos chambres fut fermée entre nous et nous avons essayé de reprendre notre vie de bon camarades. Mais ce n'était plus possible. *Tu* t'ennuyais ». Et Sand enchaîne dans sa lettre : « Je ne sais ce que tu devenais le soir et un jour tu me dis que tu craignais d'avoir une mauvaise maladie[9]. »

Un problème se présente immédiatement. Pas celui de la « mauvaise maladie » contractée par Musset. On sait bien, on *savait* bien, ce que cet euphémisme voulait dire. (Mais on se demande, entre parenthèses, comment des hommes comme Flaubert et autres, affligés de la pire maladie vénérienne, pouvaient se permettre l'immense risque de l'infliger à leurs bien-aimées). Le problème qui se présente, grâce à l'incomparable Georges Lubin et sa scrupuleuse édition de la *Correspondance* de George Sand, est la question de l'authenticité du contenu de cette lettre à Musset, datée de fin octobre 1834. Parce que, Lubin l'a montré, l'écriture appartient à la période 1856-1860 de la vie de George Sand, probablement après la mort de Musset[10].

Néanmoins, avec Lubin, je suis d'avis que cette lettre est essentiellement véridique. Même l'accusation la plus blessante, celle de la « mauvaise maladie » de Musset, est confirmée en effet par deux autres lettres, de Maxime Du Camp et de Maurice Clouard, au vicomte Spoelberch de Lovenjoul, qu'on peut consulter à la bibliothèque Lovenjoul, à Chantilly (ou dans le 3e tome de la *Correspondance* de Sand, p. 812-813). « La véritable histoire de Sand et de Musset », écrit Du Camp en partie, « ne sera jamais que soupçonnée : il faudrait en dévoiler le secret, la partie honteuse ». Et Maurice Clouard : « Il faudra que vous connaissiez un détail *physique* de *Lui*, qui vous donnera l'explication de certains reproches qui lui ont été adressés par les partisans de *l'autre*, mais non par *Elle* qui savait à quoi s'en tenir là-dessus. »

A la fin janvier 1834, toutefois, Sand était rétablie comme toujours (ce que les anti-sandistes lui reprochent toujours), mais Alfred tombait brusquement malade. Typhoïde ? *Delirium tremens* ? Les deux ? George, on le sait trop bien, envoya chercher le jeune médecin qui l'avait soignée, le Dr Pagello. Ils soignèrent ensemble Musset, le maîtrisant dans ses accès les plus violents, conversant pendant leurs longues nuits de veille, s'effleurant quand ils le croyaient endormi. Mais à travers la brume de son délire, Musset vit Sand et Pagello boire leur thé dans *la même tasse* et il imagina (anticipa ?) le reste. Il questionna Sand, elle nia. Elle mentit. Elle finirait par avouer. Mais lui, qui l'avait abandonnée pour les femmes de Gênes, de Florence et de Venise, qui lui avait dit ne plus l'aimer (confirmant ce fait dans l'autre lettre), avait-il le droit de l'accuser ? Elle lui écrirait. Était-il interdit de tendre la main à l'homme simple et généreux qui était en train de lui sauver la vie ? Et cette phrase superbe : « L'amour de la vie est-il donc un crime ? »[11] Cela résume l'attitude profonde de George Sand et fait surface constamment dans sa correspondance avec Flaubert le misanthrope, lâche devant la vie — la phrase est de lui.

Qu'ils aient bu leur thé dans la même tasse, George Sand et Pagello, soit. L'amour même vint plus tard, après la déclaration extraordinaire de Sand « au stupide Pagello ». Ses questions jaillissent et se heurtent. « Seras-tu pour moi un appui ou un maître ? » demande-t-elle. « ... Sais-tu ce que je suis, et t'inquiètes-tu de ne pas le savoir ?... Quand ta maîtresse s'endort dans tes bras, restes-tu éveillé, à prier Dieu et à pleurer ? » Cela rappelle un passage amer et angoissant de *Lélia*.

Mais la conclusion de cette longue déclaration à Pagello est des plus extraordinaires : peut-être valait-il mieux qu'il et elle ne parlent pas la même langue. Autrement, Pagello trouverait les mots qui la tromperaient. Il était peut-être plus sage de rester des étrangers. « Je pourrai interpréter ta rêverie », écrivait Sand, « et faire parler éloquemment ton silence... N'apprends pas ma langue... Je voudrais ne pas savoir ton nom »[12].

C'est *Le dernier tango à Paris* ! La passion absolue d'un amour muet, l'anonymat, voire le caractère animal des rapports sexuels entre deux étrangers, deux passants. C'était aussi la réaction passionnée à l'esprit compliqué et tortueux de Musset et de son jeu capricieux avec les émotions. A Paris — malgré leur vie commune et leur amour déclaré — il avait tourmenté Sand en la questionnant sur son passé et s'était torturé à la pensée de ses anciens amants. Maintenant à Venise, Musset subissait les affres du doute, criait — Sand s'était-elle entièrement donnée à Pagello ? — et l'accusait, elle, d'infidélité, allant jusqu'à la traiter de « catin » sans se rendre compte de l'ironie du terme, quand on se rappelle les anciens reproches de Musset à cet égard — lui refuser « la griserie » qu'il trouvait chez les filles. Mais, dans son imagination, de *qui* Musset sentait-il les lèvres, quand il posait ses questions, de George ou de Pagello ? Freud allait parler de la partie féminine dans chaque homme qui pouvait surgir surtout dans les fantasmes d'un homme jaloux.

N'y a-t-il pas toujours une complicité triangulaire et affective dans un vrai ménage à trois ? De plus en plus George Sand, Musset et Pagello faisaient un trio, même quand Alfred retrouva assez de force pour envisager de rentrer à Paris sans George. Il l'aimait ; il aimait tout autant la beauté de son sacrifice : il la confiait à Pagello qu'il appelait son frère. Ils étaient tous les trois sœur et frère, comme Sand était mère-père pour Musset.

L'inceste, le dernier de nos tabous (destiné à disparaître, peut-être, comme tel au XXIe siècle), a beaucoup fasciné George Sand, l'écrivain moderne et notre contemporaine. Elle l'a traité fréquemment, dans *Lucrezia Floriani* et *François le Champi*, par exemple. L'histoire de celui-ci, de cet enfant trouvé élevé par une femme qu'il appelle *maman* et qui finit par l'épouser et par mener une vie parfaitement heureuse, devait évoquer la phrase d'un critique : « l'inceste parfait », (et inspirer le *Henry Esmond* de Thackeray). On comprend bien pourquoi le jeune Proust, si attaché à sa mère, aimait tant *François le Champi*, tout en admirant son style fluide.

« Tu t'es crue ma maîtresse », écrivait Musset à Sand de Paris, « tu n'étais que[!]ma mère... c'est un inceste que nous commettions[13]. » « Que j'aie été ta maîtresse ou ta mère, peu importe », répondait Sand. « Je sais que je t'aime, c'est tout ». Elle l'aimait, disait-elle, « avec une force toute virile et aussi avec toutes les tendresses de l'amour féminin ». De nouveau, son extraordinaire lucidité, l'image androgyne père-mère. Leur amour était à la fois « incestueux » et « innocent », écrivait-elle plus loin. Et puis, comme si c'était la signature et l'épitaphe de leur liaison passionnée — qui recommencera et se terminera, enfin, à Paris — George Sand écrit :

« Nos caractères plus âpres, plus violents que ceux des autres, nous empêchaient d'accepter la vie des amants ordinaires. » Il était dans leur destinée, ils le savaient, de se blesser mutuellement, et si le monde n'y comprenait jamais rien, « tant mieux ! »[14].

Mais ce n'était pas la fin de leur aventure amoureuse. Au contraire. A Paris...

En rentrant à Paris, Musset écrivait à Sand qu'il s'était replongé à corps perdu dans son ancienne vie. De Venise, George le suppliait « à genoux... pas encore de vin, pas encore de filles ! C'est trop tôt... Ne cherche pas [le plaisir] comme un remède à l'ennui et au chagrin, c'est le pire de tous quand ce n'est pas le meilleur »[15]. « Parlez-moi », répliqua Musset, « de *vos* plaisirs », puis il raya la phrase et écrivit : « Non, pas ça ! »

A Paris, Musset prenait tout sur lui, disant à Sainte-Beuve et compagnie que George n'avait aucun reproche à se faire. Quant à

Mme de Musset, « il a suffi de lui parler des nuits que tu as passées à me soigner, c'est tout pour une mère ». Et le 1er mai : « Ainsi ce n'est pas un rêve, mon frère chéri, cette amitié qui survit à l'amour... Tu m'aimes ! Sois fière, mon grand et brave George, tu as fait un homme d'un enfant[16]. » George à Alfred, le 12 mai : aime de façon à pouvoir dire un jour comme moi : « J'ai souffert souvent, je me suis trompé quelquefois, mais j'ai aimé. C'est moi qui ai vécu et non pas un être factice créé par mon orgueil[17]. » Phrases qui seront reprises mot pour mot dans une pièce de Musset, *On ne badine pas avec l'amour.*

George demanda à Alfred tous les poèmes qu'il avait écrits pour elle. Il alla les chercher quai Malaquais. « J'ai retrouvé des cigarettes que tu avais faites avant notre départ », lui écrivait-il. « Je les ai fumées avec une tristesse et un bonheur étranges... Je m'en vais faire un roman. J'ai bien envie d'écrire notre histoire. » Deux mois plus tard : « J'ai commencé le roman dont je t'ai parlé. A propos de cela, si tu as par hasard conservé les lettres que je t'ai écrites depuis mon départ, fais-moi le plaisir de les rapporter[18]. » Ce roman sera *La Confession d'un enfant du siècle*, un exploit aussi chevaleresque que peut le souhaiter toute dame de la part d'un ancien amant.

« Aime et écris, c'est ta vocation, mon ami », écrivait George à Musset[19]. Telle fut la signature à leur liaison passionnée alors que celle-ci restait encore à écrire.

Quant à Sand, son exploit personnel fut un véritable prodige d'écriture. En moins d'un mois, elle terminait *Leone Leoni*, un roman dans lequel la belle Juliette sacrifie tout, et de manière convaincante, au héros fictif, libertin et amoral. Elle acheva également un roman, *André*, et expédia en juillet à Buloz pour la *Revue des Deux Mondes* les derniers chapitres de *Jacques*, une œuvre plus durable dans laquelle c'est le héros qui se sacrifie. A cela s'ajoutaient plusieurs *Lettres d'un voyageur* dont les pages lyriques figurent parmi les plus belles de la littérature romantique. Marteler les émotions encore brûlantes dans un métal qui conserve miraculeusement sa liquidité sera toujours le don et le génie de George Sand. Rien d'étonnant que Henry James ait vu en elle la sœur de Goethe, et Charles Maurras une Tolstoï avant la lettre.

Le 24 juillet 1834, George quittait Venise pour Paris. Avec Pagello.

A la fin du voyage, il y avait Musset, comme le savait Pagello ; et ce fut par le chemin des écoliers, comme mus par un mauvais pressentiment, que George Sand et son compagnon italien regagnèrent Paris. Il leur fallut trois semaines. « A mesure que nous avancions », notera avec tristesse Pagello, « nos relations devenaient plus circonspectes et plus froides. George Sand était un peu mélancolique et sensiblement plus détachée de moi... et le voile qui me bandait les yeux commençait à s'éclaircir »[20].

George, quant à elle, avait commencé à y voir plus clair avant même de quitter Venise. « Y a-t-il du bonheur ? » lui avait demandé Émile Paultre dans une lettre. « Oui », avait-elle répondu. « Quand j'ai de l'amour... Il n'y a que cela dans la vie. » Mais cette réponse, poursuivait-elle, était moins simple et moins naïve qu'il n'y paraissait. « Le véritable amour, c'est quand le cœur, l'esprit et le corps se comprennent et s'embrassent. » Ces trois éléments — cette rencontre, cette étreinte aux composantes multiples, cette *sympathie* — ne se rencontrent « qu'une fois en mille ans. Mais pourvu qu'il y en ait deux, le corps et l'esprit sans le cœur, ou le cœur et le corps sans l'esprit, on se figure que la troisième existe jusqu'à ce que l'absence trop sensible de cette troisième chose tue la sympathie des deux autres »[21]. George regrettait l'esprit de Musset ; la communion avec le corps et le cœur de Pagello touchait à sa fin, et son propre corps s'éloignait en même temps que son cœur.

George avait amené Pagello à Paris comme un homme du monde l'aurait fait de sa maîtresse ; certes, elle lui avait dit qu'elle envisageait de retourner avec lui à Venise, mais il n'y croyait guère si l'on en juge par ses Mémoires. Cependant, à la différence d'un homme, d'un Victor Hugo, elle ne pouvait le laisser enfermé dans sa chambre d'hôtel au gré de sa fantaisie. Elle devait faire de Pagello un personnage pour qui, somme toute, elle avait quitté Musset, et le Tout-Paris était curieux de voir le successeur du poète. Il était médecin, mais n'en tirait guère de prestige — un dédain très moliéresque de cette profession persistait. Dès le retour de George, Buloz organisa un grand dîner (omettant avec tact d'inviter Musset). George laissa vaguement entendre que son compagnon italien était un archéologue distingué. Moyennant quoi, avec la causticité propre aux salons parisiens, la conversation tourna autour des fouilles et des découvertes historiques, à la grande stupéfaction de Pagello. Quand il comprit de quoi il retournait, il annonça aux convives, « avec une dignité noble et une simplicité touchante : ''Vous avez tort de rire de moi, je ne suis pas un savant et ne me donne pas pour tel ; je ne suis ici que comme *l'amico, le servidor et le cavaliere de la carissima et illustra signora*[22]'' ».

On peut imaginer la réaction de George Sand et presque voir l'éclat furieux de ses yeux de braise en entendant les paroles de Pagello. « Ceux qui ont été caressés ou maudits par ces yeux tour à tour », déclara Musset à Louise Colet, « y penseront jusqu'à la mort »[23].

Ces yeux étaient voilés quand George et Alfred se revirent pour la première fois depuis Venise. Ils n'étaient pas seuls. George avait invité Pagello chez elle, comme si elle avait eu besoin de la présence d'un tiers. La conversation manqua de naturel ; les accents d'une valse naguère entendue dans l'intimité leur parvenaient par la fenêtre ouverte. Les yeux de George se remplirent de larmes, comme le remarqua Musset, mais elle lui fit part de sa décision : ils ne devaient jamais se revoir sauf en amis et au milieu d'amis.

Musset partit désespéré, prêt à s'expatrier définitivement en Espagne. Il demanda de l'argent à sa mère ; elle lui donna tout ce qu'elle avait. Il écrivit à Buloz pour réclamer une avance ; et aussi à sa « Georgette » bien-aimée pour lui annoncer son départ prévu dans quatre jours. Il demandait « une heure et un dernier baiser ». Elle n'avait pas à craindre la voix de la destinée. « Reçois-moi sur ton cœur, ne parlons ni du passé, ni du présent, ni de l'avenir ; que ce ne soit pas l'adieu de M. untel et de Mme unetelle. Que ce soient deux âmes qui ont souffert, deux intelligences souffrantes, deux aigles blessés qui se rencontrent dans le ciel, et qui échangent un cri de douleur avant de se séparer pour l'éternité[24]. »

Ils se rencontrèrent ; ce furent deux heures de larmes et d'ultimes baisers, peut-être chastes. Le 24 août, ils se séparaient de nouveau. George Sand partait pour Nohant, Musset pour Baden-Baden. Il avait changé de destination, mais demeurait certain de sa mort prochaine. « Mais je ne mourrai pas, moi », écrivit-il en guise d'adieu, « sans avoir fait mon livre sur moi et sur toi... J'en jure par ma jeunesse et mon génie, il ne poussera sur ma tombe que des lys sans tache... La postérité répétera nos noms, comme ceux de ces amants immortels qui n'en ont qu'un à eux deux, comme Roméo et Juliette, comme Héloïse et Abélard. On ne parlera jamais de l'un sans parler de l'autre »[25].

De Nohant, Sand envoya quinze cents francs à Pagello, prétextant que cet argent venait de la vente des tableaux qu'il avait apportés à Paris dans cette intention[26]. Ainsi, sans se plaindre, George payait-elle non seulement son indépendance, mais aussi celle de ses amants.

Elle supportait mal d'avoir trente ans ; elle se sentait terriblement vieille et songeait même au suicide. Elle s'assit à son bureau et passa en revue sa vie dans une nouvelle *Lettre d'un voyageur*, adressée cette fois à son cher ami Jules Néraud, « le Malgache ». La mise à nu des pensées secrètes de l'auteur constitue un heureux paradoxe, une sorte de missive, écrira George Sand lors de la publication de ces *Lettres*, lancée vers des « amis inconnus ».

De nouveau loin de Sand, Musset sentait renaître sa passion. « Je suis perdu, vois-tu, je suis noyé, inondé d'amour... J'en meurs, mais j'aime, j'aime, j'aime !... Dis-moi que tu me donnes tes lèvres, tes dents, tes cheveux, tout cela, cette tête que j'ai eue, et que tu m'embrasses, toi, moi ! ô Dieu... quand j'y pense ma gorge se serre, mes yeux se troublent, mes genoux chancellent... ô mon George, ma belle maîtresse, mon premier, mon dernier amour[27] ! »

« Tu m'aimes encore trop », répondit George[28]. « Il faut nous quitter. » Pagello, expliquait-elle, n'était plus un frère mais un amant jaloux. Ses accusations prouvaient qu'il ne l'aimait plus. (Musset reprendra aussi cette phrase dans une de ses pièces.) « Il part, il est peut-être parti à l'heure qu'il est. »

Le 15 septembre, Musset annonça son retour à Paris. Quand il arriva dans la capitale, un mois plus tard, il trouva une lettre de

George Sand, rentrée depuis une semaine. Voulait-il la voir ? Musset :
« Tu veux bien que nous nous voyions, et moi si je le veux !...
Réponds-moi une ligne. Si c'est ce soir, tant mieux[29]. »

George donna de nouveau cinq cents francs à Pagello en lui assurant que cette somme représentait le solde de la vente de ses tableaux. Cet argent allait payer le voyage de retour de Pagello à Venise — à son père et à ses maîtresses, à la médecine, au mariage et à ses nombreux enfants. Il devait mourir à quatre-vingt-onze ans, glorieusement auréolé de sa liaison avec « La Sand ». Il décrivait ainsi leur séparation : « Nos adieux furent muets. Je lui serrai la main sans pouvoir la regarder dans les yeux. Elle était comme perplexe : je ne sais point si elle souffrait : ma présence l'embarrassait. Il l'ennuyait, cet Italien...[30]. »

Dans sa solitude parisienne, toutefois, Pagello était devenu le confident d'Alfred Tattet, l'ami de Musset, trop heureux d'entendre la « véritable histoire » des amants de Venise de la bouche même de l'un d'entre eux. Oui, avait dit Pagello à Tattet, Sand et lui étaient amants avant le départ de Musset. Quand elle et le poète reprirent leur intimité en octobre, avec la force et la soudaineté d'un coup de tonnerre, Tattet ne tarda pas à raconter à Musset ce qu'il tenait de Pagello. Chez George quai Malaquais, les effusions délirantes alternèrent avec des scènes de jalousie de la part de Musset. Quand, exactement, George et Pietro étaient-ils devenus amants ? Pendant qu'il gisait dans son lit, à deux doigts de la mort ? Cette tasse, ce baiser, les avait-il rêvés ? « Dieu juste ! une autre main que la mienne sur cette peau fine et transparente ! une autre bouche sur ces lèvres[31] ! » Musset se délectait de cette exquise agonie, réclamait des détails. Assez de questions ! s'écria George. Alfred oubliait-il ces horribles journées italiennes où il la dédaignait pour courir les bordels ? De quel droit exprimait-il maintenant des doutes ? N'avait-il pas prévu que leur amour serait pour lui « comme un beau poème » tant qu'ils se trouveraient éloignés, mais ne lui paraîtrait plus « qu'un cauchemar » dès qu'ils vivraient ensemble et qu'il reprendrait possession d'elle ? Que leur restait-il ? « Ni l'amour ni l'amitié[32] ? »

George recherchait désespérément une vie active, stable et normale en compagnie d'amis artistes. Musset avait invité à dîner avec eux, quai Malaquais, Franz Liszt, le jeune pianiste hongrois qui éblouissait Paris. George lui demanda d'amener Berlioz ainsi que Heinrich Heine, le poète allemand. Liszt fut de toute évidence séduit, et Heine devait trouver George « aussi belle que la Vénus de Milo »[33]. Mais Musset était jaloux du beau Liszt, âgé de vingt-trois ans, et il le montra à l'occasion d'une autre rupture avec George.

Sainte-Beuve à un ami, le 13 novembre 1834 : « Les plus grands orages que je sache sont les ruptures de *Lélia* et de *Rolla*, qui ont passé tout ce dernier mois à se maudire, à se retrouver, à se déchirer, à souffrir[34]. » Musset à Tattet, six jours plus tôt : « Mon cher ami, tout est fini[35]. » Aux anges, Tattet enjoignit à Musset de tenir bon.

Autant dire aux marées d'interrompre leur flux, à la lune de cesser son attraction.

Or, par quelque miracle, Alfred fit preuve de fermeté, peut-être parce que la lune, elle, refusait de s'immobiliser. C'était George, maintenant, qui rendait les armes, une reddition totale, désespérée, abdiquant toute fierté devant le pouvoir d'une passion pleinement éveillée. Elle confiait ses sentiments à un journal intime qu'elle enverrait à Musset puisque celui-ci ne répondait pas à ses billets implorants. « Pourquoi ne peux-tu pas m'aimer ?... Insensé, tu me quittes dans le plus beau moment de ma vie, dans le jour le plus vrai, le plus passionné, le plus saignant de mon amour ! » Une satisfaction des sens jamais éprouvée, un plaisir jamais aussi total. Le Musset retrouvé après l'épisode vénitien avait pleinement révélé à elle-même une Lélia encore engourdie. Pourquoi lui avait-elle permis d'éveiller sa chair, « quand je m'étendais avec résignation sur cette couche glacée ?... Ange de mort, amour funeste, ô mon destin, sous la figure d'un enfant blond et délicat ! ô que je t'aime encore, assassin ! que tes baisers me brûlent donc vite, et que je meure consumée ! »

Mais Musset avait fermé sa porte, leurs corps ne se rencontreraient peut-être jamais plus dans l'extase amoureuse. Ces phrases sont d'un lyrisme à peine supportable :

> « Ô mes yeux bleus, vous ne me regarderez plus ! belle tête, je ne te verrai plus t'incliner sur moi et te voiler d'une douce langueur ! Mon petit corps souple et chaud, vous ne vous étendrez plus sur moi, comme Élisée sur l'enfant mort, pour me ranimer... Adieu mes cheveux blonds, adieu mes blanches épaules, adieu tout ce que j'aimais, tout ce qui était à moi. J'embrasserai maintenant dans mes nuits ardentes le tronc des sapins et les rochers dans les forêts en criant votre nom, et, quand j'aurai rêvé le plaisir, je tomberai évanouie sur la terre humide[36]. »

Dans un geste sacrificatoire, en guise de plaidoyer silencieux, George coupa ses longues boucles noires et les envoya, avec sa dernière lettre, à Musset. Il pleura. Ils se revirent. Ils se querellèrent, se battirent, furent séparés par Sainte-Beuve, et se quittèrent une fois encore.

Le désespoir de George croissait. Elle redoutait la solitude, la séparation, l'isolement, le rejet de son amour. « Et si je courais quand l'amour me prend trop fort ! si j'allais casser le cordon de sa sonnette, jusqu'à ce qu'il m'ouvre la porte, si je me couchais en travers jusqu'à ce qu'il passe... Il est cruel de l'obséder et de lui demander l'impossible, mais si je me jetais à son cou, dans ses bras, si je lui disais : "Tu m'aimes encore... embrasse-moi, ne me dis rien... caresse-moi puisque tu me trouves encore jolie malgré mes cheveux coupés, malgré les deux grandes rides qui se sont formées depuis l'autre jour sur mes joues. Eh bien, quand tu sentiras ta sensibilité se lasser, et ton irritation revenir, renvoie-moi, maltraite-moi, mais que ce ne soit jamais cet affreux mot, dernière fois[37]". »

Mais la fierté de George Sand parlait aussi, et presque aussi fort que sa passion. « Je peux encore faire la joie et l'orgueil d'un homme » — d'un homme aussi orgueilleux qu'elle. Mais peut-être devrait-il être plus fort que Musset, et moins vaniteux. « Si j'avais trouvé cet homme-là, je ne serais pas où j'en suis. Mais », et George marquait une pause, « ces hommes-là sont des chênes noueux dont l'écorce repousse... Ensuite ces hommes forts qui mentent ! et qui frappent... ! » Quelle différence avec son « Poète », belle fleur dont elle avait voulu boire la rosée[38].

Elle ne voyait aucune issue. Ni dans les longues conversations avec Sainte-Beuve, qui se contentait de lui dire : « Si vous pleurez, vous aimez. » Ni dans les longues soirées avec Marie Dorval, dans sa loge, au théâtre. Il y avait pire : George ne pouvait plus écrire ; pour la première fois, les mots refusaient de couler.

Le 7 décembre, George s'enfuit à Nohant.

Le 2 janvier, elle rentrait à Paris. Son répit avait duré moins d'un mois. Pendant son séjour à Nohant, Musset lui avait envoyé une boucle de ses cheveux ; en retour, il recevait une feuille du jardin de George. Avec la nouvelle année, 1835, ils étaient de retour dans l'appartement du quai Malaquais et George annonçait à Tattet : « Alfred est redevenu mon amant[39]. »

Les retrouvailles furent brèves ; leur amour avait atteint l'agonie. Le désir d'Alfred s'était ranimé, mais non sa confiance. Il voulait non seulement posséder le présent de George, mais son passé. Ce qu'elle avait fait, répétait-il avec obstination, elle le referait. Pour renforcer sa confiance, George, avec regret, mais fermeté, prit ses distances d'avec ses nouveaux amis, annonça à Franz Liszt qu'elle ne pouvait plus le recevoir. En même temps, simple coïncidence peut-être, elle commença à discuter avec son mari des termes d'une séparation légale. Quand Alfred tomba malade et alla habiter chez sa mère, il supplia George de l'accompagner pour le soigner. Elle accepta sans hésiter. Elle emprunterait un bonnet et un tablier à sa bonne. « Ta mère fera semblant de ne pas me reconnaître et je passerai pour une garde[40]. » Mais il y eut des moments plus sauvages, où Musset brandit un couteau, où George parla de suicide, et où tous deux songèrent à aller se brûler la cervelle ensemble dans la forêt de Fontainebleau.

Finalement le plus fort des deux, « l'homme du couple », mit fin à cette lutte épuisante. George déclara qu'elle était à bout. Même ses larmes irritaient Alfred. Rester ensemble n'équivaudrait qu'à augmenter sa honte et les tourments d'Alfred. Dieu, autant se séparer. Et cette fois pour toujours. Le 6 mars 1835, George fit retenir une place dans la malle-poste pour Nohant — et partit.

Musset se tourna aussitôt, en guise de thérapeutique, vers Aimée d'Alton et d'autres maîtresses. Mais il écrivit aussi à Tattet, à l'été 1835 : « Si vous voyez Mme Sand, dites-lui que je l'aime de tout mon cœur, que c'est encore la femme la plus femme que j'aie jamais connue[41]. » Et, après *On ne badine pas avec l'amour* et *Les Nuits*, il devait également publier « l'hymne à l'amour » promis à George Sand : *La Confession d'un enfant du siècle*. Le livre parut en 1836, Musset avait vingt-cinq ans. Ce fut sa dernière œuvre importante, et si elle subsiste dans les mémoires davantage pour son évocation du passé impérial que pour le portrait qu'elle trace d'une George Sand trop immaculée, elle demeure un des classiques de cette littérature romantique à laquelle appartient l'histoire de leur amour.

« Cet amour fut le grand événement de la vie de Musset », écrivit Sainte-Beuve, et « je ne parle que de sa vie poétique. Son talent tout à coup s'y épura, s'y ennoblit ». Les impuretés avaient disparu, les vers s'étaient faits plus vigoureux, et c'est ainsi qu'il fut en mesure d'écrire les quatre *Nuits*, « qui marquent la plus haute élévation de son talent lyrique »[42].

Pendant les vingt années qu'il lui restait à vivre, Musset ne toucha plus à son luth, ou presque. Les souvenirs ne suffisaient plus, même s'il ne parvint jamais à les noyer définitivement dans l'alcool et la débauche. Si le poète doit vivre et aimer, il doit aussi écrire. Ce que faisait George Sand, maintenant à Nohant ; ce qu'elle continuerait à faire pendant les nombreuses années de sa vie. Une grande part de l'amertume et de la hargne dont font preuve les inconditionnels de Musset tient à ce crime inexpiable.

*
* *

Presque vingt-cinq ans après l'aventure à Venise, George Sand est à Gargilesse avec Alexandre Manceau, en mai 1858, et y termine son *Elle et Lui*.

Alfred de Musset était mort l'année précédente.

Lorsque *Elle et Lui* parut, le roman fut récusé avec colère par Paul de Musset ; réponse, *Lui et Elle*. Et comme si cela ne suffisait pas, Louise Colet, qui avait été la maîtresse d'Alfred, apportait son grain de sel avec un *Lui* sans beaucoup de talent.

Ces trois romans émoustillèrent le Tout-Paris. Sand crut que la publication de sa correspondance avec Musset garantirait sa propre version des faits et établirait son innocence dans l'épisode vénitien. Elle prit conseil auprès de son vieux confident, Sainte-Beuve, qui s'y montra opposé. Elle l'en remercia : « Les lettres », déclara-t-elle, « ne paraîtront qu'après moi ». Mais pas exactement comme elle les avait écrites, on se le rappelle. « Lui-même [Musset] lui avait donné l'exemple en coupant le premier, avec des ciseaux », écrivit Émile Aucante au vicomte de Spoelberch de Lovenjoul, 9 août 1896[43].

Néanmoins, même sous leur forme définitive, elles ne prouvent qu'une chose :

> ... « c'est qu'au fond de ces deux romans, *la Confession d'un enfant du siècle, Elle et Lui*, il y a une histoire vraie, qui marque peut-être la folie de l'un et l'affection de l'autre, la folie de tous les deux si l'on veut, mais rien d'odieux ni de lâche dans le cœur, rien qui doive faire tache sur des âmes sincères »[44].

C'est généreux, c'est pertinent, et au fond, je crois, c'est vrai pour ces amants aux cœurs et aux plumes croisés. En même temps, c'est au lecteur de remarquer ce qui a été changé dans les fameux romans de Sand et Musset en comparant les récits avec les faits. (Bien sûr, substituer l'austère anglo-américain Dick Palmer à Pagello dans *Elle et Lui* n'est pas simplement « un changement de noms ».)

Sur deux points, au moins, Musset et Sand sont parfaitement d'accord dans leurs fictions : l'héroïne qui représente Sand est plus qu'innocente ; elle est impeccable, la pureté même, bref, une sainte, et presque sans relief. Mais le personnage qui incarne Musset dans leurs romans — qu'il se nomme Laurent de Fauvel ou Octave, le nom du mauvais lui-même des *Caprices* — est diaboliquement fascinant. « Plus j'allais, confesse Musset, plus se développaient en moi, malgré tous mes efforts, les deux éléments de malheur que le passé m'avait légués : tantôt une gaieté cruelle, une légèreté affectée qui outrageait en plaisantant ce que j'avais de plus cher. » « Je souffrais, et cependant j'y prenais plaisir. » « Comment se fait-il qu'il y ait ainsi en nous je ne sais quoi qui aime le malheur ? » (la *Confession*, IV, 3 ; V, 3 et 4).

Mais il y avait en George Sand une nature attirée inéluctablement par le bonheur. Qui pourrait les imaginer homme et femme, un couple pour la vie, ou même pour une décennie ? La friction entre les deux amants était inévitable. Mais, ô quelle belle lumière en jaillit !

JOSEPH BARRY

[1] Capo de Feuillide, *L'Europe littéraire*, 9-22 août 1833.
[2] Paul de Musset, *Biographie d'Alfred de Musset* (Paris, 1877), p. 86.
[3] George Sand, *Elle et Lui* (Paris, 1859), p. 56.
[4] Paul de Musset, *Lui et Elle* (Paris, 1886), p. 79-80 ; 1860, 1re éd.
[5] Sand-Musset, *Correspondance*, éd. Évrard (Paris, 1956), p. 77-78.
[6] *Ibid.*, p. 27-28.
[7] *Ibid.*, p. 29-30.
[8] Juliette Adam, *Mes premières armes littéraires et politiques* (Paris, 1904), p. 293.

[9] Sand, *Correspondance*, éd. Georges Lubin (Paris, 1964), II, p. 730. Lettre (ré-écrite) à Alfred de Musset, fin octobre 1834 (?). L'écriture appartient à la période 1856-1860 de George Sand.

[10] Voir *La liaison Musset-Sand* de Guillemin et l'utilisation faite par un adversaire de Sand des découvertes de Lubin, puis lire ensuite la réponse de Lubin in *Revue d'histoire littéraire de la France* (janv.-févr. 1973). C'est Lubin qui a toujours le dernier mot.

[11] Sand, « Journal intime », *Œuvres autobiographiques*, édition de La Pléiade, 2 vol. (Paris, 1970-1971), II, p. 955.

[12] Sand, *Correspondance*, II, p. 501-503.

[13] Sand-Musset, *op. cit.*, p. 70.

[14] Sand, *op. cit.*, II, p. 561-564.

[15] *Ibid.*, p. 569.

[16] Sand-Musset, *op. cit.*, p. 91.

[17] Sand, *op. cit.*, II, p. 589.

[18] Sand-Musset, *op. cit.*, p. 148.

[19] Sand, *op. cit.*, II, p. 625.

[20] Pietro Pagello, *De Parigi a Genova*, cité in Paul Mariéton, *Une histoire d'amour* (Paris, 1903), p. 184.

[21] Sand, *op. cit.*, II, p. 637.

[22] Louise Colet, *Lui* (Paris, 1860), 2ᵉ éd., p. 288-289.

[23] *Ibid.*, p. 276.

[24] Sand-Musset, *op. cit.*, p. 154.

[25] *Ibid.*, p. 159.

[26] Sand, *op. cit.*, II, p. 687 et 690.

[27] Sand-Musset, *op. cit.*, p. 61-65.

[28] Sand, *op. cit.*, II, p. 691-695. Les notes de Lubin sont indispensables.

[29] Sand-Musset, *op. cit.*, p. 172-173.

[30] Pagello, cité in Annarosa Poli, *L'Italie dans la vie et l'œuvre de George Sand* (Paris, 1960), p. 147.

[31] Alfred de Musset, *La Confession d'un enfant du siècle* (Paris, 1968), p. 306.

[32] Sand, *op. cit.*, II, p. 172-173.

[33] Heinrich Heine, *Sämtliche Werke*, 6 vol. (Leipzig, 1887), V, p. 485.

[34] Sainte-Beuve, *Correspondance générale*, 15 vol. (Paris 1935-1964), I, p. 478.

[35] Sand-Musset, *op. cit.*, p. 184.

[36] Sand, « Journal intime » in *Œuvres autobiographiques*, II, p. 954-963.

[37] *Ibid.*, p. 968.

[38] *Ibid.*, p. 969.

[39] Sand, *Correspondance*, II, p. 790.

[40] *Ibid.*, p. 800-801.

[41] Alfred de Musset, *Correspondance* (Paris, 1907), p. 120.

[42] Sainte-Beuve, *Causeries du lundi*, 15 vol. (Paris, 1857-1872), I, p. 302.

[43] Cité in Sand, *Correspondance*, II, p. 3.

[44] Spoelberch de Lovenjoul (vicomte de), *La Vraie Histoire de « Elle et Lui »* (Paris, 1897), p. 225.

G. Sand. par A. de Musset. 1893

Présentation

Une passion comme celle de Musset et Sand, avec ses extases et ses déchirements dans les orages du romantisme, dans le somptueux décor de Venise et dans l'agitation brillante de la vie parisienne, ne pouvait pas ne pas laisser des traces dans la vie et l'œuvre des deux amants. Blessures vives et profondes comme en témoignent leurs lettres et le journal intime de Sand, mais qui donneront naissance plus tard à quelques chefs-d'œuvre de notre littérature. Pour Musset, on en trouvera la marque dans son théâtre, dans la poésie, et surtout dans *La Confession d'un enfant du siècle*. George Sand, qui évoque brièvement et pudiquement cette liaison dans les *Lettres d'un voyageur* et dans *Histoire de ma vie*, lui donnera après la mort de Musset une forme romanesque avec *Elle et Lui*. Attaques et controverses surgirent aussitôt... et durent encore. Il serait temps peut-être de considérer *Elle et Lui* non comme un pamphlet ou un plaidoyer, mais comme un roman.

Lorsqu'Alfred de Musset meurt le 2 mai 1857, le sort de la correspondance des deux « amants de Venise » n'est pas encore réglé. Bien après leur rupture, probablement en 1840, ils avaient institué, d'un commun accord, Gustave Papet dépositaire des deux paquets de leurs lettres. En décembre 1856, par l'intermédiaire de son avocat Jules Grévy, Musset avait tenté de récupérer ses propres lettres ; le 26 janvier 1857, Papet se décharge de ce dépôt dangereux, et remet à George Sand « deux paquets cachetés », dont les cachets sont intacts ; l'échange des lettres est remis à plus tard.

Le 17 mai 1857, soit quinze jours après le décès de son frère, Paul de Musset vient réclamer les lettres ; George Sand a quelque raison de lui mentir. Elle écrira, le 20 janvier 1861, à Sainte-Beuve :

> « Quinze jours après [la mort], le frère, avec qui elle avait toujours eu de loin en loin de bons rapports, vint de la part du mourant, disait-il, lui demander ce qu'elle comptait faire des lettres ; qu'à son heure dernière, il s'en était vivement préoccupé et avait désiré que tout fût brûlé. Elle y consentit, mais les lettres n'étaient pas là. Elles étaient toujours en Berry sous clé, chez M. G[ustave] P[apet]. Elle invita donc le frère à venir en Berry le mois suivant afin qu'à eux trois ils fissent le sacrifice. C'est alors que le frère observa que c'était dommage et que probablement il y en avait de bien belles de lui, bien précieuses à garder ; que si elle voulait, on relirait tout ensemble et qu'on ferait un choix. Elle lui demanda s'il était autorisé à cela. Il prétendit l'être, ce qui n'était pas conforme à sa première affirmation qu'il fallait tout brûler. *Elle* n'en prit pourtant pas d'ombrage et, l'ayant toujours connu très sympathique pour elle, *devant elle*, elle lui renouvela son invitation, elle alla l'attendre en Berry. »

> (*Corr. S*, t. XVI, p. 246-247.)

Au début de 1858, George Sand achève *Les Beaux Messieurs de Bois-Doré* et *L'Homme de neige*. Il est vraisemblable qu'elle brise alors les cachets qui protégeaient ces lettres, témoignages d'un passé exalté et douloureux brusquement réveillé (le 24 mars, Papet est venu lui rendre visite). Elle rêve en flânant à un nouveau roman. Le 26 avril 1858, Sand et son compagnon quittent Nohant pour Gargilesse, dans leur petite maison « toujours propre, commode, retirée, charmante » (Agenda). Là, entre la chasse aux chenilles et aux papillons, les promenades, les parties de bésigue et les averses, George Sand va se remettre au travail, le 29 avril : « Je rentre à 3 h et je travaille. Je fais une douzaine de pages de je ne sais quoi, mais bien tranquille dans ma petite chambre » (Agenda) ; l'idée se précise bientôt ; chaque jour, de nouvelles pages s'ajoutent. Le 3 mai, Sand rentre à Nohant où elle va continuer le « roman de Gargilesse » qui a bientôt trouvé le titre de *Thérèse*. Le 6 mai, elle annonce à Émile Aucante : « J'ai commencé à Gargilesse un autre roman que je tâcherai de faire court » (*Corr. S*, t. XIV, p. 719) ; le 11, elle en explique le sujet :

> « Le roman que je fais ne comporte qu'un fort volume, 250 ou 300 mille lettres. C'est une histoire d'amour à deux person-nages, c'est très analysé et pas froid, j'espère. Mais cela serait mieux dans une revue que dans un feuilleton. Peut-être serait-ce bien dans l'*artiste* ou encore dans la *revue des deux mondes*. Je crois que ça irait à la rigueur dans la *presse*. Mais pas du tout dans le *Monde illustré*, ni dans ces sortes de publications. Enfin voilà ce que c'est : deux amants qui sont d'abord amis, et puis ennemis, et puis amis, et puis amants, et puis indifférents, etc. Toutes les phases d'une passion qui n'est pas heureuse, qui est décrite avec assez de chaleur pour intéresser, et où il y a de l'action. »
>
> (*Corr. S*, t. XIV, p. 723.)

Le 21 mai, on repart pour Gargilesse. C'est là que Sand, tout en corrigeant les épreuves de *L'Homme de neige*, et en travaillant des journées entières, termine son roman, le 29 mai : « Je reste à la maison et je finis mon roman *Thérèse : elle et lui*, commencé le 4 mai, 620 pages en 25 jours. C'est un joli coup de collier. Je n'ai jamais travaillé avec autant de plaisir qu'à Gargilesse. J'ai fait ici 200 pages, malgré les longues promenades » (Agenda). Elle passe les deux jours suivants à relire et à corriger le roman qu'elle appelle mainte-nant *Elle et Lui*. Le 4 juin, de retour à Nohant, elle annonce à Aucante : « Mon roman de 250 000 lettres est fini et corrigé. [...] C'est court, vous devriez le lire en vous endormant le soir » (*Corr. S*, t. XIV, p. 747). Elle fait encore « un peu de travail de correction » du 11 au 15 juin, avant d'envoyer ce « petit roman » à Émile Aucante qui a traité avec Buloz.

Le 14 août, Buloz expose à George Sand son sentiment après la lecture du manuscrit d'*Elle et Lui* :

> « J'ai lu votre roman autobiographique. Pour moi qui con-nais les faits, qui vous ai même toujours défendue verbalement à l'endroit d'Alfred, je vous trouve dans la vérité et la modéra-tion dans le portrait que vous tracez. Mais le public qui ne sait pas tout cela, pourra vous trouver un peu sévère ; il y a peut-être aussi des choses qu'il ne faut pas toucher quand il s'agit d'une personne qu'on a aimée : je veux dire le côté pécuniaire. Je crois donc qu'aux épreuves, vous ferez bien, pour vous, non

pour d'autres, d'adoucir quelques passages, d'accorder quelque chose de plus à l'artiste, de représenter Thérèse moins parfaite. Il y a des expressions *saintes*, si je puis dire, qui sont trop souvent appliquées à l'héroïne ; il faut en quelque sorte tout peser et modérer comme si Alfred était là, pouvant vous répondre. J'ai remarqué du reste, avec plaisir, dans le cours du roman, que c'était votre intention, et je dois dire que cette lecture, sauf quelques expressions, quelques courts passages, m'a paru ne devoir provoquer que des impressions favorables à l'auteur. C'est une œuvre élevée, une belle peinture de l'homme de génie aux prises avec le vice (et ici seulement la chose peut tourner contre notre ami) mais non une œuvre de vengeance. [...] On voit bien que vous avez voulu repousser certaines accusations, que vous avez parfaitement le droit de repousser, parce qu'elles sont fausses... »

(Corr. S, t. XV, p. 25 n.)

A la suite de ces conseils, Sand apporte à nouveau des corrections à *Elle et Lui* et « termine sa retouche » les 25 et 26 août (Agenda). Le 18 septembre, Buloz envoie à Émile Aucante une lettre-traité par laquelle il achète *Elle et Lui* 4 500 francs pour la publication dans la *Revue des deux mondes* et en volume (*Corr. S*, t. XV, p. 75).

Elle et Lui paraît dans la *Revue des deux mondes* du 15 janvier au 1er mars 1859 ; en janvier et février, Sand corrigera des épreuves, faisant à tel endroit une coupure, mais également ajoutant, non sans réticence, un développement à la demande de Buloz qui trouve le roman trop court : « le sujet me rend malade et je n'y vois plus rien, à force d'y trop voir. Ce que j'ai ajouté n'est que le souvenir de réalités amères, mais peut-être cela atteint-il mieux la *moralité* que vous désirez voir ressortir » (*Corr. S*, t. XV, p. 318).

C'est Buloz qui, selon les termes du traité, négocie directement avec Hachette la publication en volume. Le livre paraît en mai ; le scandale, relancé par *Lui et Elle* de Paul de Musset et orchestré par les critiques et les journalistes, contribue au succès, et une seconde édition est tirée dès novembre.

*
* *

Buloz ayant averti George Sand que Paul de Musset l'accusait « d'avoir publié dans *Elle et Lui* des lettres textuelles de son frère » (Spoelberch de Lovenjoul, *La Véritable histoire...*, p. 177), elle répliquait :

« Vous pouvez et devez aussi affirmer que dans le roman, il n'y a pas une ligne reproduite ou seulement imitée. Ce ne sont pas des lettrés bien forts, je présume, qui s'y trompent. Pourquoi aurais-je eu recours à des citations, en supposant que j'eusse été à même d'en faire ? La vérité n'est pas exclusivement dans des mots. »

(*Corr. S*, t. XV, p. 371.)

Voilà qui n'est pas tout à fait vrai. Ces lettres, Sand les a lues. La lettre à Sainte-Beuve du 20 janvier 1861 est en partie inexacte : Sand prétend que Papet lui aurait apporté les paquets de lettres lors des premiers remous causés par *Elle et Lui*, qu'elle les aurait confiés à Manceau pour les brûler, mais que celui-ci les lui aurait rendus lorsqu'on annonçait la publication de *Lui et Elle*, et que ce n'est qu'alors qu'elle aurait lu les lettres (« il montra les deux paquets intacts »). Mais on a vu que Papet avait rendu les lettres le 26 janvier 1857, et il y a trop d'éléments qui démontrent une lecture antérieure à l'écriture du roman. Ce sont parfois des allusions, ce sont parfois les mêmes mots (l'expression de *mer Baltique*, voir note 39), des situations dérivées directement des lettres (l'arrivée de Laurent dans l'appartement de Thérèse reprenant la lettre du 19 avril 1834), et même un fragment de lettre repris presque textuellement (la lettre de Genève), ainsi que le billet *Senza veder, senza parlar*.

Mais ce ne sont là que des éléments qui sont glissés dans la narration, de fugitifs souvenirs qui renforcent la réalité psychologique ou, plus rarement, relancent l'action. La lecture des lettres a nourri l'émotion créatrice, et ces réminiscences en sont la trace. Plus encore qu'à ses souvenirs, c'est à son métier de romancière et à l'émotion créatrice que Sand fait appel pour incarner ses personnages. Elle l'explique, en parlant curieusement à la troisième personne, dans sa lettre à Sainte-Beuve :

> « Il n'entrait pas dans sa manière de voir, au point de vue de l'art, pas plus qu'à celui des convenances, de citer et de copier. Elle devait écrire elle-même son livre, ne pas imiter le style d'un autre, même pour le faire parler, elle devait rendre les idées et les sentiments de l'un et de l'autre comme elle se les rappelait et comme elle les appréciait à distance. Ce n'était pas des mémoires qu'elle rédigeait, c'était un roman, c'était de l'émotion rétrospective et sa propre émotion. »

(*Corr. S*, t. XVI, p. 247.)

On ne s'étonnera cependant pas que dans un roman né de la relecture de lettres d'amour, de séparations et de rupture, les lettres jouent un si grand rôle. *Elle et Lui* s'ouvre sur trois lettres ; le roman par lettres s'interrompt alors pour faire place à la narration. Mais c'est une narration souvent entrecoupée de lettres. On pourrait presque parler à certains moments d'un roman par lettres perverti, le tissu narratif n'apparaissant parfois que comme un pont jeté d'une lettre à l'autre, Thérèse ou Laurent agissant ou réagissant en fonction de la lettre qu'ils ont reçue, et souvent la lettre provoquant une lettre-réponse. On ne compte pas moins d'une vingtaine de lettres dans *Elle et Lui*, qui rythment et nourrissent l'action romanesque. Cette liberté de forme et ces changements de ton permettent à Sand de rendre au mieux les intermittences du cœur de ses personnages, et de conserver au roman la spontanéité de la vie. Sand peut réduire à l'essentiel l'analyse psychologique, et faire d'*Elle et Lui* un roman du comportement : les personnages se définissent par leurs lettres, leurs actions et leurs réactions.

*
* *

Roman ou confession ? *Elle et Lui* est gorgé de souvenirs, mais ce n'est pas, comme on l'a cru, le récit de la liaison Musset-Sand. Il la recompose, la recrée, et tente de comprendre dans les actes et la psychologie des protagonistes l'histoire de cette passion vouée à l'échec. Ce n'est pas un chapitre nouveau d'*Histoire de ma vie*, mais c'est une descente intérieure vers le souvenir, comme si le roman seul permettait à Sand de s'expliquer elle-même. Elle avouait à Sainte-Beuve :

> « C'est une histoire vraie au fond [...] et qui avait été si arrangée par certaines gens, que j'ai cru devoir lui restituer ce que la réalité des sentiments avait d'essentiel, tout en déguisant assez bien les faits et les personnages, pour que nul n'eût le droit de s'en plaindre. »

> (*Corr. S*, t. XVI, p. 243.)

Sand a certes « déguisé » ses protagonistes et en a fait des peintres. Transposition qui ne doit rien au hasard : Sand et Musset avaient tous deux fait de la peinture. Aurore Dudevant faisait « des portraits au crayon ou à l'aquarelle en quelques heures : je saisissais très bien la ressemblance, je ne dessinais pas mal mes petites têtes ; mais cela manquait d'originalité » (*Histoire de ma vie*, Bibl. de la Pléiade, t. II, p. 105) ; elle essaya de vivre de ce travail ; Thérèse sera elle aussi peintre de portraits. George Sand a toujours salué le génie de Musset, qu'elle plaçait bien au-dessus de son propre talent. Thérèse Jacques excelle dans le portrait, dans la copie ; Laurent de Fauvel est un peintre d'histoire, un créateur, « inventeur d'attitudes, de types et d'expressions » ; artiste éminent, son génie est souvent contesté ; « poète et créateur », il vit le drame de l'artiste aux prises avec l'inspiration et l'imagination. Musset avait « appris à peindre » (il l'écrit dans la *Confession* et dans *Le Poète déchu*) ; de nombreux albums nous ont conservé le témoignage de son talent de dessinateur ; Delacroix avait dit à George Sand que Musset « aurait fait un grand peintre, s'il eût voulu » (*Journal intime*, Pléiade t. II, p. 967) ; il semble bien d'ailleurs que Delacroix lui-même ait fourni quelques traits à Laurent.

*
* *

En mettant en roman sa liaison avec Musset, George Sand reprend les données de *La Confession d'un enfant du siècle*. Musset avait tracé de lui un autoportrait impressionnant sous les traits de cet « enfant du siècle », Octave, sceptique et débauché ; il avait raconté ses amours avec Brigitte Pierson jusqu'aux violentes mésententes, le ver rongeur de la jalousie, et le sublime sacrifice qu'il fait pour le bonheur de Brigitte en la « donnant » au « brave, bon et honnête » Henri Smith ; le roman s'achève sur le remerciement qu'Octave adresse à Dieu « d'avoir permis que, de trois êtres qui avaient souffert par sa faute, il ne restât qu'un malheureux » (Musset, *Œuvres complètes en prose,* Pléiade, p. 288). Bien des traces de *La Confession* se retrouveront dans *Elle et Lui* (on les lira dans les notes) ; mais Musset avait écrit cette *Confession* à son retour d'Italie, et il ne prévoyait peut-être pas les retrouvailles parisiennes ; George Sand peut décrire cette fatale passion jusqu'à son terme, jusqu'à la séparation finale et jusqu'à l'acte de volonté qui permet à la femme de recouvrer sa liberté, alors que son compagnon retombe plus que jamais dans l'esclavage de ses vices. Ce n'est pas à Dieu que Thérèse s'adresse à la fin d'*Elle et Lui*, mais à son ancien amant : dans le pardon, elle salue le génie de l'artiste que Dieu a condamné à « créer dans la douleur ».

*
* *

Nous ne nous attarderons pas sur les personnages de Laurent et Thérèse ; malgré leur vie romanesque propre, leur ressemblance avec Alfred et George est flagrante, et on lira dans les notes tous les points de concordance. Les contemporains, les amis ne s'y sont pas trompés. Buloz trouvait que Sand était restée « dans la vérité et dans la modération dans le portrait » de Laurent (Spoelberch de Lovenjoul, *La Véritable histoire...,* p. 162), et Hetzel jugeait ce portrait « sublime de clémence » (lettre citée par G. Lubin, *R.H.L.F.,* janvier-février 1973, p. 101).

D'Alfred de Musset, Laurent de Fauvel a le génie, mais aussi les passions, les défauts et les vices. Car, comme le remarquait Buloz, *Elle et Lui* n'est pas seulement une histoire sentimentale, mais « une belle peinture de l'homme de génie aux prises avec le vice » (cité par Spoelberch de Lovenjoul, p. 163).

Deux brèves descriptions physiques de Thérèse soulignent une certaine ressemblance avec George Sand ; Sand lui a donné en outre beaucoup d'elle-même. On peut cependant lui reprocher, comme l'avait fait Buloz, d'être trop « parfaite. Il y a des expressions *saintes*, si je puis dire, qui sont trop souvent appliquées à Thérèse » (cité par Spoelberch de Lovenjoul, p. 163). C'est pourtant à la demande de Buloz qu'un aspect plus trouble de Thérèse va disparaître du roman : comme George était devenue la maîtresse de Pagello, Thérèse devenait celle de Palmer ; mais Sand va suivre l'avis de Buloz et éliminer « les endroits où Thérèse passe si facilement des bras de Laurent à ceux de Palmer. Celui où elle se donne à Palmer [...] fera quelque peu crier » (cité par Spoelberch de Lovenjoul, p. 166-167). On ne peut que regretter une telle suppression.

Dick Palmer est probablement un des premiers types d'Américain du roman français. Mais c'est surtout une composition où l'on peut retrouver le souvenir de plusieurs proches de Sand. A Pagello, il emprunte les premières lettres de son nom, la belle stature physique ; il soigne Laurent malade avec Thérèse, et Laurent l'appelle (comme faisait Musset à Pagello) son frère et son sauveur ; avant de partir avec Thérèse, Palmer doit se débarrasser d'une ancienne maîtresse jalouse, comme Pagello avait dû calmer les fureurs d'Arpalice Manin. Une différence sensible existe cependant entre Pagello et le sérieux et sage Palmer qui, dès le début du roman, veille discrètement sur Thérèse et protège un moment sa liaison avec Laurent, avant de prévoir le drame et de tenter de l'éviter ; ce caractère « naïf et obstiné » (*Corr. S*, t. II, p. 548), « cette affection si indulgente et si active » (*Corr. S*, t. II, p. 766) sont des traits empruntés à Sainte-Beuve qui joua un rôle de confident entre George et Alfred. Peut-être encore le bon et fidèle Manceau a-t-il donné un peu de lui-même à l'amant Palmer, confiant, « cœur dévoué, tranquille et fidèle ».

*
* *

La chronologie interne du roman d'*Elle et Lui* est très difficile à établir, à l'image de celle de la liaison Musset-Sand. L'étude du manuscrit révèle que George Sand avait d'abord songé à situer son roman dans les années 1840 : la première lettre de Laurent est d'abord datée « 11 juin 184... » ; Sand choisit de rapprocher dans le temps l'histoire de Laurent et Thérèse de celle d'Alfred et George, et modifie la date en « 11 mai 183... ». Jamais cependant elle n'indiquera le millésime, et si elle donne quelques rares précisions de jours, c'est pour les faire suivre de durées vagues : plusieurs semaines plus tard, un beau matin, après des nuits, un soir, etc. Nous avons cependant tenté de préciser et de coordonner ces indications, en mettant en regard quelques dates de la liaison Musset-Sand qui peuvent en être rapprochées.

Mai 183...	Début du roman. Thérèse a 28 ou 30 ans, elle a été mariée à 16 ans, elle vient à Paris à 20 ans, elle y est connue depuis 2 ou 3 ans.	Sand naît en 1804, se marie en 1822, s'installe à Paris en 1831 ; *Indiana* paraît en 1832.
	Laurent a 24 ans. Palmer a 40 ans. Thérèse et Laurent ont fait connaissance il n'y a pas plus de trois mois.	Musset naît en 1810, Juin 1833 : Sand et Musset font connaissance ; premières lettres (cf. la variante du ms. « 11 juin 184... »).
10 mai	Visite de Laurent à Thérèse.	
11 mai	Palmer arrive chez Laurent. Premières lettres entre Laurent et Thérèse. Visite de Palmer à Thérèse. Visite de Mercourt à Laurent. Thérèse reçoit sa mère ; Laurent entend une partie de leur conversation ; il part à Montmorency.	
12-13 mai	Laurent passe 48 h. à Montmorency.	
13 mai au soir	Visite de Laurent chez Thérèse, avec Palmer.	
14 mai	Première séance de pose de Palmer chez Laurent. Visite de Laurent à Thérèse.	
18 mai	*Spleen* de Laurent qui retourne chez Thérèse.	
plusieurs tendresse.	semaines de froideur et de	
	le portrait est terminé.	
mi-juillet	Laurent va voir Palmer qui lui raconte l'histoire de Thérèse.	
	Déclaration d'amour de Laurent.	
après des nuits de méditation douloureuse.		

	Thérèse se donne à Laurent.	29 juillet (probablement) : George Sand devient la maîtresse de Musset.
7 jours de bonheur. été, le 7e jour, ils partent à la campagne ;	promenade la nuit dans la forêt ; hallucination de Laurent. Vie commune.	5-13 août : séjour à Fontainebleau.
Fin de l'automne	Départ pour l'Italie.	
Décembre	Traversée Marseille-Gênes. Séjour à Gênes ; Laurent commence à découcher.	12 décembre : départ pour l'Italie. 20-21 décembre : traversée Marseilles-Gênes.
[Janvier ?]	Laurent part pour Florence. Thérèse apprend la mort de son mari. Palmer déclare son amour. (vie commune ?).	
[Début avril]	Billet de Laurent empoisonné. Thérèse et Dick partent pour Florence. Elle passe 20 jours et 20 nuits au chevet de Laurent. Convalescence de Laurent qui projette d'aller en Suisse.	4-22 février 1834 : maladie de Musset ; Sand le veille nuit et jour.
1er-7 mai	Laurent reste encore une semaine à Florence, « la meilleure de [sa] vie ».	
8 mai	Thérèse accompagne Laurent à La Spezia.	
10 mai	Arrivée à La Spezia (178).	
11 mai	Promenade dans la rade, à l'île Palmaria ; le soir, Laurent embarque sur le Ferruccio ; Thérèse reste dormir à Porto-Venere ;	29 mars : Musset part pour Paris, Sand l'accompagne à Mestre.

	Palmer arrive à La Spezia.	
15 mai	Palmer retrouve Thérèse, qui reste à Porto-Venere. Laurent passe par Genève.	
Juillet	Thérèse est encore à Porto-Venere. Projet de mariage avec Palmer.	4 avril : Musset passe à Genève ; le 10, il est à Paris.
18 août	Le départ pour l'Amérique est annulé.	24 juillet : Sand et Pagello quittent Venise ; ils arrivent à Paris le 14 août ; le 17 août, Sand revoit Musset, qui part le 24 pour Baden.
19 août	Thérèse et Palmer partent pour Paris ; Laurent est à Baden.	
[Fin août ?]	Arrivée simultanée à Paris de Laurent, Thérèse et Palmer.	
	8 jours à Paris : soupçons et jalousie de Palmer.	
[Début septembre]	Thérèse quitte Paris et s'enferme à la campagne pour 3 mois. Départ de Palmer pour l'Amérique. Correspondance Laurent-Thérèse.	26 août-5 octobre : Sand est à Nohant. 23 ou 25 octobre : Pagello retourne à Venise. Reprise de la liaison avec Musset. Novembre : rupture.
Hiver	Retour de Thérèse à Paris. Nouvelle liaison avec Laurent ; orages et scènes ; querelles ; tentatives de rupture.	Début janvier 1835 : reprise de la liaison avec Musset, de plus en plus orageuse.
Mardi-gras	Faux départ de Laurent. Bal de l'Opéra.	vers le 3 mars (mardi-gras) : faux départ de Musset.
Mercredi	Thérèse et Laurent se revoient au Jardin des Plantes, et reprennent la vie commune.	

De jour en jour, tout s'obscurcit.
Un jour, arrivée du petit Manoël ; fuite de Thérèse en Allemagne.   6 mars : Sand s'enfuit à Nohant.
Un an plus tard, échange de lettres entre Laurent et Thérèse.   Décembre 1836 : Lettre de Sand à Musset.

La liaison Laurent-Thérèse retrouve tout naturellement la durée et le dénouement de la liaison Musset-Sand, et certains épisodes se rejoignent. George Sand a cependant donné à son intrigue un parcours souvent différent de son aventure personnelle, et la chronologie — malgré son squelette bien réel — est suffisamment vague et souple pour sembler dictée par la passion et les déchirements de Thérèse et de Laurent.

*
* *

C'est dans le choix des lieux que se marque davantage encore la transposition romanesque, avec toutefois certains détails qui rattachent le roman à la réalité. Mais l'épisode de Venise était encore dans toutes les mémoires, et eût conféré au roman un statut de confessions ou de mémoires.

La maison de Thérèse, entourée d'un jardin, et composée d'un grand atelier, d'un petit salon lilas et d'une chambre à coucher, est située dans le quartier des Champs-Élysées qui commençait juste à se construire. « Les Champs-Élysées [...] avaient de nouveaux quartiers où se louaient encore à bon marché de petites maisons avec de petits jardins d'un caractère très intime. On y pouvait vivre et travailler. C'est dans une de ces maisonnettes blanches et propres, au milieu des lilas en fleur, et derrière une grande haie d'aubépine fermée d'une barrière peinte en vert, que demeurait Thérèse ». La « mansarde bleue » du quai Malaquais, située au troisième étage, retirée et silencieuse, donnait sur les jardins de l'école des Beaux-Arts, et se composait d'une grande pièce et de deux plus petites ; le domicile de la rue Pigalle — où Sand vécut avec Chopin — avait un petit jardin avec un petit enclos.

Nous ne saurons pas où est situé l'atelier de Laurent. Laurent aime se montrer à cheval sur les Champs-Élysées ; il va se promener avec Thérèse dans les allées encore désertes du bois de Boulogne ; il va chez des amis à Montmorency (comme Musset allait chez son ami Alfred Tattet à Bury, dans la vallée de Montmorency).

Fontainebleau n'est pas mentionné dans le roman, mais il n'y a pas de doute que c'est bien cette forêt que les deux amants, au septième jour de leur bonheur — comme Alfred et George — parcourent à cheval : les masses de rochers, les petits ravins (probablement les gorges de Franchard), le sable fin et lourd, sont suffisamment évocateurs ; c'est là que Laurent — comme probablement Musset — a sa première hallucination.

Le voyage en Italie de Laurent et Thérèse commence comme celui d'Alfred et George : traversée de Marseille à Gênes par « un froid très âpre » (dans *Histoire de ma vie*, Sand parle du « froid rigoureux du trajet sur le Rhône », Pléiade, p. 206) ; mais alors que les deux écrivains s'arrêtent un seul jour, les deux peintres séjournent plus longuement à Gênes ; plus tard, allant secourir Laurent, Thérèse et Palmer suivent les traces d'Alfred et George : Livourne et Florence ; c'est à Florence, et non à Venise, que Thérèse va soigner Laurent. Puis elle l'accompagne à La Spezia, et ce sont alors d'autres souvenirs qui viennent nourrir le roman. Du 11 mars au 16 mai 1855, George Sand, avec son fidèle compagnon Manceau et son fils Maurice, a parcouru l'Italie ; du 3 au 10 mai, elle séjourne à La Spezia, et fait des excursions à Porto-Venere et à l'île Palmaria ; les promenades, l'émerveillement devant ces paysages, ainsi que les moindres détails du séjour (jusqu'aux noms de l'hôtel et du bateau), tout est consigné par Sand sur son agenda, et se retrouve admirablement restitué dans le roman. Plus encore, tel petit fait retrouvé dans l'agenda donne naissance à un épisode romanesque : Sand avait noté la présence dans le golfe d'un navire américain ; elle l'introduit dans le roman et le fait commander par le capitaine Lawson, ami de Palmer, qui propose de l'emmener en Amérique avec Thérèse.

Ainsi que l'a noté Annarosa Poli, « c'est, comme un parfum, comme une nostalgie d'Italie qui s'exhale de ces pages » (*L'Italie dans la vie et dans l'œuvre de George Sand*, p. 323). A la passion dont le souvenir douloureux a été ravivé par l'écriture du roman — jusqu'alors comme renfermé sur la seule étude psychologique, sans attention au décor (il n'y a pas de description de Gênes ni de Florence) —, Sand (qui n'a pas — n'en déplaise à Léon Séché — un encrier à la place du cœur) oppose le bonheur de son amour tranquille avec Manceau, dans une communion avec la nature qui rétablit l'harmonie intérieure dans son âme tourmentée, et la beauté du paysage participe de cette plénitude retrouvée. L'image de l'île est d'ailleurs symbolique dans le roman : Thérèse, comme Sand, a besoin de se retrouver ellemême et ne peut le faire que dans un certain isolement ; si l'épisode de Florence a mis l'accent sur le drame de Laurent, c'est comme sur une île (Porto-Venere n'est alors accessible qu'en bateau) que Thérèse réorganise son âme et son existence ; elle reprend son travail, fait de la dentelle, comme Sand aimait le calme de la tapisserie et des travaux ménagers ; elle ne dépend plus des hommes, c'est elle au contraire qui dicte par lettre à Laurent son comportement et qui accepte les visites de Palmer.

Comme celui de Musset, le retour de Laurent à Paris s'effectue par Genève ; et à son exemple, Laurent ira aux eaux à Baden. Thérèse et Palmer rentrent par Turin et le Mont-Cenis. Palmer repartira peu après pour l'Amérique. Quelques lieux parisiens seront encore brièvement évoqués : dîner du trio aux Frères-Provençaux, achat de rosiers au Quai aux Fleurs, bal de l'Opéra, promenade au Jardin des Plantes. Thérèse, qui s'était déjà retirée trois mois « dans une petite maison de campagne [...] en province » (p. 259), s'enfuira à la fin du roman « au fond de l'Allemagne » (p. 308), comme G. Sand se réfugie à Nohant.

Une chronologie volontairement floue ; pas de décors (sauf les magnifiques paysages de La Spezia et Porto-Venere), mais une simple localisation ; pas de portraits (sauf deux ou trois petites notations) ; c'est dans une certaine abstraction que se développera l'incandescence des passions et des douleurs ; dans un dépouillement qui rejoint le classicisme d'une *Princesse de Clèves* et des tragédies raciniennes, le roman n'est autre qu'une étude psychologique en action, où les paroles, les lettres, les sentiments et le comportement contribuent tout autant à la marche de l'intrigue qu'à l'analyse.

Écrit sous le coup d'une « émotion rétrospective » (*Corr. S*, t. XVI, p. 247), *Elle et Lui* fait revivre les affres d'une passion dou-loureuse et du déchirement, vécues dans la souffrance par deux êtres blessés, deux êtres de chair et de sang. Ces deux êtres sont cependant opposés par le caractère : Laurent se laisse entraîner et dominer par ses vices et ses passions ; Thérèse réussira — non sans mal — à échapper à cet engrenage par la volonté. On comprendra mieux *Elle et Lui* en se rappelant cette lettre que Sand écrivait le 11 septembre 1857 :

> ... « on ne peut pas raisonner les passions. On peut seulement se dire qu'il y en a de bonnes et de mauvaises. La jalousie qui survit à la rupture et qui n'est autre chose que le ressentiment, est une mauvaise jalousie. L'amour qui survit à l'estime et à la confiance est un mauvais et faux amour. Enfin l'orgueil blessé qui survit à un acte de force et de raison est un orgueil tout d'instinct et mal entendu. Vous n'entretiendriez qu'à vos dépens ces maladies de votre âme, et vous êtes déjà coupable envers vous-même de les avoir laissé vous envahir. C'est à vous, non de combattre pied à pied les mauvaises raisons que ces passions vous suggèrent malgré vous, mais de les chasser en bloc et d'un seul coup par un violent effort de votre volonté. Vous le pouvez en une heure, en un instant si vous n'êtes pas une nature infirme et pauvre »...
>
> (*Corr. S*, t. XIV, p. 448.)

Mais il n'est pas facile, au début du XIXᵉ siècle, pour une femme généreuse et sensible, de rompre une liaison. Le schéma était le même dans *Horace*, où Marthe a bien du mal à quitter Horace pour connaître le bonheur auprès de Paul Arsène. Dans les deux cas, la maternité va jouer le rôle de catalyseur : c'est au moment où elle apprend qu'elle est enceinte que Marthe s'enfuit ; c'est en retrouvant son fils que Thérèse trouve la force de partir.

On touche là une zone mystérieuse de la psychologie sandienne. Sur le rapport amoureux, plane souvent comme une ombre incestueuse : on en a l'exemple dans *François le Champi*. Dans *Elle et Lui*, pour être moins évident, le fait n'en a pas moins frappé un critique comme Hippolyte Babou qui s'écriait : « De la première page à la dernière, ce livre est criminel : on y respire l'inceste » (*Revue contemporaine*, 15 août 1859). Les termes *mère* ou *enfant* (ainsi que *frère* et *sœur*) reviennent souvent entre Thérèse et Laurent, et sont parfois même renforcés dans les corrections ; ils sont l'écho direct de la correspondance entre les deux amants : « je t'ai aimé comme un fils, c'est un amour de mère » (*Corr. S*, t. II, p. 811). Cette exacerbation de la maternité trouve son accomplissement à la fin du roman dans les retrouvailles de l'enfant que Thérèse croyait mort. On peut suivre dans les lettres le surgissement de l'amour maternel, et comprendre aisément comment à leur relecture s'est opéré le transfert romanesque. Parlant de Musset, Sand s'écrie : « pourquoi n'ai-je pu conserver mon enfant près de moi ? » (24 mai 1834, *Corr. S*, t. II, p. 597) ; quelques jours plus tard, elle est « horriblement triste et inquiète » d'être sans nouvelle de son vrai fils Maurice : « J'imagine à présent qu'il est mort et je suis comme folle toutes les nuits. [...] Je rêve toutes les nuits qu'on m'apporte son squelette ou sa peau toute sanglante » (30 mai, *idem*, p. 602-604). Et il y a les cris sur lesquels s'achève la dernière lettre : « Mais mes enfants à moi, oh ! mes enfants, mes enfants ! adieu, adieu, malheureux que tu es, mes enfants, mes enfants ! » (22 ou 23 février 1835, p. 812). Le dénouement heureux et quelque peu artificiel de l'arrivée du petit Manoël trouve ainsi une justification psychologique en comblant une attente manifestée tout au long du roman en direction de l'amant : « Elle était mère, et la mère avait irrévocablement tué l'amante ». Un critique n'a-t-il pas écrit un livre sur Sand et son fils Maurice en l'intitulant *Le plus grand amour de George Sand* ? Mais cet amour, ce bonheur, ainsi que le travail nécessaire à la préservation de ce fragile équilibre, George Sand a noté avec lucidité qu'ils ne pouvaient être assurés que par un certain égoïsme : « Elle eut le bonheur égoïste »...

*
* *

On ne saurait pas plus réduire *Elle et Lui* que *La Confession d'un enfant du siècle* à l'état de plaidoyers et de confessions. Ils sont cependant enracinés dans l'autobiographie. Si Musset a voulu aussitôt exhaler la souffrance de son âme dans la *Confession*, il l'a fait avec l'assentiment de G. Sand :

> « Il m'est impossible de parler de moi dans un livre, dans la disposition d'esprit où je suis ; pour toi, fais ce que tu voudras, romans, sonnets, poèmes ; parle de moi comme tu l'entendras, je me livre à toi les yeux bandés. »
>
> (*Corr. S*, t. II, p. 591, 12 mai 1834.)

35

Elle ne peut alors que l'associer par la pensée à ses errances en lui destinant les premières *Lettres d'un voyageur*.

Ce n'est que bien plus tard, le souvenir ranimé par la lecture des lettres, que Sand tente de comprendre à nouveau l'histoire de cette passion douloureuse ; elle veut le faire dans l'apaisement, dans une sorte de sérénité. Par l'écriture, elle se libère du poids du souvenir. Même après les attaques ignobles de Paul de Musset, et alors qu'elle envisage la publication posthume de sa correspondance avec Musset, elle dira à Sainte-Beuve :

> « ... au fond de ces deux romans, la *Confession d'un enfant du siècle, Elle et Lui*, il y a une histoire vraie qui marque peut-être la folie de l'un et l'affection de l'autre, la folie de tous deux, si l'on veut, mais rien d'odieux, ni de lâche dans les cœurs, rien qui doive faire tache sur des âmes sincères [...]. Paix et pardon, voilà toute la conclusion, mais dans l'avenir un rayon de vérité sur cette histoire ».

(*Corr. S*, t. XVI, p. 284.)

Un rayon de vérité... Non toute la vérité certes ; celle de Thérèse, celle de George. A la fin de son roman, elle rendait un bel hommage, tout empreint de pitié et de pardon, au poète qu'elle avait aimé. Il n'était pas dans son esprit de se servir des écrits d'*elle* contre *lui* ; ce n'était pas là un pamphlet. C'était le constat sans amertume de la fin d'un amour perdu, de la quête romantique de l'amour absolu, qui avait manqué détruire trois êtres : « Qui ne les plaindrait tous trois ? Tous trois avaient rêvé d'escalader le ciel et d'atteindre ces régions sereines où les passions n'ont plus rien de terrestre ; mais cela n'est pas donné à l'homme »...

THIERRY BODIN

Notes et variantes

Les appels de notes se font en numérotation suivie : Thérèse[1].
Les appels de variantes se font avec un astérisque : un beau modèle*
(Notes et variantes en fin d'ouvrage)

ELLE ET LUI

George Sand

ELLE ET LUI

A MADEMOISELLE JACQUES.

Ma chère Thérèse[1], puisque vous me permettez de ne pas vous appeler mademoiselle, apprenez une nouvelle importante dans *le monde des arts*, comme dit notre ami Bernard[2]. Tiens ! ça rime ; mais ce qui n'a ni rime ni raison, c'est ce que je vais vous raconter. Figurez-vous qu'hier, après vous avoir ennuyée* de ma visite, je trouvai en rentrant chez moi un mylord anglais... Après ça, ce n'est peut-être pas un mylord, mais, pour sûr, c'est un Anglais, lequel me dit en son patois[3] :

« Vous êtes peintre ?

— *Yes*, mylord.

— Vous faites la figure ?

— *Yes*, mylord.

— Et les mains ?

— *Yes*, mylord ; les pieds aussi.

— Bon !

— Très bons !

— Oh ! je suis sûr !

— Eh bien ! voulez-vous faire le portrait de moi ?

— De vous ?

— Pourquoi pas ? »

Le *pourquoi pas* fut dit avec tant de bonhomie* que je cessai de le prendre pour un imbécile, d'autant plus que le fils d'Albion est un homme magnifique. C'est la tête d'Antinoüs sur les épaules de... sur les épaules d'un Anglais ; c'est un type grec[4] de la meilleure époque sur le buste un peu singulièrement habillé et cravaté d'un spécimen de la fashion britannique.

« Ma foi ! lui ai-je dit, vous êtes un beau modèle*, à coup sûr, et j'aimerais à faire de vous une étude à mon profit ; mais je ne peux pas faire votre portrait.

— Pourquoi donc ?

— Parce que je ne suis pas peintre de portraits.

39

— Oh !... Est-ce qu'en France vous payez une patente pour telle ou telle spécialité dans les arts ?

— Non ; mais le public ne nous permet guère de cumuler. Il veut savoir à quoi s'en tenir sur notre compte, quand nous sommes jeunes surtout, et si j'avais, moi qui vous parle et qui suis fort jeune, le malheur de faire de vous un bon portrait, j'aurais beaucoup de peine à réussir* à la prochaine exposition avec autre chose que des portraits, de même que si je ne faisais de vous qu'un portrait médiocre, on me défendrait d'en jamais essayer d'autres : on décréterait que je n'ai pas les qualités de l'emploi, et que j'ai été un présomptueux de m'y risquer. »

Je racontai à mon Anglais beaucoup d'autres sornettes dont je vous fais grâce, et qui lui firent ouvrir de grands yeux, après quoi il se mit à rire, et je vis clairement que mes raisons lui inspiraient le plus profond mépris pour la France, sinon pour votre petit serviteur.

« Tranchons le mot, me dit-il. Vous n'aimez pas le portrait.

— Comment ! pour quel Welche⁵ me prenez-vous ? Dites plutôt que je n'ose pas encore faire le portrait, et que je ne saurais pas le faire, vu que de deux choses l'une : ou c'est une spécialité qui n'en admet pas d'autres, ou c'est la perfection, et comme qui dirait la couronne du talent. Certains peintres, incapables de rien composer, peuvent copier fidèlement et agréablement le modèle vivant. Ceux-là ont un succès assuré, pour peu qu'ils sachent présenter le modèle sous son aspect le plus favorable, et qu'ils aient l'adresse de l'habiller à son avantage tout en l'habillant à la mode ; mais quand on n'est qu'un pauvre peintre d'histoire, très apprenti et très contesté, comme j'ai l'honneur d'être, on ne peut pas lutter contre des gens du métier. Je vous avoue que je n'ai jamais étudié avec conscience les plis d'un habit noir et les habitudes particulières d'une physionomie donnée. Je suis un malheureux inventeur d'attitudes, de types et d'expressions. Il faut que tout cela obéisse à mon sujet, à mon idée, à mon rêve, si vous voulez. Si vous me permettiez de vous costumer à ma guise, et de vous poser dans une composition de mon cru... Encore, tenez ! cela ne vaudrait rien, ce ne serait pas vous. Ce ne serait pas un portrait à donner à votre maîtresse,... encore moins à votre femme légitime. Ni l'une ni l'autre ne vous reconnaîtrait. Donc ne me demandez pas maintenant ce que je saurai pourtant faire un jour, si par hasard je deviens Rubens* ou Titien, parce qu'alors je saurai rester poète et créateur, tout en étreignant sans effort et sans crainte la puissante et majestueuse réalité. Malheureusement il n'est pas probable que je devienne quelque chose de plus qu'un fou ou une bête. Lisez MM. tels et tels qui l'ont dit dans leurs feuilletons⁶. »

Figurez-vous bien, Thérèse, que je n'ai pas dit à mon Anglais un mot de ce que je vous raconte : on arrange toujours quand on se fait parler soi-même ; mais de tout ce que je pus lui dire pour m'excuser de ne pas savoir faire le portrait, rien ne servit que ce peu de paroles : « Pourquoi diable ne vous adressez-vous pas à Mlle Jacques ? »

Il fit trois fois « *Oh !* » après quoi il me demanda votre adresse, et le voilà parti sans faire la moindre réflexion, en me laissant très confus et très irrité de ne pouvoir achever ma dissertation sur le portrait ; car enfin, ma bonne Thérèse, si cet animal de bel Anglais va chez vous aujourd'hui, comme je l'en crois capable, et qu'il vous redise tout ce que je viens de vous écrire, c'est-à-dire tout ce que je ne lui ai pas dit, sur les *faiseurs* et sur les grands maîtres, qu'allez-vous penser de votre ingrat ami ? Qu'il vous range parmi les premiers et qu'il vous juge incapable de faire autre chose que des portraits bien jolis, qui plaisent à tout le monde ! Ah ! ma chère amie ; si vous aviez entendu tout ce que je lui ai dit de vous quand il a été parti !... Vous le savez, vous savez que pour moi vous n'êtes pas Mlle Jacques, qui fait des portraits ressemblants très en vogue[7], mais un homme supérieur* qui s'est déguisé en femme[8], et qui, sans avoir jamais fait l'académie, devine et sait faire deviner tout un corps et toute une âme dans un buste, à la manière des grands sculpteurs de l'antiquité et des grands peintres de la renaissance. Mais je me tais, vous n'aimez pas qu'on vous dise ce qu'on pense de vous. Vous faites semblant de prendre cela pour des compliments. Vous êtes très orgueilleuse, Thérèse !

Je suis tout à fait mélancolique aujourd'hui, je ne sais pas pourquoi. J'ai si mal déjeuné ce matin... Je n'ai jamais si mal mangé que depuis que j'ai une cuisinière[9]. Et puis on ne peut plus avoir de bon tabac. La régie vous empoisonne. Et puis on m'a apporté des bottes neuves qui ne vont pas du tout... Et puis il pleut... Et puis, et puis, que sais-je ? Les jours sont longs comme des jours sans pain depuis quelque temps, ne trouvez-vous pas ? Non, vous ne trouvez pas, vous. Vous ne connaissez pas le malaise, le plaisir qui ennuie, et l'ennui qui grise*, le mal sans nom dont je vous parlais l'autre soir[10], dans ce petit salon lilas*[11] où je voudrais être maintenant, car j'ai un jour affreux pour peindre, et, ne pouvant peindre, j'aurais du plaisir à vous assommer de ma conversation.

Je ne vous verrai donc pas d'aujourd'hui ! Vous avez là une famille insupportable qui vous vole à vos amis les plus délicieux ! Je vais donc être forcé, ce soir, de faire quelque affreuse sottise !... Voilà l'effet de votre bonté pour moi, ma chère grande camarade. C'est de me rendre si sot et si nul quand je ne vous vois plus, qu'il faut absolument que je m'étourdisse au risque de vous scandaliser. Mais soyez tranquille, je ne vous raconterai pas l'emploi de ma soirée.

Votre ami et serviteur[12],

LAURENT.

11 mai 183...*[13]

A M. LAURENT DE FAUVEL[14].

D'abord, mon cher Laurent, je vous demande, si avez pour moi quelque amitié, de ne pas faire trop souvent* de sottises qui nuisent à votre santé. Je vous permets toutes les autres. Vous allez me demander d'en citer une, et me voilà fort embarrassée, car en fait de sottises j'en connais peu qui ne soient nuisibles. Reste à savoir ce que vous appelez sottise. S'il s'agit de ces longs soupers dont vous me parliez l'autre jour, je crois qu'ils vous tuent, et je m'en désole. A quoi songez-vous, mon Dieu, de détruire ainsi, de gaieté de cœur, une existence si précieuse* et si belle ! Mais vous ne voulez pas de sermons : je me borne à la prière.

Quant à votre Anglais, qui est un Américain[15], je viens de le voir, et puisque je ne vous verrai ni ce soir, ni peut-être demain, à mon grand regret, il faut que je vous dise que vous avez tout à fait tort de ne pas vouloir faire son portrait. Il vous eût offert les yeux de la tête, et les yeux de la tête d'un Américain comme Dick Palmer, c'est beaucoup de billets de banque dont vous avez besoin, précisément pour ne pas faire de sottises, c'est-à-dire pour ne pas *courir le brelan**, dans l'espoir d'un coup de fortune qui n'arrive jamais aux gens d'imagination, vu que les gens d'imagination* ne savent pas jouer, qu'ils perdent toujours, et qu'il leur faut ensuite demander à leur imagination de quoi payer leurs dettes, métier pour lequel cette princesse-là ne se sent pas faite, et auquel elle ne se plie qu'en mettant le feu au pauvre corps qu'elle habite[16].

Vous me trouvez bien positive, n'est-ce pas ? Ça m'est égal. D'ailleurs, si nous prenons la question de plus haut, toutes les raisons que vous avez données à votre Américain et à moi ne valent pas deux sous*. Vous ne savez pas faire le portrait, c'est possible, cela est même certain, s'il faut le faire dans les conditions du succès bourgeois ; mais M. Palmer n'exigeait nullement qu'il en fût ainsi. Vous l'avez pris pour un épicier, et vous vous êtes trompé. C'est un homme de jugement et de goût, qui s'y connaît, et qui a pour vous de l'enthousiasme. Jugez si je l'ai bien reçu ! Il venait à moi comme à un pis-aller, je m'en suis fort bien aperçue, et je lui en ai su gré. Aussi l'ai-je consolé en lui promettant de faire tout mon possible pour vous décider à le peindre. Nous parlerons donc de cette affaire après-demain, car j'ai donné rendez-vous audit Palmer pour le soir, afin qu'il m'aide à plaider sa propre cause, et qu'il emporte votre promesse.

Sur ce, mon cher Laurent, désennuyez-vous de votre mieux de ne pas me voir pendant deux jours. Cela ne vous sera pas difficile, vous connaissez beaucoup de gens d'esprit et vous avez le pied dans le plus beau monde. Moi, je ne suis qu'une vieille prêcheuse[17] qui vous aime bien, qui vous conjure de ne pas vous coucher tard* toutes les nuits, et qui vous conseille de ne faire excès et abus de rien. Vous n'avez pas ce droit-là, génie oblige.

Votre camarade,

THÉRÈSE JACQUES*.

A MADEMOISELLE JACQUES.

Ma chère Thérèse, je pars dans deux heures pour une partie de campagne avec le comte de S... et le prince D...[18]. Il y aura de la jeunesse et de la beauté, à ce que l'on assure. Je vous promets et vous jure de ne pas faire de sottises et de ne pas boire de champagne... sans me le reprocher amèrement ! Que voulez-vous ? j'eusse certainement mieux aimé flâner dans votre grand atelier, et déraisonner dans votre petit salon lilas ; mais, puisque vous êtes en retraite avec vos trente-six cousins de province, vous ne vous apercevrez certainement pas non plus de mon absence après-demain : vous aurez la délicieuse musique de l'accent anglo-américain pendant toute la soirée. Ah ! il s'appelle Dick, ce bon M. Palmer ? Je croyais que Dick était le diminutif familier de Richard ! Il est vrai qu'en fait de langues, je sais tout au plus le français.

Quant au portrait, n'en parlons plus. Vous êtes mille fois trop maternelle, ma bonne Thérèse, de penser à mes intérêts au détriment des vôtres. Bien que vous ayez une belle clientèle, je sais que votre générosité ne vous permet pas d'être riche, et que quelques billets de banque de plus seront beaucoup mieux entre vos mains qu'entre les miennes. Vous les emploierez à faire des heureux, et moi je les jetterais sur un brelan, comme vous dites.

D'ailleurs jamais je n'ai été moins en train de faire de la peinture. Il faut pour cela deux choses que vous avez, la réflexion et l'inspiration ; je n'aurai jamais la première, et *j'ai eu* la seconde. Aussi en suis-je dégoûté comme d'une vieille folle qui m'a éreinté en me promenant à travers champs sur la croupe maigre de son cheval d'apocalypse. Je vois bien ce qui me manque ; n'en déplaise à votre raison, je n'ai pas encore assez vécu, et je pars pour trois ou sept jours avec Mme Réalité, sous la figure de plusieurs nymphes du corps de ballet de l'Opéra[19]. J'espère bien à mon retour être l'homme du monde le plus accompli, c'est-à-dire le plus blasé et le plus raisonnable.

Votre ami,

LAURENT.

I

Thérèse comprit fort bien, à première vue, le dépit et la jalousie qui avaient dicté cette lettre. « Et pourtant, se dit-elle, il n'est pas amoureux de moi. Oh ! non certes, il ne sera jamais amoureux de personne, et de moi moins que de toute autre. »

Et, tout en relisant et rêvant, Thérèse craignit de se mentir à elle-même en cherchant à se persuader que Laurent ne courait aucun danger auprès d'elle. « Mais quoi ? quel danger ? se disait-elle encore : souffrir d'un caprice non satisfait ? souffre-t-on beaucoup pour un caprice ? Je n'en sais rien, moi. Je n'en ai jamais eu ! »

Mais la pendule marquait cinq heures de l'après-midi. Et Thérèse, après avoir mis la lettre dans sa poche, demanda son chapeau, donna congé à son domestique pour vingt-quatre heures, fit à sa fidèle vieille Catherine[20] diverses recommandations particulières et monta en fiacre. Deux heures après, elle rentrait avec une petite femme mince, un peu voûtée et parfaitement voilée, dont le cocher même* ne vit pas la figure. Elle s'enferma avec cette personne mystérieuse, et Catherine leur servit un petit dîner tout à fait succulent. Thérèse soignait et servait sa compagne, qui la regardait avec tant d'extase et d'ivresse qu'elle ne pouvait pas manger.

De son côté, Laurent se disposait à la partie de plaisir annoncée ; mais quand le prince D... vint le prendre avec sa voiture, Laurent lui dit qu'une affaire imprévue le retenait encore deux heures à Paris, et qu'il le rejoindrait à sa maison de campagne dans la soirée.

Laurent n'avait pourtant aucune affaire. Il s'était habillé avec une hâte fiévreuse. Il s'était fait coiffer avec un soin particulier. Et puis il avait jeté son habit sur un fauteuil, et il avait passé ses mains dans les boucles trop symétriques de ses cheveux, sans songer pourtant à l'air qu'il pouvait avoir. Il se promenait dans son atelier, tantôt vite, tantôt lentement. Quand le prince D... fut parti en lui faisant dix fois promettre de se hâter de partir lui-même, il courut sur l'escalier pour le prier de l'attendre et lui dire qu'il renonçait à toute affaire pour le suivre ; mais il ne le rappela point et passa dans sa chambre, où il se jeta sur son lit.

« Pourquoi me ferme-t-elle sa porte pour deux jours ? Il y a quelque chose là-dessous ! Et quand elle me donne rendez-vous pour le troisième jour, c'est afin de me faire rencontrer chez elle un Anglais ou un Américain que je ne connais pas ! Mais elle le connaît certainement, elle, ce Palmer qu'elle appelle par son petit nom ! D'où vient alors qu'il m'a demandé son adresse ? Est-ce une feinte ? Pourquoi feindrait-il avec moi ? Je ne suis pas l'amant de Thérèse, je n'ai aucun droit sur elle !

« L'amant de Thérèse ! je ne le serai certainement jamais. Dieu m'en préserve ! une femme qui a cinq ans de plus que moi, peut-être davantage ! Qui sait l'âge d'une femme, et de celle-là précisément dont personne ne sait rien ? Un passé si mystérieux doit couvrir quelque énorme sottise, peut-être une honte bien conditionnée. Et avec cela, elle est prude, ou dévote, ou philosophe, qui peut savoir ? Elle parle de tout avec une impartialité, ou une tolérance, ou un détachement... Sait-on ce qu'elle croit, ce qu'elle ne croit pas, ce qu'elle veut*, ce qu'elle aime, et si seulement elle est capable d'aimer ? »

Mercourt[21], un jeune critique, ami de Laurent, entra chez lui. « Je sais, lui dit-il, que vous partez pour Montmorency[22]. Aussi je ne fais qu'entrer et sortir pour vous demander une adresse, celle de Mlle Jacques. »

Laurent tressaillit. « Et que diable voulez-vous à Mlle Jacques ? répondit-il en faisant semblant de chercher du papier pour rouler une cigarette.

— Moi ? rien... c'est-à-dire si ! Je voudrais bien la connaître, mais je ne la connais que de vue et de réputation. C'est pour une personne qui veut se faire peindre que je demande son adresse.

— Vous la connaissez de vue, Mlle Jacques ?

— Parbleu ! elle est tout à fait célèbre à présent, et qui ne l'a remarquée ? Elle est faite pour cela !*

— Vous trouvez !

— Eh bien ! et vous ?

— Moi ? je n'en sais rien. Je l'aime beaucoup, je ne suis pas compétent.

— Vous l'aimez beaucoup ?

— Oui, vous voyez, je le dis, ce qui est la preuve que je ne lui fais pas la cour.

— Vous la voyez souvent ?

— Quelquefois.

— Alors vous êtes son ami... sérieux ?

— Eh bien ! oui, un peu : pourquoi riez-vous ?

— Parce que je n'en crois rien ; à vingt-quatre ans, on n'est pas l'ami sérieux d'une femme... jeune et belle !

— Bah ! elle n'est ni si jeune ni si belle que vous dites. C'est un bon camarade[23], pas désagréable à voir, voilà tout. Pourtant elle appartient à un type que je n'aime pas, et je suis forcé de lui pardonner d'être blonde. Je n'aime les blondes qu'en peinture.

— Elle n'est pas déjà si blonde ! elle a les yeux d'un noir doux, des cheveux* qui ne sont ni bruns ni blonds, et qu'elle arrange singulièrement. Au reste, ça lui va, elle a l'air d'un sphinx bon enfant.

— Le mot est joli, mais... vous aimez les grandes femmes, vous !

— Elle n'est pas très grande, elle a de petits pieds et de petites mains[24]. C'est une vraie femme. Je l'ai bien regardée, puisque j'en suis amoureux.

— Tiens ! quelle idée vous avez là !

— Ça ne vous fait rien, puisqu'en tant que femme elle ne vous plaît pas ?

— Mon cher, elle me plairait que ce serait tout comme. Dans ce cas-là, je tâcherais d'être mieux avec elle que je ne suis ; mais je ne serais pas amoureux, c'est un état que je ne fais pas, par conséquent je ne serais pas jaloux. Poussez donc votre pointe, si bon vous semble.

— Moi ? oui, si je trouve* l'occasion ; mais je n'ai pas le temps de la chercher, et au fond je suis comme vous, Laurent, parfaitement enclin à la patience, vu que je suis d'un âge et d'un monde où le plaisir ne manque pas... Mais, puisque nous parlons de cette femme-là, et que vous la connaissez, dites-moi donc... c'est pure curiosité de ma part, je vous le déclare, si elle est veuve ou...

— Ou quoi ?

— Je voulais dire si elle est veuve d'un amant ou d'un mari.

— Je n'en sais rien.

— Pas possible !

— Parole d'honneur, je ne lui ai jamais demandé. Ça m'est si égal !

— Savez-vous ce qu'on dit ?

— Non, je ne m'en soucie pas. Qu'est-ce qu'on dit ?

— Vous voyez bien que vous vous en souciez ! On dit qu'elle a été mariée à un homme riche et titré.

— Mariée...

— On ne peut plus mariée, par devant M. le maire et M. le curé.

— Quelle bêtise ! elle porterait son nom et son titre[25].

— Ah ! voilà ! Il y a un mystère là-dessous. Quand j'aurai le temps, je chercherai ça, et je vous en ferai part. On dit qu'elle n'a pas d'amant connu, bien qu'elle vive avec une grande liberté. D'ailleurs vous devez savoir cela, vous ?

— Je n'en sais pas le premier mot. Ah çà ! vous croyez donc que je passe ma vie à observer ou à interroger les femmes ? Je ne suis pas un flâneur comme vous, moi ! je trouve la vie très courte pour vivre et travailler.

— Vivre... je ne dis pas. Il paraît que vous vivez beaucoup. Quant à travailler... on dit que vous ne travaillez pas assez. Voyons, qu'est-ce que vous avez là ? laissez-moi voir !

— Non, ce n'est rien, je n'ai rien de commencé ici.

« — Si fait : cette tête-là... c'est très beau, diable ! Laissez-moi donc voir, ou je vous malmène* dans mon prochain *salon*.

— Vous en êtes bien capable !

— Oui, quand vous le mériterez ; mais pour cette tête-là, c'est superbe et s'admire tout bêtement*. Qu'est-ce que ça sera ?

— Est-ce que je sais ?

— Voulez-vous que je vous le dise ?

— Vous me ferez plaisir.

— Faites-en une sibylle. On coiffe ça comme on veut, cela n'engage à rien.

— Tiens ! c'est une idée.

— Et puis, on ne compromet pas la personne à qui ça ressemble.

— Ça ressemble à quelqu'un ?

— Parbleu ! mauvais plaisant*, vous croyez que je ne la reconnais pas ? Allons, mon cher, vous avez voulu* vous moquer de moi, puisque vous niez tout, même les choses les plus simples. Vous êtes l'amant de cette figure-là !

— La preuve, c'est que je m'en vais* à Montmorency ! dit froidement Laurent en prenant son chapeau.

— Ça n'empêche pas ! » répondit Mercourt.

Laurent sortit*, et Mercourt, qui était descendu avec lui, le vit monter dans une petite voiture de remise ; mais Laurent se fit conduire au bois de Boulogne, où il dîna tout seul dans un petit café, et d'où il revint à la nuit tombée, à pied et perdu dans ses rêveries.

Le bois de Boulogne n'était pas à cette époque ce qu'il est aujourd'hui. C'était plus petit d'aspect, plus négligé, plus pauvre, plus mystérieux et plus champêtre* : on y pouvait rêver.

Les Champs-Élysées, moins luxueux et moins habités qu'aujourd'hui, avaient de nouveaux quartiers où se louaient encore à bon marché de petites maisons avec de petits jardins d'un caractère très intime. On y pouvait vivre et travailler.

C'est dans une de ces maisonnettes blanches et propres, au milieu des lilas en fleur, et derrière une grande haie d'aubépine fermée d'une barrière peinte en vert, que demeurait Thérèse[26]. On était au mois de mai. Le temps était magnifique*. Comment Laurent se trouva, à neuf heures, derrière cette haie, dans la rue déserte et inachevée où les réverbères n'avaient pas encore été installés, et sur les talus de laquelle poussaient encore les orties et les folles herbes, c'est ce que lui-même eût été embarrassé d'expliquer.

La haie était fort épaisse, et Laurent tourna sans bruit tout autour, sans apercevoir autre chose que des feuilles légèrement dorées par une lumière qu'il supposa placée dans le jardin[27], sur une petite table auprès de laquelle il avait l'habitude de fumer quand il passait la soirée chez Thérèse. On fumait donc dans le jardin ? ou on y prenait le thé*, comme cela arrivait quelquefois ? Mais Thérèse avait annoncé à Laurent qu'elle attendait toute une famille de province, et il n'entendait que le chuchotement mystérieux de deux voix, dont l'une lui paraissait être celle de Thérèse. L'autre parlait tout à fait bas : était-ce celle d'un homme ?

Laurent écouta à en avoir des tintements dans les oreilles, jusqu'à ce qu'enfin il entendit ou crut entendre ces mots dits par Thérèse :

« Que m'importe tout cela ? Je n'ai plus qu'un amour sur la terre, et c'est vous !

— A présent, se dit Laurent en quittant précipitamment la petite rue déserte et en revenant sur la chaussée bruyante des Champs-Élysées, me voilà bien tranquille. Elle a un amant ! Au fait, elle n'était pas obligée de me confier cela !... Seulement elle n'était pas obligée de parler en toute occasion de manière à me faire croire qu'elle n'était et ne voulait être à personne*. C'est une femme comme les autres : le besoin de mentir avant tout ! Qu'est-ce que ça me fait ? Je ne l'aurais pourtant pas cru[28] ! Et même il faut bien que j'aie eu la tête un peu montée pour elle sans me l'avouer, puisque j'étais là aux écoutes, faisant le plus lâche des métiers, quand ce n'est pas un métier de jaloux ! Je ne peux pas m'en repentir beaucoup : cela me sauve d'une grande misère et d'une grande duperie : celle de désirer une femme qui n'a rien de plus désirable que toute autre, pas même la sincérité ! »

Laurent arrêta une voiture qui passait vide et alla à Montmorency. Il se promettait d'y passer huit jours et de ne pas remettre les pieds chez Thérèse avant quinze. Cependant il ne resta que quarante-huit heures à la campagne, et se trouva le troisième soir à la porte de Thérèse, juste en même temps que M. Richard Palmer.

« Oh ! dit l'Américain en lui tendant la main, je suis content de voir vous ! »

Laurent ne put se dispenser de tendre aussi la main, mais il ne put s'empêcher de demander à M. Palmer pourquoi il était si content de le voir.

L'étranger ne fit aucune attention au ton passablement impertinent de l'artiste.

« Je suis content parce que j'aime vous, reprit-il avec une cordialité irrésistible, et j'aime vous, parce que j'admire vous beaucoup !

— Comment ! vous voilà ? dit Thérèse étonnée à Laurent. Je ne comptais plus sur vous ce soir. »

Et il sembla au jeune homme qu'il y avait un accent de froideur inusité dans ces simples paroles.

« Ah ! lui répondit-il tout bas, vous en eussiez pris facilement votre parti, et je crois que je viens troubler un délicieux tête-à-tête.

— C'est d'autant plus cruel à vous, reprit-elle sur le même ton enjoué, que vous sembliez vouloir me le ménager.

— Vous y comptiez, puisque vous ne l'aviez pas décommandé ! Dois-je m'en aller ?

— Non, restez. Je me résigne à vous supporter. »

L'Américain, après avoir salué Thérèse, avait ouvert son portefeuille et cherché une lettre qu'il était chargé de lui remettre. Thérèse parcourut* cette lettre d'un air impassible, sans faire la moindre réflexion.

« Si vous voulez répondre, dit Palmer, j'ai une occasion pour La Havane*.

— Merci, répondit Thérèse en ouvrant le tiroir d'un petit meuble qui était sous sa main, je ne répondrai pas. »

Laurent, qui suivait tous ses mouvements, la vit mettre cette lettre avec plusieurs autres, dont l'une, par la forme et la suscription, lui sauta pour ainsi dire aux yeux. C'était celle qu'il avait écrite à Thérèse l'avant-veille. Je ne sais pourquoi il fut choqué intérieurement de voir cette lettre en compagnie de celle que venait de remettre M. Palmer.

« Elle me laisse là, dit-il, pêle-mêle avec ses amants évincés. Je n'ai pourtant pas droit à cet honneur. Je ne lui ai jamais parlé d'amour. »

Thérèse se mit à parler du portrait de M. Palmer. Laurent se fit prier, épiant les moindres regards et les moindres inflexions de voix de ses interlocuteurs, et s'imaginant à chaque instant découvrir en eux une crainte secrète de le voir céder ; mais leur insistance était de si bonne foi, qu'il s'apaisa et se reprocha ses soupçons. Si Thérèse avait des relations* avec cet étranger, libre et seule comme elle vivait, ne paraissant devoir rien à personne, et ne s'occupant jamais de ce que l'on pouvait dire d'elle, avait-elle besoin du prétexte d'un portrait pour recevoir souvent et longtemps l'objet de son amour ou de sa fantaisie ?

Dès qu'il se sentit calmé, Laurent ne se sentit plus retenu par la honte de manifester sa curiosité.

« Vous êtes donc Américaine ? dit-il à Thérèse, qui de temps en temps traduisait à M. Palmer, en anglais, les répliques qu'il n'entendait pas bien.

— Moi ? répondit Thérèse ; ne vous ai-je pas dit que j'avais l'honneur d'être votre compatriote ?

— C'est que vous parlez si bien l'anglais !

— Vous ne savez pas si je le parle bien, puisque vous ne l'entendez pas. Mais je vois ce que c'est, car je vous sais curieux. Vous vous demandez si c'est d'hier ou d'il y a longtemps que je connais Dick Palmer. Eh bien ! demandez-le à lui-même. »

Palmer n'attendit pas une question que Laurent ne se fût pas volontiers décidé à lui faire. Il répondit que ce n'était pas la première fois qu'il venait en France, et qu'il avait connu Thérèse toute jeune, chez ses parents. Il ne fut pas dit quels parents. Thérèse avait coutume de dire qu'elle n'avait jamais connu ni son père ni sa mère.

Le passé de Mlle Jacques était un mystère impénétrable[29] pour les gens du monde qui allaient se faire peindre par elle et pour le petit nombre d'artistes qu'elle recevait en particulier. Elle était venue à Paris on ne savait d'où, on ne savait quand, on ne savait avec qui. Elle était connue depuis deux ou trois ans seulement, un portrait qu'elle avait fait ayant été remarqué chez des gens de goût et signalé tout à coup comme une œuvre de maître. C'est ainsi que, d'une clientèle et d'une existence pauvres et obscures, elle avait passé brusquement à une réputation* de premier ordre et à une existence aisée ; mais elle n'avait rien changé à ses goûts tranquilles, à son amour de l'indépendance et à l'austérité enjouée de ses manières*. Elle ne posait en rien et ne parlait jamais d'elle-même que pour dire ses opinions et ses sentiments avec beaucoup de franchise et de courage. Quant aux faits de sa vie, elle avait une manière d'éluder les questions et de passer à côté qui la dispensait de répondre. Si on trouvait moyen d'insister, elle avait coutume de dire après quelques mots vagues : « Il ne s'agit pas de moi. Je n'ai rien d'intéressant à raconter, et si j'ai eu des chagrins, je ne m'en souviens plus, n'ayant plus le temps d'y penser. Je suis très heureuse à présent, puisque j'ai du travail et que j'aime le travail par-dessus tout. »

C'est par hasard et à la suite de relations d'artiste à artiste dans la même partie que Laurent avait fait connaissance* avec Mlle Jacques. Lancé comme gentilhomme* et comme artiste éminent dans un double monde, M. de Fauvel avait à vingt-quatre ans[30] l'expérience des faits que l'on n'a pas toujours à quarante. Il s'en piquait et s'en affligeait tour à tour ; mais il n'avait nullement l'expérience du cœur, qui ne s'acquiert pas dans le désordre*. Grâce au scepticisme qu'il affichait, il avait donc commencé par décréter en lui-même que Thérèse devait avoir pour amants tous ceux qu'elle traitait d'amis, et il lui avait fallu les entendre peu à peu affirmer et prouver la pureté de leurs relations avec elle pour arriver à la considérer comme une personne* qui pouvait avoir eu des passions, mais non des commerces de galanterie.

Dès lors il s'était senti ardemment curieux de savoir la cause de cette anomalie, une femme jeune, belle, intelligente, absolument libre et volontairement isolée*. Il l'avait vue plus souvent, et peu à peu presque tous les jours, d'abord sous toute sorte de prétextes, ensuite en se donnant pour un ami sans conséquence, trop viveur* pour avoir souci d'en conter à une femme sérieuse*, mais trop idéaliste, en dépit de tout, pour n'avoir pas besoin d'affection et pour ne pas sentir le prix d'une amitié désintéressée*.

Au fond, c'était là la vérité dans le principe ; mais l'amour s'était glissé dans le cœur du jeune homme, et on a vu que Laurent se débattait contre l'invasion d'un sentiment qu'il voulait encore déguiser à Thérèse et à lui-même, d'autant plus qu'il l'éprouvait pour la première fois de sa vie.

« Mais enfin, dit-il, quand il eut promis à M. Palmer d'essayer son portrait, pourquoi diable tenez-vous tant à une chose qui ne sera peut-être pas bonne, quand vous connaissez Mlle Jacques, qui ne vous refuse certainement pas d'en faire une à coup sûr excellente ?

— Elle me refuse, répondit Palmer avec beaucoup de candeur, et je ne sais pas pourquoi. J'ai promis à ma mère, qui a la faiblesse de me croire très beau, un portrait de maître, et elle ne le trouvera jamais ressemblant, s'il est trop réel*. Voilà pourquoi je m'étais adressé à vous comme à un maître idéaliste. Si vous me refusez, j'aurai le chagrin de ne pas faire plaisir à ma mère, ou l'ennui de chercher encore.

— Ce ne sera pas long : il y a tant de gens plus capables que moi !...

— Je ne trouve pas ; mais, à supposer que cela soit, il n'est pas dit qu'ils aient le temps tout de suite, et je suis pressé d'envoyer le portrait. C'est pour l'anniversaire de ma naissance*, dans quatre mois, et le transport durera environ deux mois.

— C'est-à-dire, Laurent, ajouta Thérèse, qu'il vous faut faire ce portrait en six semaines tout au plus, et comme je sais le temps qu'il vous faut, vous auriez à commencer demain. Allons, c'est entendu, c'est promis, n'est-ce pas ? »

M. Palmer tendit la main à Laurent en disant :

« Voilà le contrat passé. Je ne parle pas d'argent ; c'est Mlle Jacques qui fait les conditions, je ne m'en mêle pas. Quelle est votre heure demain ? »

L'heure convenue, Palmer prit son chapeau, et Laurent se crut forcé d'en faire autant par respect pour Thérèse ; mais Palmer n'y fit aucune attention, et sortit après avoir serré sans la baiser la main* de Mlle Jacques.

« Dois-je le suivre ? dit Laurent.

— Ce n'est pas nécessaire, répondit-elle ; toutes les personnes que je reçois le soir me connaissent bien. Seulement vous vous en irez à dix heures aujourd'hui, car dans ces derniers temps je me suis oubliée à bavarder avec vous jusqu'à près de minuit, et comme je ne peux pas dormir passé cinq heures du matin, je me suis sentie très fatiguée.

— Et vous ne me mettiez pas à la porte ?

— Non, je n'y pensais pas.

— Si j'étais fat, j'en serais bien fier !

— Mais vous n'êtes pas fat, Dieu merci ; vous laissez cela à ceux qui sont bêtes*. Voyons, malgré ce compliment, maître Laurent, j'ai à vous gronder. On dit que vous ne travaillez pas.

— Et c'est pour me forcer à travailler que vous m'avez mis la tête de Palmer comme un pistolet sur la gorge ?

— Eh bien ? pourquoi pas ?

— Vous êtes bonne, Thérèse, je le sais ; vous voulez me faire gagner ma vie malgré moi.

— Je ne me mêle pas de vos moyens d'existence, je n'ai pas ce droit-là. Je n'ai pas le bonheur... ou le malheur d'être votre mère ; mais je suis votre sœur... *en Apollon*, comme dit notre classique Bernard, et il m'est impossible de ne pas m'affliger de vos accès de paresse.

— Mais qu'est-ce que cela peut vous faire ? s'écria Laurent avec un mélange de plaisir et de dépit* que Thérèse sentit, et qui l'engagea à répondre avec franchise.

— Écoutez, mon cher Laurent, lui dit-elle, il faut que nous nous expliquions. J'ai beaucoup d'amitié pour vous.

— J'en suis très fier*, mais si je sais pourquoi !... Je ne suis même pas bon à faire un ami, Thérèse ! Je ne crois pas plus à l'amitié qu'à l'amour entre une femme et un homme.

— Vous me l'avez déjà dit, et cela m'est fort égal ce que vous ne croyez pas. Moi, je crois à ce que je sens, et je sens pour vous de l'intérêt* et de l'affection. Je suis comme cela ; je ne puis supporter auprès de moi un être quelconque sans m'attacher à lui et sans désirer qu'il soit heureux. J'ai l'habitude d'y faire mon possible sans me soucier qu'il m'en sache gré. Or, vous n'êtes pas un être quelconque, vous êtes un homme de génie, et qui plus est, j'espère, un homme de cœur.

— Un homme de cœur, moi ! Oui, si vous l'entendez comme l'entend le monde. Je sais me battre en duel[31], payer mes dettes et défendre la femme à qui je donne le bras, quelle qu'elle soit ! Mais si vous me croyez le cœur tendre, aimant, naïf...

— Je sais que vous avez la prétention d'être vieux, usé et corrompu[32]. Cela ne me fait rien du tout, vos prétentions. C'est une mode bien portée* à l'heure qu'il est. Chez vous, c'est une maladie réelle ou douloureuse, mais qui passera quand vous voudrez. Vous êtes un homme de cœur, précisément parce que vous souffrez du vide de votre cœur. Une femme viendra qui le remplira, si elle s'y entend, et si vous la laissez faire. Mais ceci est en dehors de mon sujet ; c'est à l'artiste que je parle : l'homme n'est malheureux en vous que parce que l'artiste n'est pas content de lui-même.

— Eh bien ! vous vous trompez, Thérèse, répondit Laurent avec vivacité. C'est le contraire de ce que vous dites ! c'est l'homme qui souffre dans l'artiste et qui l'étouffe. Je ne sais que faire de moi, voyez-vous. L'ennui me tue. L'ennui de quoi ? allez-vous dire, l'ennui de tout ! Je ne sais pas, comme vous, être attentif et calme pendant six heures de travail, faire un tour de jardin en jetant du pain aux moineaux, recommencer à travailler pendant quatre heures, et ensuite sourire le soir à deux ou trois importuns tels que moi, par exemple, en attendant l'heure du sommeil. Mon sommeil à moi est mauvais, mes promenades sont agitées, mon travail est fiévreux. L'invention me trouble et me fait trembler ; l'exécution, toujours trop lente à mon gré, me donne d'effroyables battements de cœur, et c'est en pleurant et en me retenant de crier que j'accouche d'une idée qui m'enivre, mais dont je suis mortellement honteux et dégoûté le lendemain matin. Si je la transforme, c'est pire, elle me quitte : mieux vaut l'oublier et en attendre une autre* ; mais cette autre m'arrive si confuse et si énorme que mon pauvre être ne peut pas la contenir. Elle m'oppresse et me torture jusqu'à ce qu'elle ait pris des proportions réalisables, et que revienne l'autre souffrance, celle de l'enfantement, une vraie souffrance physique que je ne peux pas définir. Et voilà comment ma vie se passe quand je me laisse dominer par ce géant d'artiste qui est en moi, et dont le pauvre homme qui vous parle arrache une à une, par le forceps de sa volonté, de maigres souris à demi mortes[33] ! Donc, Thérèse, il vaut bien mieux que je vive comme j'ai imaginé de vivre, que je fasse des excès de toute sorte, et que je tue ce ver rongeur que mes pareils appellent modestement leur inspiration, et que j'appelle tout bonnement mon infirmité*.

— Alors, c'est décidé, c'est arrêté, dit Thérèse en souriant ; vous travaillez au suicide de votre intelligence ? Eh bien ! je n'en crois pas un mot. Si on vous proposait d'être demain le prince D... ou le comte de S... avec les millions de l'un et les beaux chevaux de l'autre[34], vous diriez, en parlant de votre pauvre palette si méprisée : *Rendez-moi ma mie !*

— Ma palette méprisée, vous ne me comprenez pas, Thérèse ! C'est un instrument de gloire, je le sais bien, et ce que l'on appelle la gloire, c'est une estime accordée au talent, plus pure et plus exquise que celle que l'on accorde au titre et à la fortune. Donc c'est un très grand avantage et un très grand plaisir pour moi de me dire : Je ne suis qu'un petit gentilhomme sans avoir, et mes pareils* qui ne veulent pas déroger mènent une vie de garde forestier, et ont pour bonnes fortunes des ramasseuses de bois mort qu'ils payent en fagots. Moi, j'ai dérogé, j'ai pris un état, et il se trouve qu'à vingt-quatre ans, quand je passe sur un petit cheval de manège au milieu des premiers riches et des premiers beaux de Paris, montés sur des chevaux de dix mille francs*, s'il y a, parmi les badauds assis aux Champs-Élysées, un homme de goût ou une femme d'esprit, c'est moi qui suis regardé et nommé, et non pas les autres. Vous riez ? vous trouvez que je suis très vain ?

— Non, mais très enfant, Dieu merci ! Vous ne vous tuerez pas.

— Mais je ne veux pas du tout me tuer, moi ! Je m'aime autant qu'un autre, je m'aime de tout mon cœur, je vous jure ! Mais je dis que ma palette, instrument de ma gloire, est l'instrument de mon supplice, puisque je ne sais pas travailler sans souffrir. Alors je cherche dans le désordre, non pas la mort de mon corps ou de mon esprit, mais l'usure et l'apaisement de mes nerfs. Voilà tout, Thérèse. Qu'y a-t-il donc là qui ne soit raisonnable ? Je ne travaille un peu proprement que quand je tombe de fatigue.

— C'est vrai, dit Thérèse, je l'ai remarqué, et je m'en étonne comme d'une anomalie ; mais je crains bien que cette manière de produire ne vous tue, et je ne peux pas me figurer qu'il en puisse arriver autrement. Attendez, répondez à une question : Avez-vous commencé la vie par le travail et l'abstinence, et avez-vous senti alors la nécessité de vous étourdir pour vous reposer ?

— Non, c'est le contraire. Je suis sorti du collège, aimant la peinture, mais ne croyant pas être jamais forcé de peindre. Je me croyais riche. Mon père est mort[35] ne laissant rien qu'une trentaine de mille francs*, que je me suis dépêché de dévorer, afin d'avoir au moins dans ma vie une année de bien-être. Quand je me suis vu à sec, j'ai pris le pinceau, j'ai été éreinté* et porté aux nues, ce qui, de nos jours, constitue le plus grand succès possible, et à présent je me donne, pendant quelques mois ou quelques semaines, du luxe et du plaisir tant que l'argent dure. Quand il n'y a plus rien, c'est pour le mieux, puisque je suis également au bout de mes forces et de mes désirs. Alors je reprends le travail avec rage, douleur et transport, et le travail accompli, le loisir et la prodigalité recommencent.

— Il y a longtemps que vous menez cette vie-là ?

— Il ne peut pas y avoir longtemps à mon âge ! Il y a trois ans.

— Eh ! c'est beaucoup pour votre âge justement ! Et puis vous avez mal commencé : vous avez mis le feu à vos esprits vitaux avant qu'ils eussent pris leur essor ; vous avez bu du vinaigre pour vous empêcher de grandir. Votre tête a grossi quand même, et le génie s'y est développé malgré tout ; mais peut-être bien votre cœur s'est-il atrophié, peut-être ne serez-vous jamais ni un homme ni un artiste complet. »

Ces paroles de Thérèse, dites avec une tristesse tranquille, irritèrent Laurent. « Ainsi, reprit-il en se levant, vous me méprisez ?

— Non, répondit-elle en lui tendant la main, je vous plains ! »

Et Laurent vit deux grosses larmes couler lentement sur les joues de Thérèse.

Ces larmes amenèrent en lui une réaction violente : un déluge de pleurs inonda son visage, et, se jetant aux genoux de Thérèse, non pas comme un amant qui se déclare, mais comme un enfant qui se confesse[36] : « Ah ! ma pauvre chère amie ! s'écria-t-il en lui prenant les mains, vous avez raison de me plaindre, car j'en ai besoin ! Je suis malheureux, voyez-vous, si malheureux que j'ai honte de le dire ! Ce je ne sais quoi que j'ai dans la poitrine à la place du cœur crie sans cesse après je ne sais quoi, et moi, je ne sais que lui donner pour l'apaiser. J'aime Dieu, et je ne crois pas en lui. J'aime toutes les femmes, et je les méprise toutes ! Je peux vous dire cela, à vous qui êtes mon camarade et mon ami ! Je me surprends parfois prêt à idolâtrer une courtisane, tandis qu'auprès d'un ange je serais peut-être plus froid qu'un marbre. Tout est dérangé dans mes notions, tout est peut-être dévié dans mes instincts. Si je vous disais que je ne trouve déjà plus d'idées riantes dans le vin ! Oui, j'ai l'ivresse triste, à ce qu'il paraît[37], et on m'a dit qu'avant-hier, dans cette débauche à Montmorency, j'avais déclamé des choses tragiques avec une emphase aussi effrayante que ridicule. Que voulez-vous donc que je devienne, Thérèse, si vous n'avez pas pitié de moi ?

— Certes j'ai pitié, mon pauvre enfant, dit Thérèse en lui essuyant les yeux avec son mouchoir ; mais à quoi cela peut-il vous servir ?

— Si vous m'aimiez, Thérèse !* Ne me retirez pas vos mains ! Est-ce que vous ne m'avez pas permis d'être pour vous une espèce d'ami ?

— Je vous ai dit que je vous aimais, vous m'avez répondu que vous ne pouviez croire à l'amitié d'une femme.

— Je croirais peut-être à la vôtre ; vous devez avoir le cœur d'un homme, puisque vous en avez la force et le talent. Rendez-la-moi.

— Je ne vous l'ai pas ôtée, et je veux bien essayer d'être un homme pour vous, répondit-elle ; mais je ne saurai pas trop m'y prendre. L'amitié d'un homme doit avoir plus de rudesse et d'autorité que je ne me crois capable d'en avoir. Malgré moi, je vous plaindrai plus que je ne vous gronderai, et vous voyez déjà ! Je m'étais promis de vous humilier aujourd'hui, de vous mettre en colère contre moi et contre vous-même ; au lieu de cela, me voilà pleurant avec vous, ce qui n'avance à rien.

— Si fait, si fait, s'écria Laurent. Ces larmes sont bonnes, elles ont arrosé la place desséchée, peut-être que mon cœur y repoussera ! Ah ! Thérèse, vous m'avez déjà dit une fois que je me vantais devant vous de ce dont je devrais rougir, que j'étais un mur de prison. Vous n'avez oublié qu'une chose, c'est qu'il y a derrière ce mur un prisonnier ! Si je pouvais ouvrir la porte, vous le verriez bien ; mais la porte est close, le mur est d'airain, et ma volonté, ma foi, mon expansion, ma parole même, ne peuvent le traverser. Faudra-t-il donc que je vive et meure ainsi ? De quoi me servira, je vous le demande, d'avoir barbouillé de peintures fantasques les murs de mon cachot*, si le mot *aimer* ne se trouve écrit nulle part[38] ?

— Si je vous comprends bien, dit Thérèse rêveuse, vous pensez que votre œuvre a besoin d'être échauffée par le sentiment.

— Ne le pensez-vous pas aussi ? N'est-ce pas là ce que me disent tous vos reproches ?

— Pas précisément. Il n'y a que trop de feu dans votre exécution, la critique vous le reproche. Moi, j'ai toujours traité* avec respect cette exubérance de jeunesse qui fait les grands artistes, et dont les beautés empêchent quiconque a de l'enthousiasme d'éplucher les défauts. Loin de trouver votre travail froid et emphatique, je le sens brûlant et passionné ; mais je cherchais où était en vous le siège de cette passion : je le vois maintenant, il est dans le désir de l'âme. Oui, certainement, ajouta-t-elle, toujours rêveuse, comme si elle cherchait à percer les voiles* de sa propre pensée, le désir peut être une passion.

— Eh bien ! à quoi songez-vous ? dit Laurent en suivant son regard absorbé.

— Je me demande si je dois faire la guerre à cette puissance qui est en vous, et si, en vous persuadant d'être heureux et calme, on ne vous ôterait pas le feu sacré. Pourtant... je m'imagine que l'aspiration ne peut pas être pour l'esprit une situation durable et que quand elle s'est vivement exprimée pendant sa période de fièvre*, elle doit, ou tomber d'elle-même, ou nous briser. Qu'en dites-vous ? Chaque âge n'a-t-il pas sa force et sa manifestation particulières ? Ce que l'on appelle les diverses *manières* des maîtres, n'est-ce pas l'expression des successives transformations de leur être ? A trente ans, vous sera-t-il possible d'avoir aspiré à tout sans rien étreindre ? Ne vous sera-t-il pas imposé d'avoir une certitude sur un point quelconque ? Vous êtes dans l'âge de la fantaisie ; mais bientôt viendra celui de la lumière. Ne voulez-vous pas faire de progrès ?

— Dépend-il de moi d'en faire ?

— Oui, si vous ne travaillez pas à déranger l'équilibre de vos facultés. Vous ne me persuaderez pas que l'épuisement soit le remède de la fièvre : il n'en est que le résultat fatal.

— Alors quel fébrifuge me proposez-vous ?

— Je ne sais : le mariage, peut-être.

— Horreur ! » s'écria Laurent en éclatant de rire.

Et il ajouta, en riant toujours, et sans trop savoir pourquoi lui venait ce correctif :

« A moins que ce ne soit avec vous, Thérèse. Eh ! c'est une idée, cela !

— Charmante, répondit-elle, mais tout à fait impossible. »

La réponse de Thérèse frappa Laurent par sa tranquillité sans appel, et ce qu'il venait de dire* par manière de saillie lui parut tout à coup un rêve enterré, comme s'il eût pris place dans son esprit. Ce puissant et malheureux esprit était ainsi fait que, pour désirer quelque chose, il lui suffisait du mot *impossible*, et c'est justement ce mot-là que Thérèse venait de dire.

Aussitôt ses velléités d'amour pour elle lui revinrent, et en même temps ses soupçons, sa jalousie et sa colère. Jusque-là, ce charme d'amitié l'avait bercé* et comme enivré ; il devint tout à coup amer et glacé.

« Ah ! oui, au fait, dit-il en prenant son chapeau pour s'en aller, voilà le mot de ma vie qui revient à propos de tout, au bout d'une plaisanterie comme au bout de toutes choses sérieuses : *impossible !* Vous ne connaissez pas cet ennemi-là*, Thérèse, vous aimez tout tranquillement. Vous avez un *amant* ou un *ami* qui n'est pas jaloux, parce qu'il vous connaît froide ou raisonnable ! Ça me fait penser que l'heure s'avance, et que *vos trente-sept cousins* sont peut-être là, dehors, qui attendent ma sortie.

— Qu'est-ce que vous dites donc ? lui demanda Thérèse stupéfaite* ; quelles idées vous viennent ? Avez-vous des accès de folie ?

— Quelquefois, répondit-il en s'en allant. Il faut me les pardonner. »

II

Le lendemain, Thérèse reçut de Laurent la lettre suivante :

« Ma bonne et chère amie, comment vous ai-je quittée hier ? Si je vous ai dit quelque énormité, oubliez-la, je n'en ai pas eu conscience. J'ai eu un éblouissement qui ne s'est pas dissipé dehors, car je me suis trouvé à ma porte, en voiture, sans pouvoir me rappeler comment j'y étais monté.

« Cela m'arrive bien souvent, mon amie, que ma bouche dise une parole quand mon cerveau en dit une autre. Plaignez-moi, et pardonnez-moi. Je suis malade, et vous aviez raison, la vie que je mène est détestable.

« De quel droit vous ferais-je des questions ? Rendez-moi cette justice que, depuis trois mois que vous me recevez intimement, c'est la première que je vous adresse... Que m'importe que vous soyez fiancée, mariée ou veuve ?... Vous voulez que personne ne le sache, ai-je cherché à le savoir ? Vous ai-je demandé... Ah ! tenez, Thérèse, il y a encore ce matin du désordre dans ma tête, et pourtant je sens que je mens, et je ne veux pas mentir avec vous. J'ai eu vendredi soir mon premier accès de curiosité à votre égard, celui d'hier était déjà le second ; mais ce sera le dernier, je vous jure, et, pour qu'il n'en soit plus jamais question, je veux me confesser de tout. J'ai donc été l'autre jour à votre porte, c'est-à-dire à la grille de votre jardin. J'ai regardé, je n'ai rien vu ; j'ai écouté, j'ai entendu ! Eh bien ! que vous importe ? je ne sais pas son nom, je n'ai pas vu sa figure ; mais je sais que vous êtes ma sœur, ma confidente, ma consolation, mon soutien. Je sais qu'hier je pleurais à vos pieds, et que vous avez essuyé mes yeux avec votre mouchoir, en disant : "Que faire, que faire, mon pauvre enfant ?" Je sais que sage, laborieuse, tranquille, respectée, puisque vous êtes libre, aimée, puisque vous êtes heureuse, vous trouvez le temps et la charité de me plaindre*, de savoir que j'existe, et de vouloir me faire mieux exister. Bonne Thérèse, qui ne vous bénirait serait un ingrat, et, tout misérable que je suis, je ne connais pas l'ingratitude*. Quand voulez-vous me recevoir, Thérèse ?

Il me semble que je vous ai offensée. Il ne me manquerait plus que cela ! Irai-je ce soir chez vous ? Si vous dites non, oh ! ma foi, j'irai au diable ! »

Laurent reçut, par le retour de son domestique, la réponse de Thérèse. Elle était courte : *Venez ce soir*. Laurent n'était ni roué ni fat, bien qu'il méditât ou fût tenté souvent d'être l'un et l'autre. C'était, on l'a vu, un être plein de contrastes, et que nous décrivons sans l'expliquer ; ce ne serait pas possible, certains caractères échappent à l'analyse logique.

La réponse de Thérèse le fit trembler comme un enfant. Jamais elle ne lui avait écrit sur ce ton. Était-ce son congé motivé qu'elle lui ordonnait* de venir chercher ? était-ce à un rendez-vous d'amour qu'elle l'appelait ? Ces trois mots secs ou brûlants avaient-ils été dictés par l'indignation ou par le délire ?

M. Palmer arriva, et Laurent dut, tout agité et tout préoccupé, commencer son portrait. Il s'était promis de l'interroger avec une habileté consommée, et de lui arracher tous les secrets de Thérèse. Il ne trouva pas un mot pour entrer en matière, et comme l'Américain posait en conscience, immobile et muet comme une statue, la séance se passa presque sans desserrer les lèvres de part ni d'autre.

Laurent put donc se calmer assez pour étudier la physionomie placide et dure de cet étranger. Il était d'une beauté accomplie, ce qui, au premier abord, lui donnait l'air inanimé* propre aux figures régulières. En l'examinant mieux, on découvrait de la finesse dans son sourire et du feu dans son regard. En même temps que Laurent faisait ces observations, il étudiait l'âge de son modèle.

« Je vous demande pardon, lui dit-il tout à coup, mais je voudrais et je dois savoir si vous êtes un jeune homme un peu fatigué ou un homme mûr extraordinairement conservé. J'ai beau vous regarder, je ne comprends pas bien ce que je vois.

— J'ai quarante ans*, répondit simplement M. Palmer.

— Salut ! reprit Laurent, vous avez donc une fière santé ?

— Excellente ! dit Palmer, » et il reprit sa pose aisée et son tranquille sourire.

« C'est la figure d'un amant heureux, se disait l'artiste, ou celle d'un homme qui n'a jamais aimé que le *roastbeef*. »

Il ne put résister au désir de lui dire encore :

« Alors vous avez connu Mlle Jacques toute jeune ?

— Elle avait quinze ans* quand je l'ai vue pour la première fois. »

Laurent ne se sentit pas le courage de demander en quelle année. Il lui semblait qu'en parlant de Thérèse, le rouge lui montait au visage. Que lui importait au fond l'âge de Thérèse ? C'est son histoire* qu'il aurait voulu apprendre. Thérèse ne paraissait pas avoir trente ans. Palmer pouvait n'avoir été pour elle autrefois qu'un ami*. Et puis il avait la voix forte et la prononciation vibrante. Si c'eût été à lui que Thérèse se fût adressée en disant : *Je n'aime plus que vous*, il aurait fait une réponse quelconque que Laurent eût entendue.

Enfin le soir arriva, et l'artiste, qui n'avait pas coutume d'être exact, arriva avant l'heure où Thérèse le recevait habituellement. Il la trouva dans son jardin, inoccupée contre sa coutume, et marchant avec agitation. Dès qu'elle le vit, elle alla à sa rencontre, et lui prenant la main avec plus d'autorité que d'affection :

« Si vous êtes un homme d'honneur, lui dit-elle, vous allez me dire tout ce que vous avez entendu à travers ce buisson. Voyons, parlez ; j'écoute. »

Elle s'assit sur un banc, et Laurent, irrité de cet accueil* inusité, essaya de l'inquiéter en lui faisant des réponses évasives ; mais elle le domina par une attitude de mécontentement et une expression de visage qu'il ne lui connaissait pas. La crainte de se brouiller avec elle sans retour lui fit dire tout simplement la vérité.

« Ainsi, reprit-elle, voilà tout ce que vous avez entendu ? Je disais à une personne que vous n'avez pas même pu apercevoir : "Vous êtes maintenant mon seul amour sur la terre ?"

— J'ai donc rêvé cela, Thérèse ? Je suis prêt à le croire, si vous me l'ordonnez*.

— Non, vous n'avez pas rêvé. J'ai pu, j'ai dû dire cela. Et que m'a-t-on répondu ?

— Rien que j'aie entendu, dit Laurent, sur qui la réponse de Thérèse fit l'effet d'une douche froide, pas même le son de sa voix. Êtes-vous rassurée ?

— Non ! je vous interroge encore. A qui supposez-vous que je parlais ainsi ?

— Je ne suppose rien. Je ne sache que M. Palmer avec qui vos relations ne me soient pas connues.

— Ah ! s'écria Thérèse d'un air de satisfaction étrange, vous pensez que c'était M. Palmer ?

— Pourquoi ne serait-ce pas lui ? Est-ce une injure à vous faire que de supposer une ancienne liaison tout à coup renouée ? Je sais que vos rapports avec tous ceux que je vois chez vous depuis trois mois sont aussi désintéressés de leur part, et aussi indifférents* de la vôtre, que ceux que j'ai moi-même avec vous. M. Palmer est très beau, et ses manières sont d'un galant homme. Il m'est très sympathique. Je n'ai ni le droit ni la présomption de vous demander compte de vos sentiments particuliers. Seulement... vous allez dire que je vous ai espionnée...

— Oui, au fait, dit Thérèse, qui ne parut pas songer à nier la moindre chose, pourquoi m'espionniez-vous ? Cela me paraît mal, bien que je n'y comprenne rien. Expliquez-moi cette fantaisie.

— Thérèse ! répondit vivement le jeune homme, résolu à se débarrasser d'un reste de souffrance, dites-moi que vous avez un amant, et que cet amant est Palmer, et je vous aimerai véritablement, je vous parlerai avec une ingénuité complète. Je vous demanderai pardon d'un accès de folie, et vous n'aurez jamais un reproche à me faire. Voyons, voulez-vous que je sois votre ami ? Malgré mes forfanteries, je sens que j'ai besoin de l'être et que j'en suis capable. Soyez franche avec moi, voilà tout ce que je vous demande !

— Mon cher enfant*, répondit Thérèse, vous me parlez comme à une coquette qui essayerait de vous retenir près d'elle, et qui aurait une faute à confesser. Je ne peux pas accepter cette situation ; elle ne me convient nullement. M. Palmer n'est et ne sera jamais pour moi qu'un ami fort estimable, avec qui je ne vais même pas jusqu'à l'intimité, et que j'avais depuis longtemps perdu de vue. Voilà ce que je dois vous dire, mais rien au-delà. Mes secrets, si j'en ai, n'ont pas besoin d'épanchement, et je vous prie de ne pas vous y intéresser plus que je ne souhaite. Ce n'est donc pas à vous de m'interroger, c'est à vous de me répondre. Que faisiez-vous ici, il y a quatre jours ? Pourquoi m'espionniez-vous ? Quel est l'*accès de folie* que je dois savoir et juger ?

— Le ton dont vous me parlez n'est pas encourageant. Pourquoi me confesserais-je du moment que vous ne daignez pas me traiter en bon camarade* et avoir confiance en moi ?

— Ne vous confessez donc pas, reprit Thérèse en se levant. Cela me prouvera que vous ne méritiez pas l'estime* que je vous ai témoignée, et qu'en cherchant à savoir mes secrets, vous ne me la rendiez pas* du tout.

— Ainsi, reprit Laurent, vous me chassez, et c'est fini entre nous ?

— C'est fini et adieu », répondit Thérèse d'un ton sévère.

Laurent sortit, en proie à une colère qui ne lui permit pas de dire un mot ; mais il n'eut pas fait trente pas dehors qu'il revint, disant à Catherine qu'il avait oublié une commission dont on l'avait chargé pour sa maîtresse. Il trouva Thérèse assise dans son petit salon : la porte sur le jardin était restée ouverte, il semblait que Thérèse, affligée et abattue, fût demeurée plongée dans ses réflexions. Son accueil fut glacé.

« Vous voilà revenu ? dit-elle ; qu'est-ce que vous avez oublié ?

— J'ai oublié de vous dire la vérité.

— Je ne veux plus l'entendre.

— Et pourtant vous me la demandiez !

— Je croyais que vous pourriez la dire spontanément.

— Je le pouvais, je le devais ; j'ai eu tort de ne pas le faire. Voyons, Thérèse, croyez-vous donc qu'il soit possible à un homme de mon âge de vous voir sans être amoureux de vous ?

— Amoureux ? dit Thérèse en fronçant le sourcil. En me disant que vous ne pouviez l'être d'aucune femme, vous vous êtes donc moqué de moi ?

— Non, certes, j'ai dit ce que je pensais.

— Alors vous vous étiez trompé, et vous voilà amoureux, c'est bien sûr ?

— Oh ! ne vous fâchez pas, mon Dieu ! ce n'est pas si sûr que cela. Il m'a passé des idées d'amour par la tête, par les sens, si vous voulez. Avez-vous si peu d'expérience que vous ayez jugé la chose impossible ?

— J'ai l'âge de l'expérience, répondit Thérèse ; mais j'ai long-temps vécu seule. Je n'ai pas l'expérience de certaines situations. Cela vous étonne ? C'est pourtant comme cela. J'ai beaucoup de simpli-cité, quoique j'aie été trompée... comme tout le monde ! Vous m'avez dit cent fois que vous me respectiez trop pour voir en moi une femme, par la raison que vous n'aimiez les femmes qu'avec beaucoup de grossièreté. Je me suis donc crue à l'abri de l'outrage de vos désirs, et, de tout ce que j'estimais en vous, votre sincérité sur ce point est ce que j'estimais le plus. Je m'attachais à votre destinée avec d'autant plus d'abandon que nous nous étions dit en riant, souvenez-vous, mais sérieusement au fond : Entre deux êtres dont l'un est idéa-liste, et l'autre matérialiste, il y a la mer Baltique[39].

— Je l'ai dit de bonne foi, et je me suis mis avec confiance à marcher le long de mon rivage, sans avoir l'idée de traverser ; mais il s'est trouvé que, de mon côté, la glace ne portait pas. Est-ce ma faute si j'ai vingt-quatre ans et si vous êtes belle ?

— Est-ce que je suis encore belle ?* j'espérais que non !

— Je n'en sais rien, je ne trouvais pas* d'abord, et puis un beau jour vous m'êtes apparue comme cela. Quant à vous, c'est sans le vouloir, je le sais bien ; mais c'est sans le vouloir aussi que j'ai res-senti cette séduction, tellement sans le vouloir que je m'en suis défendu et distrait. J'ai rendu à Satan* ce qui appartient à Satan, c'est-à-dire ma pauvre âme, et je n'ai apporté ici à César que ce qui revient à César, mon respect et mon silence. Voilà huit ou dix jours pourtant que cette mauvaise émotion me revient en rêve. Elle se dis-sipe dès que je suis auprès de vous. Ma parole d'honneur, Thérèse, quand je vous vois, quand vous me parlez, je suis calme. Je ne me souviens plus d'avoir crié après vous dans un moment de démence* auquel je ne comprends rien moi-même. Quand je parle de vous, je dis que vous n'êtes pas jeune, ou que je n'aime pas la couleur de vos cheveux*. Je proclame que vous êtes ma grande camarade, c'est-à-dire mon frère[40], et je me sens loyal en le disant. Et puis il passe je ne sais quelles bouffées de printemps dans l'hiver de mon imbécile de cœur, et je me figure que c'est vous qui me les soufflez. C'est vous en effet, Thérèse, avec votre culte* pour ce que vous appelez le véritable amour ! cela donne à penser, malgré qu'on en ait !

— Je crois que vous vous trompez, je ne parle jamais d'amour.

— Oui, je le sais. Vous avez à cet égard un parti pris. Vous avez lu quelque part que parler d'amour, c'est déjà en donner ou en prendre[41] ; mais votre silence a une grande éloquence, vos réticences donnent la fièvre, et votre excessive prudence* a un attrait diabolique !

— En ce cas, ne nous voyons plus, dit Thérèse.

— Pourquoi ? qu'est-ce que cela vous fait que j'aie eu quelques nuits sans sommeil, puisqu'il ne tient qu'à vous de me rendre aussi tranquille que je l'étais auparavant ?

— Que faut-il faire pour cela ?

— Ce que je vous demandais : me dire que vous êtes à quelqu'un. Je me le tiendrai pour dit, et, comme je suis très fier, je serai guéri comme par la baguette d'une fée.

— Et si je vous dis que je ne suis à personne parce que je ne veux plus aimer personne*, cela ne suffira pas ?

— Non, j'aurai la fatuité de croire que vous pouvez changer d'avis. »

Thérèse ne put s'empêcher de rire de la bonne grâce avec laquelle Laurent s'exécutait :

« Eh bien ! lui dit-elle, soyez guéri, et rendez-moi une amitié dont j'étais fière, au lieu d'un amour dont j'aurais à rougir. J'aime quelqu'un.

— Ce n'est pas assez, Thérèse : il faut me dire que vous lui appartenez !

— Autrement vous croirez que ce quelqu'un c'est vous, n'est-ce pas ? Eh bien ! soit, j'ai un amant. Êtes-vous satisfait ?

— Parfaitement. Et vous voyez, je vous baise la main pour vous remercier de votre franchise. Soyez tout à fait bonne, dites-moi que c'est Palmer !

— Cela m'est impossible, je mentirais.

— Alors... je m'y perds !

— Ce n'est personne que vous connaissez, c'est une personne absente...

— Qui vient cependant quelquefois ?

— Apparemment, puisque vous avez surpris un épanchement...

— Merci, merci, Thérèse ! Me voilà tout à fait sur mes pieds, je sais qui vous êtes et qui je suis, et s'il faut tout dire, je crois que je vous aime mieux ainsi, vous êtes une femme et non plus un sphinx. Ah ! que ne parliez-vous plus tôt ?

— Cette passion vous a donc déjà bien ravagé* ? dit Thérèse railleuse.

— Eh ! mais, peut-être ! Dans dix ans, je vous dirai cela, Thérèse, et nous en rirons ensemble.

— Voilà qui est convenu, bonsoir. »

Laurent alla se coucher fort tranquille et tout à fait désabusé. Il avait réellement souffert pour Thérèse. Il l'avait désirée avec passion sans oser le lui faire pressentir. Ce n'était certes pas une bonne passion que celle-là. Il s'y était mêlé autant de vanité que de curiosité. Cette femme dont tous ses amis disaient : « Qui aime-t-elle ? je voudrais bien que ce fût moi, mais ce n'est personne », lui était apparue comme un idéal à saisir. Son imagination s'était enflammée, son orgueil avait saigné de la crainte, de la presque certitude d'échouer.

Mais ce jeune homme n'était pas voué exclusivement à l'orgueil. Il avait la notion brillante et souveraine, par moments, du bien, du bon et du vrai. C'était un ange, sinon déchu comme tant d'autres, du moins fourvoyé et malade. Le besoin d'aimer lui dévorait le cœur, et cent fois par jour il se demandait avec effroi s'il n'avait pas déjà trop abusé de la vie, et s'il lui restait la force d'être heureux.

Il s'éveilla calme et triste. Il regrettait déjà sa chimère, son beau sphinx, qui lisait en lui avec une attention complaisante, qui l'admirait, le grondait, l'encourageait et le plaignait tour à tour, sans jamais rien révéler de sa propre destinée, mais en laissant pressentir des trésors d'affection, de dévouement, peut-être de voluptés ! Du moins c'est ainsi qu'il plaisait à Laurent d'interpréter le silence de Thérèse sur son propre compte, et un certain sourire, mystérieux comme celui de la Joconde, qu'elle avait sur les lèvres et au coin de l'œil, lorsqu'il blasphémait devant elle. Dans ces moments-là, elle avait l'air de se dire : « Je pourrais bien décrire le paradis en regard de ce mauvais enfer ; mais ce pauvre fou ne me comprendrait pas. »

Une fois le mystère de son cœur dévoilé, Thérèse perdit tout d'abord son prestige aux yeux de Laurent. Ce n'était plus qu'une femme pareille aux autres. Il était même tenté de la rabaisser dans sa propre estime, et, bien qu'elle ne se fût jamais laissé interroger, de l'accuser d'hypocrisie et de pruderie. Mais, du moment qu'elle était à quelqu'un, il ne regrettait plus de l'avoir respectée, et il ne désirait plus rien d'elle*, pas même son amitié, qu'il n'était pas embarrassé, pensait-il, de trouver ailleurs.

Cette situation dura deux ou trois jours, pendant lesquels Laurent prépara plusieurs prétextes pour s'excuser, si par hasard Thérèse lui demandait compte de ce temps passé sans venir chez elle. Le quatrième jour, Laurent se sentit en proie à un *spleen* indicible. Les filles de joie et les femmes galantes lui donnaient des nausées ; il ne retrouvait dans aucun de ses amis la bonté patiente et délicate de Thérèse pour remarquer son ennui, pour tâcher de l'en distraire, pour en chercher avec lui la cause et le remède, en un mot pour s'occuper de lui. Elle seule savait ce qu'il fallait lui dire, et paraissait comprendre que la destinée d'un artiste* tel que lui n'était pas un fait de peu d'importance, et sur lequel un esprit élevé eût le droit de prononcer que, s'il était malheureux, c'était tant pis pour lui.

Il courut chez elle avec tant de hâte qu'il oublia ce qu'il voulait lui dire pour s'excuser ; mais Thérèse ne montra ni mécontentement ni surprise de son oubli, et le dispensa de mentir en ne lui faisant aucune question. Il en fut piqué, et s'aperçut qu'il était plus jaloux d'elle qu'auparavant. — Elle aura vu son amant, pensa-t-il, elle m'aura oublié. — Cependant il ne fit rien paraître de son dépit, et veilla désormais sur lui-même avec un si grand soin que Thérèse y fut trompée.

Plusieurs semaines s'écoulèrent pour lui dans une alternative de rage*, de froideur et de tendresse. Rien au monde ne lui était si nécessaire et si bienfaisant que l'amitié de cette femme, rien ne lui était si amer et si blessant que de ne pouvoir prétendre à son amour. L'aveu qu'il avait exigé, loin de le guérir comme il s'en était flatté, avait irrité sa souffrance. C'était de la jalousie qu'il ne pouvait plus se dissimuler, puisqu'elle avait une cause avouée et certaine. Comment avait-il donc pu s'imaginer qu'aussitôt cette cause connue, il dédaignerait de vouloir lutter pour la détruire ?

Et cependant il ne faisait aucun effort pour supplanter l'invisible et heureux rival. Sa fierté, excessive auprès de Thérèse, ne le lui permettait pas. Seul, il le haïssait et le dénigrait en lui-même, attribuant tous les ridicules à ce fantôme, l'insultant et le provoquant dix fois par jour.

Et puis il se dégoûtait de souffrir, retournait à la débauche, s'oubliait lui-même un instant et retombait aussitôt dans de profondes tristesses, allait passer deux heures chez Thérèse, heureux de la voir, de respirer l'air qu'elle respirait et de la contredire pour avoir le plaisir d'entendre sa voix grondeuse et caressante.

Enfin il la détestait pour ne pas deviner ses tourments ; il la méprisait pour rester fidèle* à cet amant qui ne pouvait être qu'un homme médiocre, puisqu'elle n'éprouvait pas le besoin d'en parler ; il la quittait en se jurant de rester longtemps sans la voir, et il y fût retourné une heure après s'il eût espéré être reçu.

Thérèse, qui un instant s'était aperçue de son amour, ne s'en doutait plus, tant il jouait bien son rôle. Elle aimait sincèrement ce malheureux enfant. Artiste enthousiaste sous son air calme et réfléchi, elle avait voué une sorte de culte, disait-elle, *à ce qu'il eût pu être*, et il lui en restait une pitié pleine de gâteries où se mêlait encore un vrai respect* pour le génie souffrant et fourvoyé. Si elle eût été bien certaine de ne pouvoir éveiller en lui aucun mauvais désir, elle l'eût caressé comme un fils, et il y avait des moments où elle se reprenait parce qu'il lui venait sur les lèvres de le tutoyer.

Y avait-il de l'amour dans ce sentiment maternel ? Il y en avait certainement à l'insu de Thérèse ; mais une femme vraiment chaste, et qui a vécu plus longtemps de travail que de passion, peut garder longtemps* vis-à-vis d'elle-même le secret d'un amour dont elle a résolu de se défendre. Thérèse croyait être certaine de ne jamais songer à sa propre satisfaction* dans cet attachement dont elle faisait tous les frais ; du moment que Laurent trouvait du calme et du bien-être auprès d'elle, elle en trouvait elle-même à lui en donner. Elle savait bien qu'il était incapable d'aimer comme elle l'entendait ; aussi avait-elle été blessée et effrayée du moment de fantaisie qu'il avait avoué. Cette crise passée, elle s'applaudissait d'avoir trouvé dans un mensonge innocent le moyen d'en prévenir le retour, et comme en toute occasion, dès qu'il se sentait ému, Laurent se hâtait de proclamer l'infranchissable barrière de glaces de la *mer Baltique*, elle n'avait plus peur et s'habituait à vivre sans brûlure au milieu du feu.

Toutes ces souffrances et tous ces dangers des deux amis étaient cachés et comme couvés sous une habitude de gaieté railleuse*, qui est comme la manière d'être, comme le cachet indélébile des artistes français. C'est une seconde nature que les étrangers du Nord nous reprochent beaucoup, et pour laquelle les graves Anglais surtout nous dédaignent passablement. C'est elle pourtant qui fait le charme des liaisons délicates, et qui nous préserve souvent de beaucoup de folies ou de sottises. Chercher le côté ridicule des choses, c'est en découvrir le côté faible et illogique. Se moquer des périls où l'âme se trouve engagée, c'est s'exercer à les braver, comme nos soldats qui vont au feu en riant et en chantant. Persifler un ami, c'est souvent le sauver d'une mollesse de l'âme dans laquelle notre pitié l'eût engagé à se complaire. Enfin se persifler soi-même, c'est se préserver de la sotte ivresse de l'amour-propre exagéré. J'ai remarqué que les gens qui ne plaisantaient jamais étaient doués d'une vanité puérile et insupportable.

La gaieté de Laurent était éblouissante de couleur et d'esprit, comme son talent, et* d'autant plus naturelle qu'elle était originale. Thérèse avait moins d'esprit que lui, en ce sens qu'elle était naturellement rêveuse* et paresseuse à causer ; mais elle avait précisément besoin de l'enjouement des autres : alors le sien se mettait peu à peu de la partie*, et sa gaieté sans éclat n'était pas sans charme.

Il résultait donc de cette habitude de bonne humeur où l'on se maintenait, que l'amour, chapitre sur lequel Thérèse ne plaisantait jamais et n'aimait pas que l'on plaisantât devant elle, ne trouvait pas un mot à glisser, pas une note à faire entendre.

Un beau matin, le portrait de M. Palmer se trouva terminé, et Thérèse remit à Laurent, de la part de son ami, une jolie somme que le jeune homme lui promit de mettre en réserve pour le cas de maladie ou de dépense obligatoire imprévue.

Laurent s'était lié avec Palmer en faisant son portrait. Il l'avait trouvé ce qu'il était : droit, juste, généreux, intelligent et instruit. Palmer était un riche bourgeois dont la fortune patrimoniale provenait du commerce. Il avait fait le trafic lui-même et les voyages au long cours dans sa jeunesse. A trente ans, il avait eu le grand sens de se trouver assez riche et de vouloir vivre pour lui-même. Il ne voyageait donc plus que pour son plaisir, et après avoir vu, disait-il, beaucoup de choses curieuses et de pays extraordinaires, il se plaisait à la vue des belles choses et à l'étude des pays véritablement intéressants par leur civilisation.

Sans être très éclairé dans les arts, il y portait un sentiment assez sûr, et en toutes choses il avait des notions saines comme ses instincts. Son langage en français* se ressentait de sa timidité, au point d'être presque inintelligible et risiblement incorrect au début d'un dialogue ; mais lorsqu'il se sentait à l'aise, on reconnaissait qu'il savait la langue, et qu'il ne lui manquait qu'une plus longue pratique ou plus de confiance pour la parler très bien.

Laurent avait étudié cet homme avec beaucoup de trouble et de curiosité au commencement. Lorsqu'il lui fut démontré jusqu'à l'évidence qu'il n'était pas l'amant de Mlle Jacques, il l'apprécia et se prit pour lui d'une sorte d'amitié qui ressemblait de loin, il est vrai, à celle qu'il éprouvait pour Thérèse. Palmer était un philosophe tolérant, assez rigide pour lui-même et très charitable pour les autres. Par les idées, sinon par le caractère, il ressemblait à Thérèse et se trouvait presque toujours d'accord avec elle sur tous les points. Par moments encore, Laurent se sentait jaloux de ce qu'il appelait musicalement leur imperturbable *unisson*, et comme ce n'était plus qu'une jalousie intellectuelle, il osait s'en plaindre à Thérèse. « Votre définition ne vaut rien, disait-elle. Palmer est trop calme et trop parfait pour moi. J'ai un peu plus de feu, et je chante un peu plus haut que lui. Je suis relativement à lui la note élevée de la tierce majeure.

— Alors, moi, je ne suis qu'une fausse note, reprenait Laurent.

— Non, disait Thérèse, avec vous je me modifie, et descends à former la tierce mineure.

— C'est qu'alors avec moi vous baissez d'un demi-ton ?

— Et je me trouve d'un demi-intervalle plus rapprochée de vous que de Palmer. »

III

Un jour, à la demande de Palmer, Laurent se rendit à l'hôtel Meurice, où demeurait celui-ci, pour s'assurer que le portrait était convenablement encadré et emballé. On posa le couvercle devant eux, et Palmer y écrivit lui-même avec un pinceau le nom et l'adresse de sa mère ; puis, au moment où les commissionnaires enlevaient la caisse pour la faire partir*, Palmer serra la main de l'artiste en lui disant : « Je vous dois un grand plaisir que va avoir ma bonne mère, et je vous remercie encore. A présent voulez-vous me permettre de causer avec vous ? J'ai quelque chose à vous dire. »

Ils passèrent dans un salon où Laurent vit plusieurs malles. « Je pars demain pour l'Italie, lui dit l'Américain en lui offrant d'excellents cigares et une bougie, bien qu'il ne fumât pas lui-même, et je ne veux pas vous quitter sans vous entretenir d'une chose délicate, tellement délicate que, si vous m'interrompez, je ne saurai plus trouver les mots convenables pour la dire en français*.

— Je vous jure d'être muet comme la tombe », dit en souriant Laurent, étonné et assez inquiet de ce préambule.

Palmer reprit : « Vous aimez Mlle Jacques, et je crois qu'elle vous aime. Peut-être êtes-vous son amant ; si vous ne l'êtes pas, il est certain pour moi que vous le deviendrez. Oh ! vous m'avez promis de ne rien dire. Ne dites rien, je ne vous demande rien. Je vous crois digne de l'honneur que je vous attribue, mais je crains que vous ne connaissiez pas assez Thérèse, et que vous ne sachiez pas assez que si votre amour est une gloire pour elle, le sien en est une égale pour vous. Je crains cela à cause des questions que vous m'avez faites sur elle, et de certains propos que l'on a tenus, devant nous deux, sur son compte, et dont je vous ai vu plus ému que moi. C'est la preuve que vous ne savez rien ; moi qui sais tout, je veux tout vous dire, afin que votre attachement pour Mlle Jacques soit fondé sur l'estime et le respect qu'elle mérite.

— Attendez, Palmer ! s'écria Laurent, qui grillait d'entendre, mais qui fut pris d'un généreux scrupule. Est-ce avec la permission ou par l'ordre de Mlle Jacques que vous allez me raconter sa vie ?

— Ni l'un ni l'autre, répondit Palmer. Jamais Thérèse ne vous racontera sa vie.

— Alors taisez-vous ! Je ne veux savoir que ce qu'elle voudra que je sache.

— Bien, très bien ! répondit Palmer en lui serrant la main ; mais si ce que j'ai à vous dire la justifie de tout soupçon ?

— Pourquoi le cache-t-elle alors ?

— Par générosité pour les autres.

— Eh bien ! parlez, dit Laurent, qui n'y pouvait plus tenir.

— Je ne nommerai personne, reprit Palmer. Je vous dirai seulement que, dans une grande ville de France, il y avait un riche banquier qui séduisit une charmante fille, institutrice de sa propre fille. Il en eut une bâtarde, qui naquit, il y a vingt-huit ans, le jour de Saint-Jacques au calendrier, et qui, inscrite à la municipalité comme née de parents inconnus, reçut pour tout nom de famille le nom de Jacques. Cette enfant, c'est Thérèse.

« L'institutrice fut dotée par le banquier et mariée cinq ans plus tard* avec un de ses employés, honnête homme qui ne se doutait de rien, toute l'affaire ayant été tenue fort secrète. L'enfant était élevée à la campagne. Son père s'était chargé d'elle*. Elle fut mise ensuite dans un couvent, où elle reçut une très belle éducation, et fut traitée avec beaucoup de soin et d'amour. Sa mère la voyait assidûment dans ses premières années ; mais quand elle fut mariée, le mari eut des soupçons, et, donnant la démission de son emploi chez le banquier, il emmena sa femme en Belgique*, où il se créa des occupations, et fit fortune. La pauvre mère dut étouffer ses larmes* et obéir.

« Cette femme vit toujours très loin de sa fille : elle a d'autres enfants, elle a eu une conduite irréprochable depuis son mariage ; mais elle n'a jamais été heureuse. Son mari, qui l'aime, la tient en chartre privée, et n'a pas cessé d'en être jaloux, ce qui pour elle est un châtiment mérité de sa faute* et de son mensonge.

« Il semblerait que l'âge eût dû amener la confession de l'une et le pardon de l'autre. Il en eût été ainsi dans un roman ; mais il n'y a rien de moins logique que la vie réelle, et ce ménage est troublé comme au premier jour, le mari amoureux, inquiet et rude, la femme repentante, mais muette et opprimée.

« Dans les circonstances difficiles où s'est trouvée Thérèse, elle n'a donc pu avoir ni l'appui, ni les conseils, ni les secours, ni les consolations de sa mère. Pourtant celle-ci l'aime d'autant plus qu'elle est forcée de la voir en secret, à la dérobée, quand elle réussit à venir passer seule un ou deux jours à Paris, comme cela lui est arrivé dernièrement. Encore n'est-ce que depuis quelques années qu'elle a pu inventer je ne sais quels prétextes et obtenir ces rares permissions. Thérèse adore sa mère, et n'avouera jamais rien qui puisse la compromettre. Voilà pourquoi vous ne lui entendez jamais souffrir un mot de blâme sur la conduite des autres femmes. Vous avez pu croire qu'elle réclamait ainsi tacitement l'indulgence pour elle-même. Il n'en est rien. Thérèse n'a rien à se faire pardonner ; mais elle pardonne tout à sa mère : ceci est l'histoire de leurs relations.

« A présent j'ai à vous raconter celle de la comtesse de... *trois étoiles*. C'est ainsi, je crois, que vous dites en français quand vous ne voulez pas nommer les gens. Cette comtesse, qui ne porte ni son titre, ni le nom de son mari, c'est encore Thérèse.

— Elle est donc mariée ? Elle n'est pas veuve ?

— Patience, elle est mariée, et elle ne l'est pas. Vous allez voir !

« Thérèse avait quinze ans* quand son père le banquier se trouva veuf et libre, car ses enfants légitimes étaient tous établis. C'était un excellent homme, et, malgré la faute que je vous ai racontée et que je n'excuse pas, il était impossible de ne pas l'aimer, tant il avait d'esprit et de générosité*. J'ai été très lié avec lui. Il m'avait confié l'histoire de la naissance de Thérèse, et il me mena à divers intervalles, en visite avec lui, au couvent où il l'avait mise. Elle était belle*, instruite, aimable, sensible. Il eût souhaité, je crois, que je prisse la résolution de la lui demander en mariage, mais je n'avais pas le cœur libre à cette époque* ; autrement... mais je ne pouvais y songer.

« Il me demanda alors des renseignements sur un jeune Portugais* noble qui venait chez lui, qui avait de grandes propriétés à La Havane et qui était très beau. J'avais rencontré ce Portugais à Paris, mais je ne le connaissais réellement pas, et je m'abstins de toute opinion sur son compte. Il était fort séduisant, mais pour ma part je ne me serais jamais fié à sa figure ; c'était ce comte de ★ ★ ★ avec qui Thérèse fut mariée un an plus tard.

« Je dus aller en Russie ; quand je revins, le banquier était mort d'apoplexie foudroyante, et Thérèse était mariée, mariée avec cet inconnu, ce fou, je ne veux pas dire cet infâme, puisqu'il a pu être aimé d'elle, même après la découverte qu'elle fit de son crime : cet homme était déjà marié aux colonies, lorsqu'il eut l'audace inouïe de demander* et d'épouser Thérèse.

« Ne me demandez pas comment le père de Thérèse, homme d'esprit et d'expérience, avait pu se laisser duper ainsi. Je vous répéterais ce que ma propre expérience m'a trop appris, à savoir que, dans ce monde, tout ce qui arrive est la moitié du temps le contraire de ce qui semblait devoir arriver.

« Le banquier avait, dans les derniers temps de sa vie, fait encore d'autres étourderies qui donneraient à penser que sa lucidité était déjà compromise. Il avait fait un legs à Thérèse au lieu de lui donner une dot de la main à la main. Ce legs se trouva nul devant les héritiers légitimes, et Thérèse, qui adorait son père, n'eût pas voulu plaider, même avec des chances de succès. Elle se trouva donc ruinée précisément au moment où elle devenait mère, et dans ce même temps elle vit arriver chez elle une femme exaspérée qui réclamait ses droits et voulait faire un éclat ; c'était la première, la seule légitime femme de son mari.

« Thérèse eut un courage peu ordinaire* : elle calma cette malheureuse et obtint d'elle qu'elle ne ferait aucun procès ; elle obtint du comte qu'il reprendrait sa femme et partirait avec elle pour La Havane*. A cause de la naissance de Thérèse et du secret dont son père avait voulu environner les témoignages de sa tendresse, son mariage avait eu lieu à huis clos, à l'étranger, et c'est aussi à l'étranger que le jeune couple avait vécu depuis ce temps. Cette vie même avait été fort mystérieuse. Le comte, craignant à coup sûr d'être démasqué, s'il reparaissait dans le monde, faisait croire à Thérèse qu'il avait la passion de la solitude* avec elle, et la jeune femme confiante, éprise et romanesque, trouvait tout naturel que son mari voyageât avec elle sous un faux nom pour se dispenser de voir des indifférents.

« Lorsque Thérèse découvrit l'horreur de sa situation, il n'était donc pas impossible que tout fût enseveli dans le silence. Elle consulta un légiste discret, et ayant bien acquis la certitude que son mariage était nul, mais qu'il fallait pourtant un jugement pour le rompre, si elle voulait jamais user de sa liberté*, elle prit à l'instant même un parti irrévocable, celui de n'être ni libre ni mariée plutôt que de souiller le père de son enfant par un scandale et une condamnation infamante. L'enfant devenait de toute façon un bâtard, mais mieux valait qu'il n'eût pas de nom et qu'il ignorât à jamais sa naissance que d'avoir à réclamer un nom taré en déshonorant son père.

« Thérèse aimait encore ce malheureux* ! elle me l'a avoué, et lui-même, il l'aimait d'une diabolique passion. Il y eut des luttes déchirantes, des scènes sans nom, où Thérèse se débattit avec une énergie au-dessus de son âge, je ne veux pas dire de son sexe ; une femme, quand elle est héroïque, ne l'est pas à demi.

« Enfin elle l'emporta ; elle garda son enfant, chassa de ses bras le coupable et le vit partir avec sa rivale, qui, bien que dévorée de jalousie, fut vaincue par sa magnanimité jusqu'à lui baiser les pieds en la quittant.

« Thérèse changea de pays et de nom, se fit passer pour veuve, résolue à se faire oublier du peu de personnes qui l'avaient connue, et se mit à vivre pour son enfant avec un douloureux enthousiasme. Cet enfant lui était si cher qu'elle pensait pouvoir se consoler de tout avec lui ; mais ce dernier bonheur ne devait pas durer longtemps.

« Comme le comte avait de la fortune et qu'il n'avait pas d'enfants de sa première femme, Thérèse avait dû accepter, à la prière même de celle-ci, une pension raisonnable pour être en mesure d'élever convenablement son fils ; mais à peine le comte eut-il reconduit sa femme à La Havane*, qu'il l'abandonna de nouveau, s'échappa, revint en Europe et alla se jeter aux pieds de Thérèse, la suppliant de fuir avec lui et avec son enfant à l'autre extrémité du monde.

« Thérèse fut inexorable : elle avait réfléchi et prié. Son âme s'était affermie*, elle n'aimait plus le comte. Précisément à cause de son fils, elle ne voulait pas qu'un tel homme* devînt le maître de sa vie. Elle avait perdu le droit d'être heureuse, mais non pas celui de se respecter elle-même : elle le repoussa sans reproches*, mais sans faiblesse. Le comte la menaça de la laisser sans ressources : elle répondit qu'elle n'avait pas peur de travailler pour vivre[42].

« Ce misérable fou s'avisa alors d'un moyen exécrable*, soit pour mettre Thérèse à sa discrétion, soit pour se venger de sa résistance. Il enleva l'enfant et disparut. Thérèse courut après lui ; mais il avait si bien pris ses mesures qu'elle fit fausse route et ne le rejoignit pas. C'est alors que je la rencontrai en Angleterre, mourante de désespoir et de fatigue dans une auberge, presque folle, et si dévastée par le malheur que j'hésitai à la reconnaître.

« J'obtins d'elle qu'elle se reposerait et me laisserait agir. Mes recherches eurent un succès déplorable. Le comte était repassé en Amérique. L'enfant y était mort de fatigue* en arrivant.

« Quand il me fallut porter à cette malheureuse l'épouvantable nouvelle*, je fus épouvanté moi-même du calme qu'elle montra*. On eût dit pendant huit jours d'une morte qui marchait. Enfin elle pleura, et je vis qu'elle était sauvée. J'étais forcé de la quitter ; elle me dit qu'elle voulait se fixer où elle était*. J'étais inquiet de son dénuement ; elle me trompa en me disant que sa mère ne la laissait manquer de rien. J'ai su plus tard que sa pauvre mère en eût été bien empêchée : elle ne disposait pas d'un centime dans son ménage sans en rendre compte. D'ailleurs elle ignorait tous les malheurs de sa fille. Thérèse, qui lui écrivait en secret, les lui avait cachés pour ne pas la désespérer.

« Thérèse vécut en Angleterre en donnant des leçons de français, de dessin et de musique, car elle avait des talents, qu'elle eut le courage d'exercer pour n'avoir à accepter la pitié de personne.

« Au bout d'un an, elle revint en France et se fixa à Paris, où elle n'était jamais venue, et où personne ne la connaissait. Elle n'avait alors que vingt ans, elle avait été mariée à seize. Elle n'était plus du tout jolie, et il a fallu huit années de repos et de résignation pour lui rendre sa santé* et sa douce gaieté d'autrefois.

« Je ne l'ai revue pendant tout ce temps qu'à de rares intervalles, puisque je voyage toujours ; mais je l'ai toujours retrouvée digne* et fière, travaillant avec un courage invincible et cachant sa pauvreté sous un miracle d'ordre et de propreté, ne se plaignant jamais ni de Dieu ni de personne, ne voulant pas parler du passé, caressant quelquefois les enfants en secret et les quittant dès qu'on la regarde, dans la crainte sans doute qu'on ne la voie émue.

« Voici trois ans que je ne l'avais vue, et quand je suis venu vous demander de faire mon portrait, je cherchais précisément son adresse, que j'allais vous demander quand vous m'avez parlé d'elle. Arrivé la veille, je ne savais pas encore qu'elle eût enfin du succès, de l'aisance et de la célébrité. C'est en la retrouvant ainsi que j'ai compris que cette âme si longtemps brisée pouvait encore vivre, aimer... souffrir ou être heureuse. Tâchez qu'elle le soit, mon cher Laurent, elle l'a bien gagné ! Et si vous n'êtes point sûr de ne pas la faire souffrir, brûlez-vous la cervelle ce soir plutôt que de retourner chez elle. Voilà tout ce que j'avais à vous dire.

— Attendez ! dit Laurent très ému : ce comte de ★★★ est-il toujours vivant ?

— Malheureusement oui. Ces hommes qui font le désespoir* des autres se portent toujours bien et échappent à tous les dangers. Ils ne donnent même jamais leur démission, car celui-ci a eu dernièrement la présomption de m'envoyer pour Thérèse une lettre que je lui ai remise sous vos yeux, et dont elle fait le cas que cela mérite. »

Laurent avait songé à épouser Thérèse en écoutant le récit de M. Palmer. Ce récit l'avait bouleversé*. Les inflexions monotones, l'accent prononcé, et quelques bizarres inversions de Palmer que nous avons jugé inutile de reproduire, lui avaient donné, dans l'imagination vive de son auditeur, je ne sais quoi d'étrange et de terrible* comme la destinée de Thérèse. Cette fille sans parents, cette mère sans enfant, cette femme sans mari, n'était-elle pas vouée à un malheur exceptionnel ? Quelles tristes notions* n'avait-elle pas dû garder de l'amour et de la vie* ! Le sphinx reparaissait devant les yeux éblouis de Laurent. Thérèse dévoilée lui paraissait plus mystérieuse que jamais : s'était-elle jamais consolée, ou pouvait-elle l'être un seul instant ?

Il embrassa Palmer avec effusion, lui jura qu'il aimait Thérèse, et que, s'il parvenait jamais à être aimé d'elle, il se rappellerait à toutes les heures de sa vie l'heure qui venait de s'écouler et le récit qu'il venait d'entendre. Puis, lui ayant promis de ne pas faire semblant de savoir l'histoire de Mlle Jacques, il rentra chez lui et lui écrivit :

« Thérèse, ne croyez pas un mot de tout ce que je vous dis depuis deux mois. Ne croyez pas non plus ce que je vous ai dit, quand vous avez eu peur de me voir amoureux de vous. Je ne suis pas amoureux, ce n'est pas cela : je vous aime éperdument*. C'est absurde, c'est insensé, c'est misérable ; mais moi, qui croyais ne devoir et ne pouvoir jamais dire ou écrire à une femme ce mot-là* : *Je vous aime !* je le trouve encore trop froid et trop retenu aujourd'hui de moi à vous. Je ne peux plus vivre avec ce secret qui m'étouffe, et que vous ne voulez pas deviner. J'ai voulu cent fois vous quitter, m'en aller au bout du monde, vous oublier. Au bout d'une heure, je suis à votre porte, et bien souvent la nuit, dévoré de jalousie, et presque furieux contre moi-même, je demande à Dieu de me délivrer de mon mal en faisant arriver cet amant inconnu auquel je ne crois pas, et que vous avez inventé pour me dégoûter de songer à vous. Montrez-moi cet homme dans vos bras, ou aimez-moi, Thérèse ! Faute de cette solution, je n'en vois qu'une troisième, c'est que je me tue pour en finir[43]... C'est lâche et stupide, cette menace banale et rebattue par tous les amants désespérés ; mais est-ce ma faute s'il y a des désespoirs qui font jeter le même cri à tous ceux qui les subissent, et suis-je fou parce que j'arrive à être un homme comme les autres ?

« De quoi m'a servi tout ce que j'ai inventé pour m'en défendre et pour rendre mon pauvre individu aussi inoffensif qu'il voulait être libre ?

« Avez-vous quelque chose à me reprocher vis-à-vis de vous, Thérèse ? Suis-je un fat, un roué, moi qui ne me piquais que de m'abrutir pour vous donner confiance dans mon amitié ? Mais pour-quoi voulez-vous que je meure sans avoir aimé, vous qui seule pouvez me faire connaître l'amour, et qui le savez bien ? Vous avez dans l'âme un trésor, et vous souriez à côté d'un malheureux qui meurt de faim et de soif. Vous lui jetez une petite pièce de monnaie de temps en temps ; cela s'appelle pour vous l'amitié, ce n'est pas même de la pitié, car vous devez bien savoir que la goutte d'eau augmente la soif.

« Et pourquoi ne m'aimez-vous pas ? Vous avez peut-être aimé déjà quelqu'un qui ne me valait pas. Je ne vaux pas grand-chose, c'est vrai, mais j'aime, et n'est-ce pas tout ?

« Vous n'y croirez pas, vous direz encore que je me trompe, comme l'autre fois ! Non, vous ne pourrez pas le dire, à moins de mentir à Dieu et à vous-même. Vous voyez bien que mon tourment me maîtrise, et que j'arrive à faire une déclaration ridicule, moi qui ne crains rien tant au monde que d'être raillé par vous !

« Thérèse, ne me croyez pas corrompu. Vous savez bien que le fond de mon âme n'a jamais été souillé, et que, de l'abîme où je m'étais jeté, j'ai toujours, malgré moi, crié vers le ciel. Vous savez bien qu'auprès de vous je suis chaste comme un petit enfant[44], et vous n'avez pas craint quelquefois de prendre ma tête dans vos mains, comme si vous alliez m'embrasser au front. Et vous disiez : "Mauvaise tête ! tu mériterais d'être brisée." Et pourtant, au lieu de l'écraser comme la tête d'un serpent, vous tâchiez d'y faire entrer le souffle pur et brûlant de votre esprit. Eh bien ! vous n'avez que trop réussi, et à présent que vous avez allumé le feu sur l'autel, vous vous détournez et vous me dites : "Confiez-en la garde à une autre ! Mariez-vous, aimez une belle jeune fille bien douce et bien dévouée ; ayez des enfants, de l'ambition pour eux, de l'ordre, du bonheur domestique, que sais-je ? tout excepté moi !".

« Et moi, Thérèse, c'est vous que j'aime avec passion, et non pas moi-même. Depuis que je vous connais, vous travaillez à me faire croire au bonheur et à m'en donner le goût. Ce n'est pas votre faute si je ne suis pas devenu égoïste comme un enfant gâté. Eh bien ! je vaux mieux que cela. Je ne demande pas si votre amour serait pour moi le bonheur. Je sais seulement qu'il serait la vie, et que, bonne ou mauvaise, c'est cette vie-là ou la mort qu'il me faut*. »

Admirable Sang–froid du cheval
nommé Gerdès à la vue d'un danger
imprévu ; Scène des montagnes où l'on
a qualité de mon chapeau et le derrière
mon oisillon

7bre 1833.

IV

Thérèse fut profondément affligée de cette lettre. Elle en fut frappée comme d'un coup de foudre. Son amour ressemblait si peu à celui de Laurent qu'elle s'imaginait ne pas l'aimer d'amour, surtout en relisant les expressions dont il se servait. Il n'y avait pas d'ivresse dans le cœur de Thérèse, ou s'il y en avait, elle y était entrée goutte à goutte, si lentement qu'elle ne s'en apercevait pas et se croyait aussi maîtresse d'elle-même que le premier jour. Le mot de passion la révoltait.

« Des passions, à moi ! se disait-elle. Il croit donc que je ne sais pas ce que c'est, et que je veux retourner à ce breuvage empoisonné ! Que lui ai-je fait, moi qui lui ai donné tant de tendresse et de soins, pour qu'il me propose, en guise de remerciement, le désespoir, la fièvre et la mort ? Après tout, pensait-elle, ce n'est pas sa faute, à ce malheureux esprit ! Il ne sait ce qu'il veut, ni ce qu'il demande. Il cherche l'amour comme la pierre philosophale, à laquelle on s'efforce d'autant plus de croire qu'on ne peut la saisir. Il croit que je l'ai, et que je m'amuse à la lui refuser ! Dans tout ce qu'il pense, il y a toujours un peu de délire. Comment le calmer et le détacher d'une fantaisie qui arrive à le rendre malheureux !

« C'est ma faute, il a quelque raison de le dire. En voulant l'éloigner de la débauche, je l'ai trop habitué à un attachement honnête ; mais il est homme et il trouve notre affection incomplète. Pourquoi m'a-t-il trompée ? pourquoi m'a-t-il fait croire qu'il était tranquille auprès de moi ? Que ferai-je, moi, pour réparer la niaiserie de mon inexpérience ? Je n'ai pas été assez de mon sexe dans le sens de la présomption*. Je n'ai pas su qu'une femme, si tiède et si lasse qu'elle soit de la vie, peut toujours troubler la cervelle d'un homme. J'aurais dû me croire séduisante et dangereuse comme il me l'avait dit une fois, et deviner qu'il ne se démentait sur ce point que pour me tranquilliser. C'est donc un mal, ce peut donc être un tort que de ne pas avoir les instincts de la coquetterie ? »

Et puis Thérèse, fouillant dans ses souvenirs*, se rappelait avoir eu ces instincts de réserve et de méfiance pour se préserver des désirs d'autres hommes qui ne lui plaisaient pas : avec Laurent, elle ne les avait pas eus, parce qu'elle l'estimait dans son amitié pour elle, parce qu'elle ne pouvait pas croire qu'il chercherait à la tromper, et aussi, il faut bien le dire, parce qu'elle l'aimait plus que tout autre*. Seule, dans son atelier, elle allait et venait, en proie à un malaise douloureux, tantôt regardant cette fatale lettre qu'elle avait posée sur une table comme n'en sachant que faire, et ne se décidant ni à la rouvrir ni à la détruire, tantôt regardant son travail interrompu sur le chevalet. Elle travaillait justement avec entrain et plaisir au moment où on lui avait apporté cette lettre, c'est-à-dire ce doute, ce trouble, ces étonnements et ces craintes. C'était comme un mirage qui faisait revenir sur son horizon nu et paisible tous les spectres de ses anciens malheurs. Chaque mot écrit sur ce papier était comme un chant de mort* déjà entendu dans le passé, comme une prophétie de malheurs nouveaux.

Elle essaya de se rasséréner en se remettant à peindre. C'était pour elle le grand remède à toutes les petites agitations de la vie extérieure : mais il fut impuissant ce jour-là : l'effroi que cette passion lui inspirait l'atteignait dans le sanctuaire le plus pur et le plus intime de sa vie présente.

« Deux bonheurs troublés ou détruits, se dit-elle en jetant son pinceau et en regardant la lettre : le travail et l'amitié. »

Elle passa le reste de la journée sans rien résoudre. Elle ne voyait qu'un point net dans son esprit, la résolution de dire non ; mais elle voulait que ce fût non, et ne tenait pas* à le signifier au plus vite avec cette rudesse ombrageuse des femmes* qui craignent de succomber, si elles ne se hâtent de barricader la porte. La manière de dire ce *non* sans appel, qui ne devait laisser aucune espérance, et qui pourtant ne devait pas mettre un fer rouge sur le doux souvenir de l'amitié, était pour elle un problème difficile et amer. Ce souvenir-là, c'était son propre amour ; quand on a un mort chéri à ensevelir, on ne se décide pas sans douleur à lui jeter un drap blanc sur la face, et à le pousser dans la fosse commune. On voudrait l'embaumer* dans une tombe choisie que l'on regarderait de temps en temps, en priant pour l'âme de celui qu'elle renferme.

Elle arriva à la nuit sans avoir trouvé d'expédient pour se refuser sans trop faire souffrir. Catherine, qui la vit mal dîner, lui demanda avec inquiétude si elle était malade.

« Non, répondit-elle, je suis préoccupée.

— Ah ! vous travaillez trop, reprit la bonne vieille, vous ne pensez pas à vivre. »

Thérèse leva un doigt ; c'était un geste que Catherine connaissait et qui voulait dire : ne parle pas de cela.

L'heure où Thérèse recevait le petit nombre de ses amis n'était, depuis quelque temps, mise à profit que par Laurent. Bien que la porte restât ouverte à qui voulait venir, il venait seul, soit que les autres fussent absents (c'était la saison d'aller ou de rester à la cam-

78

pagne), soit qu'ils eussent senti chez Thérèse une certaine préoccupation, un désir involontaire et mal déguisé de causer exclusivement avec M. de Fauvel.

C'était à huit heures que Laurent arrivait, et Thérèse regarda la pendule en se disant : « Je n'ai pas répondu ; aujourd'hui il ne viendra pas. » Il se fit dans son cœur un vide affreux, quand elle ajouta : « Il ne faut pas qu'il revienne jamais. »

Comment passer cette éternelle soirée qu'elle avait l'habitude d'employer à causer avec son jeune ami, tout en faisant de légers croquis ou quelque ouvrage de femme* pendant qu'il fumait, nonchalamment étendu sur les coussins du divan[45] ? Elle songea à se soustraire à l'ennui en allant trouver une amie qu'elle avait au faubourg Saint-Germain, et avec qui elle allait quelquefois au spectacle ; mais cette personne se couchait de bonne heure, et il serait trop tard quand Thérèse arriverait. La course était si longue, et les fiacres allaient si lentement dans ce temps-là ! D'ailleurs il fallait s'habiller, et Thérèse, qui vivait en pantoufles[46], comme les artistes qui travaillent avec ardeur et ne souffrent rien qui les gêne, était paresseuse à se mettre en tenue de visite. Mettre un châle et un voile, envoyer chercher un remise[47] et se faire promener au pas dans les allées désertes du bois de Boulogne ? Thérèse s'était promenée ainsi quelquefois avec Laurent, lorsque la soirée étouffante leur donnait le besoin de chercher un peu de fraîcheur sous les arbres[48]. C'étaient des promenades qui l'eussent beaucoup compromise avec tout autre ; mais Laurent lui gardait religieusement le secret de sa confiance ; et ils se plaisaient tous deux à l'excentricité* de ces mystérieux tête-à-tête qui ne cachaient aucun mystère. Elle se les rappela comme s'ils étaient déjà loin, et se dit en soupirant, à l'idée qu'ils ne reviendraient plus : « C'était le bon temps ! Tout cela ne pourrait recommencer pour lui qui souffre, et pour moi qui ne l'ignore plus. »

A neuf heures, elle essaya enfin de répondre à Laurent, lorsqu'un coup de sonnette la fit tressaillir. C'était lui ! elle se leva pour dire à Catherine de répondre qu'elle était sortie. Catherine entra : ce n'était qu'une lettre de lui. Thérèse regretta involontairement que ce ne fût pas lui-même.

Il n'y avait dans la lettre que ce peu de mots :

« Adieu, Thérèse, vous ne m'aimez pas, et moi, je vous aime comme un enfant[49] ! »

Ces deux lignes firent trembler Thérèse de la tête aux pieds. La seule passion qu'elle n'eût jamais travaillé à éteindre dans son cœur, c'était l'amour maternel. Cette plaie-là, bien que fermée en apparence, était toujours saignante comme l'amour inassouvi.

« Comme un enfant ! répétait-elle en serrant la lettre dans ses mains agitées* de je ne sais quel frisson. Il m'aime comme un enfant ! Qu'est-ce qu'il dit là, mon Dieu ! sait-il le mal qu'il me fait ? *Adieu !* Mon fils savait déjà dire *adieu !** mais il ne me l'a pas crié quand on l'a emporté. Je l'aurais entendu ! et je ne l'entendrai jamais plus. »

Thérèse était surexcitée, et son émotion s'emparant du plus douloureux des prétextes, elle fondit en larmes.

« Vous m'avez appelée ? lui dit Catherine en rentrant. Mais, mon Dieu ! qu'est-ce que vous avez donc ? vous voilà dans les pleurs comme autrefois !

— Rien, rien, laisse-moi, répondit Thérèse. Si quelqu'un vient pour me voir, tu diras que je suis au spectacle. Je veux être seule. Je suis malade. »

Catherine sortit, mais par le jardin. Elle avait vu Laurent marcher à pas furtifs le long de la haie.

« Ne boudez pas comme cela, lui dit-elle*. Je ne sais pas pourquoi ma maîtresse pleure*, mais ça doit être votre faute, vous lui faites des peines. Elle ne veut pas vous voir. Venez lui demander pardon ! »

Catherine, malgré tout son respect et son dévouement pour Thérèse, était persuadée que Laurent était son amant.

« Elle pleure ? s'écria-t-il. Oh ! mon Dieu ! pourquoi pleure-t-elle ? » Et il traversa d'un bond le petit jardin pour aller tomber aux pieds de Thérèse, qui sanglotait dans le salon, la tête dans ses mains.

Laurent eût été transporté de joie de la voir ainsi, s'il eût été le roué que parfois il voulait paraître ; mais le fond de son cœur était admirablement bon[50], et Thérèse avait sur lui l'influence secrète de le ramener à sa véritable nature*. Les larmes dont elle était baignée lui firent donc une peine réelle et profonde. Il la supplia à genoux d'oublier encore cette folie de sa part et d'apaiser la crise par sa douceur et sa raison.

« Je ne veux que ce que vous voudrez, lui dit-il, et puisque vous pleurez notre amitié défunte, je jure de la faire revivre plutôt que de vous causer un chagrin nouveau. Mais tenez, ma douce et bonne Thérèse, ma sœur chérie, agissons franchement, car je ne me sens plus la force de vous tromper ! ayez, vous, le courage d'accepter mon amour comme une triste découverte que vous avez faite, et comme un mal dont vous voulez bien me guérir par la patience et la pitié. J'y ferai tous mes efforts, je vous en fais le serment ! Je ne vous demanderai pas seulement un baiser, et je crois qu'il ne m'en coûtera pas tant que vous pourriez le craindre, car je ne sais pas encore si mes sens sont en jeu dans tout ceci. Non, en vérité, je ne le crois pas. Comment cela pourrait-il être après la vie que j'ai menée et que je suis libre de mener encore ? C'est une soif de l'âme que j'éprouve ; pourquoi vous effrayerait-elle ? Donnez-moi un peu de votre cœur et prenez tout le mien. Acceptez d'être aimée de moi, et ne me dites plus que c'est pour vous un outrage, car mon désespoir, c'est de voir que vous me méprisez trop pour permettre que même en rêve j'aspire à vous... Cela me rabaisse tant à mes propres yeux, que cela me donne envie de tuer ce malheureux qui vous répugne moralement. Relevez-moi plutôt du bourbier où j'étais tombé, en me disant d'expier ma mauvaise vie et de devenir digne de vous. Oui, laissez-moi une espérance ! si faible qu'elle soit, elle fera de moi un autre homme. Vous verrez, vous verrez, Thérèse ! La seule idée de travailler pour vous paraître meilleur me donne déjà de la force, je le sens ; ne me l'ôtez pas ! Que vais-je devenir si vous me repoussez ? Je vais redescendre tous les degrés que j'ai montés depuis que je vous connais. Tout le fruit de notre sainte amitié sera perdu pour moi. Vous aurez essayé de guérir* un malade, et vous aurez fait un mort ! Et vous-même alors, si grande et si bonne, serez-vous contente de votre œuvre, et ne vous reprocherez-vous pas de ne l'avoir point menée à meilleure fin ? Soyez pour moi une sœur de charité qui ne se borne pas à panser un blessé, mais qui s'efforce* de réconcilier son âme avec le ciel[51]. Voyons, Thérèse, ne me retirez pas vos mains loyales, ne détournez pas votre tête, si belle dans la douleur. Je ne quitterai pas vos genoux* que vous ne m'ayez, sinon permis, du moins pardonné de vous aimer ! »

Thérèse dut accepter cette effusion comme sérieuse*, car Laurent était de bonne foi. Le repousser avec défiance eût été un aveu de la tendresse trop vive* qu'elle avait pour lui ; une femme qui montre de la peur est déjà vaincue. Aussi se montra-t-elle brave, et peut-être le fut-elle* sincèrement, car elle se croyait encore assez forte. Et d'ailleurs elle n'était pas mal inspirée par sa faiblesse même. Rompre en ce moment, c'eût été provoquer de terribles émotions qu'il valait mieux apaiser, sauf à détendre doucement le lien avec adresse et prudence. Ce pouvait être l'affaire de quelques jours. Laurent était si mobile et passait si brusquement d'un extrême à l'autre !

Ils se calmèrent donc tous les deux, s'aidant l'un l'autre à oublier l'orage, et même s'efforçant d'en rire, afin de se rassurer mutuellement sur l'avenir* ; mais, quoi qu'ils fissent, leur situation était essentiellement modifiée, et l'intimité avait fait un pas de géant. La crainte de se perdre les avait rapprochés, et tout en se jurant que rien n'était changé entre eux quant à l'amitié, il y avait dans toutes leurs paroles et dans toutes leurs idées une langueur de l'âme, une sorte de fatigue attendrie qui était déjà l'abandon de l'amour !

Catherine, en apportant le thé, acheva de les remettre ensemble, comme elle disait, par ses naïves et maternelles préoccupations.

« Vous feriez mieux, dit-elle à Thérèse, de manger une aile de poulet que de vous creuser l'estomac avec ce thé ! Savez-vous, dit-elle à Laurent en lui montrant sa maîtresse, qu'elle n'a pas touché à son dîner ?

— Eh bien ! vite, qu'elle soupe ! s'écria Laurent. Ne dites pas non, Thérèse, il le faut ! Qu'est-ce que je deviendrais donc*, moi, si vous tombiez malade ? »

Et comme Thérèse refusait de manger, car elle n'avait réellement pas faim, il prétendit, sur un signe de Catherine, qui le poussait à insister, avoir faim lui-même, et cela était vrai, car il avait oublié de dîner. Dès lors Thérèse se fit un plaisir de lui donner à souper, et ils mangèrent ensemble pour la première fois, ce qui, dans la vie solitaire et modeste de Thérèse, n'était pas un fait insignifiant. Manger tête à tête surtout est une grande source d'intimité. C'est la satisfaction en commun d'un besoin de l'être matériel, et, quand on y cherche un sens plus élevé, c'est une communion, comme le mot l'indique*.

Laurent, dont les idées prenaient volontiers un tour poétique au milieu même de la plaisanterie, se compara en riant à l'enfant prodigue[52], pour qui Catherine s'empressait de tuer le veau gras. Ce veau gras, qui se présentait sous la forme d'un mince poulet, prêta naturellement* à la gaieté des deux amis. C'était si peu pour l'appétit du jeune homme, que Thérèse s'en tourmenta. Le quartier n'offrait guère de ressources, et Laurent ne voulut pas que la vieille Catherine s'en mît en peine. On déterra au fond d'une armoire un énorme pot de gelée de goyaves. C'était un présent de Palmer que Thérèse n'avait pas songé à entamer, et que Laurent entama profondément, tout en parlant avec effusion de cet excellent Dick, dont il avait eu la sottise d'être jaloux, et que désormais il aimait de tout son cœur.

« Vous voyez, Thérèse, dit-il, comme le chagrin rend injuste ! Croyez-moi, il faut gâter les enfants. Il n'y a de bons que ceux qui sont traités par la douceur. Donnez-moi donc beaucoup de goyaves, et toujours ! La rigueur n'est pas seulement un fiel amer, c'est un poison mortel ! »

Quand vint le thé, Laurent s'aperçut qu'il avait dévoré en égoïste*, et que Thérèse, en faisant semblant de manger, n'avait rien mangé du tout. Il se reprocha son inattention et s'en confessa ; puis, renvoyant Catherine, il voulut lui-même faire le thé et servir Thérèse. C'était la première fois de sa vie qu'il se faisait le serviteur de quelqu'un, et il y trouva un plaisir délicat dont il exprima naïvement la surprise.

« A présent, dit-il à Thérèse en lui présentant sa tasse à genoux, je comprends qu'on puisse être domestique et aimer son état. Il ne s'agit que d'aimer son maître. »

De la part de certaines gens, les moindres attentions ont un prix extrême. Laurent avait dans les manières, et même dans l'attitude du corps, une certaine roideur dont il ne se départait même pas avec les femmes du monde. Il les servait avec la froideur cérémonieuse de l'étiquette. Avec Thérèse, qui faisait les honneurs de son petit intérieur en bonne femme et en artiste enjouée, il avait toujours été prévenu et choyé sans avoir à rendre la pareille. Il y eût eu manque de goût et de savoir-vivre à se faire l'homme de la maison. Tout à coup, à la suite de ces pleurs et de ces effusions mutuelles, Laurent, sans qu'il s'en rendît compte, se trouvait investi d'un droit qui ne lui appartenait pas, mais dont il s'emparait d'inspiration, sans que Thérèse, surprise et attendrie, pût s'y opposer. Il semblait qu'il fût chez lui, et qu'il eût conquis le privilège de soigner la dame du logis, en bon frère ou en vieil ami. Et Thérèse, sans songer au danger de cette prise de possession, le regardait faire avec de grands yeux étonnés, se demandant si jusque-là elle ne s'était pas radicalement trompée en prenant cet enfant tendre et dévoué pour un homme hautain et sombre.

Cependant Thérèse réfléchit durant la nuit ; mais le lendemain matin, Laurent qui, sans rien préméditer, ne voulait pas la laisser respirer, car il ne respirait plus lui-même, lui envoya des fleurs magnifiques, des friandises exotiques et un billet si tendre, si doux et si respectueux qu'elle ne put se défendre d'en être touchée. Il se disait le plus heureux des hommes, il ne désirait rien de plus que son pardon, et du moment qu'il l'avait obtenu, il était le roi du monde. Il acceptait toutes les privations, toutes les rigueurs, pourvu qu'il ne fût pas privé de voir et d'entendre son amie. Cela seul était au-dessus de ses forces ; tout le reste n'était rien. Il savait bien que Thérèse ne pouvait pas avoir d'amour pour lui, ce qui ne l'empêchait pas, dix lignes plus bas, de dire : « Notre saint amour n'est-il pas indissoluble ? »

Et ainsi disant le pour et le contre, le vrai et le faux cent fois le jour, avec une candeur dont, à coup sûr, il était dupe lui-même, entourant Thérèse de soins exquis, travaillant de tout son cœur à lui donner confiance dans la chasteté de leurs relations, et à chaque instant lui parlant avec exaltation de son culte pour elle, puis cherchant à la distraire quand il la voyait inquiète, à l'égayer quand il la voyait triste, à l'attendrir sur lui-même quand il la voyait sévère, il l'amena insensiblement à n'avoir pas d'autre volonté et d'autre existence que les siennes.

Rien n'est périlleux comme ces intimités où l'on s'est promis* de ne pas s'attaquer mutuellement, quand l'un des deux n'inspire pas à l'autre une secrète répulsion physique. Les artistes, en raison de leur vie indépendante et de leurs occupations, qui les obligent souvent d'abandonner le convenu social, sont plus exposés à ces dangers que ceux qui vivent dans le réglé et dans le positif. On doit donc leur pardonner des entraînements plus soudains et des impressions plus fiévreuses*. L'opinion sent qu'elle le doit, car elle est généralement plus indulgente pour ceux qui errent forcément dans la tempête que pour ceux que berce un calme plat. Et puis le monde exige des artistes le feu de l'inspiration, et il faut bien que ce feu qui déborde pour les plaisirs et les enthousiasmes du public arrive à les consumer eux-mêmes. On les plaint alors, et le bon bourgeois, qui en apprenant leurs désastres et leurs catastrophes, rentre le soir dans le sein de sa famille*, dit à sa brave et douce compagne :

« Tu sais*, cette pauvre fille qui chantait si bien ? elle est morte de chagrin. Et ce fameux poète qui disait de si belles choses ? il s'est suicidé. C'est grand dommage, ma femme... Tous ces gens-là finissent mal. C'est nous, les simples, qui sommes les gens heureux... » Et le bon bourgeois a raison.

Thérèse avait pourtant vécu longtemps, sinon en bonne bourgeoise, car pour cela il faut une famille, et Dieu la lui avait refusée, du moins en laborieuse ouvrière, travaillant dès le matin et ne s'enivrant pas de plaisir ou de langueur à la fin de sa journée. Elle avait de continuelles aspirations à la vie domestique et réglée ; elle aimait l'ordre, et, loin d'afficher le mépris puéril que certains artistes prodiguaient à ce qu'ils appelaient dans ce temps-là la gent épicière, elle regrettait amèrement de n'avoir pas été mariée dans ce milieu médiocre et sûr, où au lieu de talent et de renommée, elle eût trouvé l'affection et la sécurité. Mais on ne choisit pas son destin, puisque les fous et les ambitieux ne sont pas les seuls imprudents* que la destinée foudroie.

V

Thérèse n'eut pas de faiblesse pour Laurent dans le sens moqueur et libertin que l'on attribue à ce mot en amour. Ce fut par un acte de sa volonté, après des nuits de méditation douloureuse, qu'elle lui dit :

« Je veux* ce que tu veux[53], parce que nous en sommes venus à ce point où la faute à commettre est l'inévitable réparation d'une série de fautes commises. J'ai été coupable envers toi, en n'ayant pas la prudence égoïste de te fuir ; il vaut mieux que je sois coupable envers moi-même, en restant ta compagne* et ta consolation, au prix de mon repos* et de ma fierté... Écoute, ajouta-t-elle en tenant sa main dans les siennes avec toute la force dont elle était capable, ne me retire jamais cette main-là, et, quelque chose qui arrive, garde assez d'honneur et de courage pour ne pas oublier qu'avant d'être ta maîtresse, j'ai été *ton ami**[54]. Je me le suis dit dès le premier jour de ta passion : nous nous aimions trop bien ainsi pour ne pas nous aimer plus mal autrement ; mais ce bonheur-là ne pouvait pas durer* pour moi, puisque tu ne le partages plus, et que dans cette liaison, mêlée pour toi de peines et de joies, la souffrance a pris le dessus. Je te demande seulement, si tu viens à te lasser de mon amour* comme te voilà lassé de mon amitié, de te rappeler que ce n'est pas un instant de délire qui m'a jetée dans tes bras, mais un élan de mon cœur et un sentiment plus tendre et plus durable que l'ivresse de la volupté. Je ne suis pas supérieure aux autres femmes, et je ne m'arroge pas le droit* de me croire invulnérable ; mais je t'aime si ardemment et si saintement[55], que je n'aurais jamais failli avec toi, si tu avais dû être sauvé par ma force. Après avoir cru que cette force t'était bonne, qu'elle t'apprenait à découvrir la tienne et à te purifier d'un mauvais passé, te voilà persuadé du contraire, à tel point qu'aujourd'hui c'est le contraire en effet qui arrive : tu deviens amer, et il semble, si je résiste, que tu sois prêt à me haïr et à retourner à la débauche, en blasphémant même notre pauvre amitié. Eh bien ! j'offre à Dieu pour toi le sacrifice de ma vie. Si je dois souffrir de ton caractère ou de ton passé*, soit. Je serai assez payée si je te préserve du suicide que tu étais en train d'accomplir* quand je t'ai connu. Si je n'y parviens pas, du moins je l'aurai tenté, et Dieu me pardonnera un dévouement inutile, lui qui sait combien il est sincère ! »

Laurent fut admirable d'enthousiasme, de reconnaissance et de foi dans les premiers jours de cette union. Il s'était élevé au-dessus de lui-même, il avait des élans religieux, il bénissait sa chère maîtresse de lui avoir fait connaître enfin l'amour vrai, chaste et noble[56], qu'il avait tant rêvé, et dont il s'était cru à jamais déshérité par sa faute. Elle le retrempait, disait-il, dans les eaux de son baptême, elle effaçait en lui jusqu'au souvenir de ses mauvais jours. C'était une adoration, une extase, un culte.

Thérèse y crut naïvement. Elle s'abandonna* à la joie d'avoir donné toute cette félicité et rendu toute cette grandeur à une âme d'élite[57]. Elle oublia toutes ses appréhensions et en sourit comme de rêves creux qu'elle avait pris pour des raisons. Ils s'en moquèrent ensemble ; ils se reprochèrent de s'être méconnus et de ne s'être pas jetés au cou l'un de l'autre dès le premier jour, tant ils étaient faits pour se comprendre, se chérir et s'apprécier. Il ne fut plus question de prudence et de sermons. Thérèse était rajeunie de dix ans*. C'était un enfant plus enfant que Laurent lui-même ; elle ne savait quoi imaginer pour lui arranger une existence où il ne sentirait pas le pli d'une feuille de rose.

Pauvre Thérèse ! son ivresse ne dura pas huit jours entiers.

D'où vient cet effroyable châtiment infligé à ceux qui ont abusé des forces de la jeunesse*, et qui consiste à les rendre incapables de goûter la douceur* d'une vie harmonieuse et logique ? Est-il bien criminel, le jeune homme qui se trouve lancé sans frein dans le monde avec d'immenses aspirations, et qui se croit capable d'étreindre tous les fantômes qui passent, tous les enivrements qui l'appellent ? Son péché est-il autre chose que l'ignorance, et a-t-il pu apprendre dans son berceau que l'exercice de la vie doit être un éternel combat contre soi-même ? Il en est vraiment qui sont à plaindre, et qu'il est difficile de condamner, à qui ont peut-être manqué un guide, une mère prudente, un ami sérieux, une première maîtresse sincère. Le vertige les a saisis* dès leurs premiers pas ; la corruption s'est jetée sur eux comme sur une proie pour faire des brutes de ceux qui avaient plus de sens que d'âme, pour faire des insensés de ceux qui se débattaient, comme Laurent, entre la fange de la réalité et l'idéal de leurs rêves.

Voilà ce que se disait Thérèse pour continuer à aimer cette âme souffrante, et pourquoi elle endura les blessures que nous allons raconter.

Le septième jour de leur bonheur fut irrévocablement le dernier. Ce chiffre néfaste ne sortit jamais de la mémoire de Thérèse. Des circonstances fortuites avaient concouru à prolonger cette éternité de joies* pendant toute une semaine ; personne d'intime n'était venu voir Thérèse, elle n'avait pas* de travail trop pressé ; Laurent promettait de se remettre à l'ouvrage dès qu'il pourrait reprendre possession de son atelier, envahi par des ouvriers à qui il en avait confié la réparation. La chaleur était écrasante à Paris ; il fit à Thérèse la proposition* d'aller passer quarante-huit heures à la campagne, dans les bois. C'était le septième jour[58].

Ils partirent en bateau, et arrivèrent le soir dans un hôtel[59], d'où, après le dîner, ils sortirent pour courir la forêt par un clair de lune magnifique. Ils avaient loué des chevaux et un guide, lequel les ennuya bientôt par son baragouin prétentieux*. Ils avaient fait deux lieues et se trouvaient au pied d'une masse de rochers que Laurent connaissait. Il proposa de renvoyer les chevaux et le guide, et de revenir à pied, quand même il serait un peu tard.

« Je ne sais pas pourquoi, lui dit Thérèse, nous ne passerions pas toute la nuit dans la forêt : il n'y a ni loups ni voleurs. Restons ici tant que tu voudras, et ne revenons jamais, si bon te semble. »

Ils restèrent seuls, et c'est alors que se passa une scène bizarre, presque fantastique, mais qu'il faut raconter telle qu'elle est arrivée. Ils étaient montés sur le haut du rocher et s'étaient assis sur la mousse épaisse, desséchée par l'été. Laurent regardait le ciel splendide où la lune effaçait la clarté des étoiles. Deux ou trois des plus grosses brillaient seules au-dessus de l'horizon. Renversé sur le dos, Laurent les contemplait[60].

« Je voudrais bien savoir, dit-il, le nom de celle qui est à peu près au-dessus de ma tête ; elle a l'air de me regarder.

— C'est Véga*, répondit Thérèse.

— Tu sais donc le nom de toutes les étoiles, toi, savante ?

— A peu près. Ce n'est pas difficile, et en un quart d'heure tu en sauras autant que moi, quand tu voudras.

— Non, merci, j'aime mieux décidément ne pas savoir : j'aime mieux leur donner des noms à ma fantaisie.

— Et tu as raison.

— J'aime mieux me promener au hasard dans ces lignes tracées là-haut et faire des combinaisons de groupes à mon idée que de marcher dans le caprice* des autres. Après tout, peut-être ai-je tort, Thérèse ! Tu aimes les sentiers frayés, toi, n'est-ce pas ?

— Ils sont meilleurs aux pauvres pieds. Je n'ai pas, comme toi, des bottes de sept lieues !

— Moqueuse ! tu sais bien que tu es plus forte* et meilleure marcheuse que moi[61] !

— C'est tout simple, je n'ai pas d'ailes pour m'envoler.

— Avise-toi d'en avoir pour me laisser là ! Mais ne parlons pas de nous quitter : ce mot-là ferait pleuvoir !

— Eh ! qui donc y songe ? Ne le répète pas, ton affreux mot !

— Non, non ! n'y songeons pas, n'y songeons pas ! s'écria-t-il en se levant brusquement.

— Qu'as-tu et où vas-tu ? lui dit-elle.

— Je ne sais pas, répondit-il ; ah si ! à propos... Il y a par là un écho extraordinaire, et la dernière fois que j'y suis venu avec la petite... tu ne tiens pas à savoir son nom, n'est-ce pas ? j'ai pris grand plaisir à l'entendre d'ici, pendant qu'elle chantait là-bas sur le tertre qui est vis-à-vis de nous. »

Thérèse ne répondit rien. Il s'aperçut que ce souvenir intempestif d'une de ses mauvaises connaissances* n'était pas délicat à jeter au milieu d'une romantique veillée avec la reine de son cœur. Pourquoi cela lui était-il revenu ? Comment le nom quelconque de la vierge folle* lui était-il arrivé au bord des lèvres ? Il fut mortifié de cette maladresse ; mais, au lieu de s'en accuser naïvement et de la faire oublier par ces torrents de tendres paroles qu'il savait bien tirer de son âme quand la passion l'inspirait, il n'en voulut pas avoir le démenti, et demanda à Thérèse si elle voulait chanter pour lui[62].

« Je ne pourrais pas*, lui répondit-elle avec douceur. Il y a long-temps que je n'étais montée à cheval, je me sens un peu oppressée.

— Si ce n'est qu'un peu, faites un effort, Thérèse, cela me fera tant de plaisir ! »

Thérèse était trop fière pour avoir du dépit, elle n'avait que du chagrin. Elle détourna la tête et feignit de tousser.

« Allons, dit-il en riant, vous n'êtes qu'une faible femme ! Et puis vous ne croyez pas à mon écho, je vois cela. Je veux vous le faire entendre. Restez ici. Je grimpe là-haut, moi. Vous n'avez pas peur, j'espère, de rester seule cinq minutes ?

— Non, répondit tristement Thérèse, je n'ai pas du tout peur. »

Pour grimper sur l'autre rocher, il fallait descendre le petit ravin qui le séparait de celui où ils étaient ; mais ce ravin était plus creux qu'il ne le paraissait. Quand Laurent, après en avoir descendu la moitié, vit* le chemin qui lui restait à faire, il s'arrêta craignant de laisser Thérèse seule si longtemps, et, criant vers elle, il lui demanda si elle ne l'avait pas rappelé. « Non, pas du tout ! » lui cria-t-elle à son tour, ne voulant pas contrarier sa fantaisie.

Il est impossible d'expliquer ce qui se passa dans la tête de Laurent ; il prit ce *pas du tout* pour une dureté, et se remit à descendre, mais moins vite et en rêvant. « Je l'ai blessée, dit-il, et la voilà qui me boude, comme du temps où nous jouions au frère et à la sœur. Est-ce qu'elle va encore avoir de ces humeurs-là, à présent qu'elle est ma maîtresse ? Mais pourquoi l'ai-je blessée ? J'ai eu tort assurément, mais c'est sans le vouloir. Il est bien impossible qu'il ne me revienne pas quelque bribe de mon passé dans la mémoire. Sera-ce donc chaque fois un outrage pour elle et une mortification pour moi ? Que lui importe mon passé, puisqu'elle m'a accepté comme cela ? J'ai eu tort pourtant ! oui, j'ai eu tort ; mais ne lui arrivera-t-il jamais à elle-même de me parler de ce drôle qu'elle a aimé et dont elle s'est crue la femme[63] ? Malgré elle, Thérèse se souviendra auprès de moi des jours qu'elle a vécus sans moi, et lui en ferai-je un crime ? » Laurent se répondit aussitôt à lui-même : « Oh ! mais oui, cela me serait insupportable ! Donc j'ai eu grand tort, et j'aurais dû lui en demander pardon tout de suite. »

Mais déjà il était arrivé à ce moment de fatigue morale où l'âme est rassasiée d'enthousiasme, où l'être farouche et faible que nous sommes tous plus ou moins a besoin de reprendre possession de lui-même. « Encore s'accuser, encore promettre, encore persuader*, encore s'attendrir ? Eh quoi ! se dit-il, ne peut-elle être heureuse et confiante huit jours entiers ? C'est ma faute, je le veux bien ; mais il y a encore plus de la sienne à faire de si peu une si grosse affaire et à me gâter cette belle nuit de poésie que je m'étais arrangée avec elle dans un des plus beaux endroits du monde. J'y suis déjà venu avec des libertins et des filles, c'est vrai ; mais dans quel coin des environs de Paris l'aurais-je conduite où je n'aurais pas retrouvé ces fâcheux souvenirs ? A coup sûr ils ne m'enivrent guère, et il y a presque de la cruauté à me les reprocher... »

En répondant ainsi dans son cœur aux reproches que Thérèse lui adressait probablement dans le sien, il arriva au fond de la vallée, où il se sentit troublé et fatigué comme à la suite d'une querelle, et se jeta sur l'herbe dans un mouvement de lassitude et de dépit. Il y avait sept jours entiers qu'il ne s'était appartenu* ; il subissait le besoin de se reconquérir et de se croire seul et indompté* un instant.

De son côté, Thérèse était navrée et effrayée en même temps. Pourquoi le mot *se quitter* avait-il été jeté par lui tout à coup comme un cri aigre au milieu de cet air tranquille qu'ils respiraient ensemble ? A quel propos, en quoi l'avait-elle provoqué ? Elle cherchait en vain. Laurent lui-même n'eût pu le lui expliquer. Tout ce qui avait suivi était grossièrement cruel, et combien il devait être irrité pour l'avoir dit, cet homme d'une éducation exquise !* Mais d'où lui venait cette colère ? portait-il en lui un serpent qui le mordait au cœur et lui arrachait des paroles d'égarement et de malédiction ?

Elle l'avait suivi des yeux sur la pente du rocher jusqu'à ce qu'il fût entré dans l'ombre épaisse du ravin*. Elle ne le voyait plus et s'étonnait du temps qu'il lui fallait pour reparaître sur le versant de l'autre monticule. Elle fut prise d'effroi, il pouvait être tombé dans quelque précipice. Ses regards interrogeaient en vain la profondeur du terrain herbu, hérissé de grosses roches sombres. Elle se levait pour essayer de l'appeler, lorsqu'un cri d'inexprimable détresse monta jusqu'à elle, un cri rauque, affreux, désespéré, qui lui fit dresser les cheveux sur la tête.

Elle s'élança comme une flèche dans la direction* de la voix. S'il y eût eu en effet un abîme, elle s'y fût précipitée sans réflexion ; mais ce n'était qu'une pente rapide où elle glissa plusieurs fois sur la mousse* et déchira sa robe aux buissons. Rien ne l'arrêta, elle arriva, sans savoir comment, auprès de Laurent, qu'elle trouva debout, hagard, agité d'un tremblement convulsif[64].

« Ah ! te voilà, lui dit-il en lui saisissant le bras. Tu as bien fait de venir ! j'y serais mort !* »

Et, comme don Juan après la réponse de la statue, il ajouta d'une voix âpre et brusque : *Sortons d'ici !*[65]

Il l'entraîna sur le chemin*, marchant à l'aventure et ne pouvant rendre compte de ce qui lui était arrivé.

Au bout d'un quart d'heure, il se calma enfin, et s'assit avec elle dans une clairière. Ils ne savaient où ils étaient, le sol était semé de roches plates qui ressemblaient à des tombes, et entre lesquelles poussaient au hasard des genévriers* qu'on eût pu prendre la nuit pour des cyprès.

« Mon Dieu ! dit tout à coup Laurent, nous sommes donc dans un cimetière ? Pourquoi m'amènes-tu ici ?

— Ce n'est, répondit-elle, qu'un endroit inculte. Nous en avons traversé beaucoup de pareils ce soir. S'il te déplaît, ne nous y arrêtons pas, rentrons sous les grands arbres.

— Non, restons ici, reprit-il. Puisque le hasard ou la destinée me jette dans ces idées de mort, autant vaut les braver et en épuiser l'horreur. Cela a son charme comme tout autre chose, n'est-ce pas, Thérèse ? Tout ce qui ébranle fortement l'imagination est une jouissance plus ou moins âpre. Quand une tête doit tomber sur l'échafaud, la foule va regarder, et c'est tout naturel. Il n'y a pas que les émotions douces qui nous fassent vivre, il nous en faut d'épouvantables pour nous faire sentir l'intensité de la vie*. »

Il parla encore ainsi, comme au hasard, pendant quelques instants. Thérèse n'osait l'interroger et s'efforçait de le distraire ; elle voyait bien qu'il venait d'avoir un accès de délire. Enfin il se remit assez pour vouloir et pouvoir le raconter.

Il avait eu une hallucination. Couché sur l'herbe, dans le ravin, sa tête s'était troublée. Il avait entendu l'écho chanter tout seul, et ce chant, c'était un refrain obscène. Puis, comme il se relevait sur ses mains pour se rendre compte du phénomène, il avait vu passer devant lui, sur la bruyère, un homme qui courait, pâle, les vêtements déchirés, et les cheveux au vent.

« Je l'ai si bien vu, dit-il, que j'ai eu le temps de raisonner, et de me dire que c'était un promeneur attardé, surpris et poursuivi par des voleurs, et même j'ai cherché ma canne* pour aller à son secours ; mais la canne s'était perdue dans l'herbe, et cet homme avançait toujours sur moi. Quand il a été tout près, j'ai vu qu'il était ivre, et non pas poursuivi. Il a passé en me jetant un regard hébété, hideux, et en me faisant une laide grimace de haine et de mépris. Alors j'ai eu peur, et je me suis jeté la face contre terre, car cet homme... c'était moi !

« Oui, c'était mon spectre[66], Thérèse ! Ne sois pas effrayée, ne me crois pas fou, c'était une vision. Je l'ai bien compris en me retrouvant seul dans l'obscurité. Je n'aurais pas pu distinguer les traits d'une figure humaine, je n'avais vu celle-là que dans mon imagination ; mais qu'elle était nette, horrible, effrayante ! C'était moi avec vingt ans de plus*, des traits creusés par la débauche ou la maladie, des yeux effarés, une bouche abrutie, et, malgré tout cet effacement de mon être, il y avait dans ce fantôme un reste de vigueur pour insulter et défier l'être que je suis à présent. Je me suis dit alors : Ô mon Dieu ! est-ce donc là ce que je serai dans mon âge mûr* !... J'ai eu ce soir de mauvais souvenirs que j'ai exprimés malgré moi : c'est que je porte toujours en moi ce vieil homme dont je me croyais délivré ? Le spectre de la débauche ne veut pas lâcher sa proie, et jusque dans les bras de Thérèse il viendra me railler et me crier : Il est trop tard !

« Alors je me suis levé pour te joindre*, ma pauvre Thérèse. Je voulais te demander grâce pour ma misère et te supplier de me préserver ; mais, je ne sais pendant combien de minutes ou de siècles j'aurais tourné sur moi-même sans pouvoir avancer, si tu n'étais enfin venue*. Je t'ai reconnue tout de suite, Thérèse ; je n'ai pas eu peur de toi, et je me suis senti délivré. »

Il était difficile de savoir, quand Laurent parlait ainsi, s'il racontait une chose qu'il avait réellement éprouvée, ou s'il avait mêlé ensemble, dans son cerveau, une allégorie née de ses réflexions amères et une image entrevue dans un demi-sommeil. Il jura cependant à Thérèse qu'il ne s'était pas endormi sur l'herbe, et qu'il s'était toujours rendu compte du lieu où il était et du temps qui s'écoulait ; mais cela même était difficile à constater. Thérèse l'avait perdu de vue, et quant à elle, le temps lui avait semblé mortellement long.

Elle lui demanda s'il était sujet à ces hallucinations.

« Oui, dit-il, dans l'ivresse[67] ; mais je n'ai été ivre que d'amour depuis quinze jours que tu es à moi.

— Quinze jours ! dit Thérèse étonnée.

— Non, moins que cela, reprit-il ; ne me chicane pas sur les dates : tu vois bien que je n'ai pas encore ma tête. Marchons, cela me remettra tout à fait.

— Tu as besoin de repos pourtant : il faudrait penser à rentrer.

— Eh bien ! que faisons-nous ?

— Nous ne sommes pas dans la direction ; nous tournons le dos à notre point de départ.

— Tu veux que je repasse par ce maudit rocher ?

— Non, mais prenons à droite.

— C'est tout le contraire ! »

Thérèse insista, elle ne se trompait pas. Laurent n'en voulut pas démordre, et même il s'emporta et parla d'un ton irrité, comme s'il y eût eu là matière à dispute. Thérèse céda et le suivit où il voulut aller. Elle se sentait brisée d'émotion* et de tristesse. Laurent venait de lui parler d'un ton qu'elle n'eût jamais voulu prendre avec Catherine, quand même la bonne vieille l'impatientait. Elle le lui pardonnait, parce qu'elle le sentait malade* ; mais cet état d'excitation douloureuse où elle le voyait l'effrayait d'autant plus.

Grâce à l'obstination de Laurent, ils se perdirent dans la forêt[68], marchèrent pendant quatre heures, et ne rentrèrent qu'au point du jour*. La marche dans le sable fin et lourd de la forêt est très pénible. Thérèse ne pouvait plus se traîner, et Laurent, que ce violent exercice ranimait, ne songeait point à ralentir le pas par égard pour elle. Il allait devant, prétendant toujours découvrir la bonne voie, lui demandant de temps à autre si elle était lasse, et ne devinant pas qu'en répondant « non », elle voulait lui ôter le regret d'être la cause de cette mésaventure.

Le lendemain, Laurent n'y songeait plus ; il avait été pourtant rudement secoué par cette crise étrange, mais c'est le propre des tempéraments nerveux à l'excès de se remettre comme par magie. Thérèse eut même l'occasion de remarquer* qu'au lendemain de ces épreuves terribles, c'est elle qui se trouvait brisée, tandis qu'il semblait avoir pris une force nouvelle.

Elle n'avait pas dormi, s'attendant à le voir envahi par quelque grave maladie ; mais il prit un bain et se sentit très dispos pour recommencer la promenade. Il paraissait avoir oublié combien cette veillée avait été fâcheuse pour la lune de miel. La triste impression s'effaça vite chez Thérèse. Revenue à Paris, elle crut que rien n'était changé entre eux ; mais le soir même Laurent eut le caprice de faire la charge de Thérèse avec la sienne, errant tous deux au clair de lune dans la forêt, lui avec son air effaré et distrait, elle avec sa robe déchirée et le corps brisé de fatigue*. Les artistes sont tellement habitués à faire la charge les uns des autres que Thérèse s'amusa de la sienne ; mais, bien qu'elle eût aussi de la facilité et de l'esprit au bout de son crayon, elle n'eût voulu pour rien au monde faire celle de Laurent, et quand elle le vit esquisser dans un sens comique cette scène nocturne qui l'avait torturée, elle en eut du chagrin. Il lui semblait que certaines douleurs de l'âme ne peuvent jamais avoir de côté risible.

Laurent, au lieu de comprendre, tourna la chose avec plus d'ironie encore. Il écrivit sous sa figure : *perdu dans la forêt* et *dans l'esprit de sa maîtresse,* et sous la figure de Thérèse : *le cœur* *aussi déchiré que la robe*. La composition fut intitulée : *Lune de miel dans un cimetière*[69]. Thérèse s'efforça de sourire ; elle loua le dessin, qui, malgré sa bouffonnerie, sentait la main du maître, et ne fit aucune réflexion sur le triste choix du sujet. Elle eut tort. Elle eût mieux fait, dès le commencement, d'exiger que Laurent ne laissât pas courir sa gaieté au hasard, en grosses bottes. Elle se laissa marcher sur les pieds parce qu'elle eut peur qu'il ne fût encore malade et pris de délire au milieu de sa lugubre plaisanterie.

Deux ou trois autres faits de ce genre l'ayant avertie, elle se demanda si la vie douce et réglée qu'elle voulait donner à son ami était réellement l'hygiène qui convenait à cette organisation exceptionnelle. Elle lui avait dit : « Tu t'ennuieras quelquefois peut-être, mais l'ennui repose du vertige, et quand la santé morale sera bien revenue, tu t'amuseras de peu et connaîtras la véritable gaieté. » Les choses tournaient en sens contraire. Laurent n'avouait pas son ennui, mais il lui était impossible de le supporter, et il l'exhalait en caprices amers et bizarres*. Il s'était fait une vie de haut et de bas perpétuels. Les brusques transitions de la rêverie à l'exaltation et de la nonchalance absolue aux excès bruyants étaient devenues un état normal dont il ne pouvait plus se passer. Le bonheur délicieusement savouré pendant quelques jours arrivait à l'irriter comme la vue de la mer par un calme plat.

« Tu es heureuse, disait-il à Thérèse, de te réveiller tous les matins avec le cœur à la même place. Moi, je perds le mien en dormant. C'est comme le bonnet de nuit que ma bonne me mettait quand j'étais enfant ; elle le retrouvait* tantôt à mes pieds, tantôt par terre. »

Thérèse se dit que la sérénité ne pouvait venir tout d'un coup à cette âme troublée et qu'il fallait l'y habituer par degrés. Pour cela il ne fallait pas l'empêcher de retourner quelquefois à la vie active ; mais que faire pour que cette activité ne fût pas une souillure, un coup mortel porté à leur idéal ? Thérèse ne pouvait pas être jalouse des maîtresses que Laurent avait eues, mais elle ne comprenait pas comment elle pourrait l'embrasser au front le lendemain d'une orgie. Il fallait donc, puisque le travail qu'il avait repris avec ardeur l'excitait au lieu de l'apaiser, chercher avec lui une issue à cette force. L'issue naturelle eût été l'enthousiasme de l'amour ; mais c'était là encore une excitation après laquelle Laurent eût voulu escalader le troisième ciel : faute d'en avoir la puissance, il regardait du côté de l'enfer, et son cerveau, son visage même, en recevaient un reflet parfois diabolique.

Thérèse étudia ses goûts et ses fantaisies, et fut surprise de les trouver faciles à satisfaire. Laurent était avide de diversion et d'imprévu ; il n'était pas nécessaire de le promener dans des enchantements irréalisables, il suffisait de le promener n'importe où et de lui trouver un amusement auquel il ne s'attendît pas. Si, au lieu de lui donner à dîner chez elle, Thérèse lui annonçait en mettant son chapeau qu'ils allaient dîner ensemble chez un restaurateur*, et si, au lieu de tel théâtre où elle l'avait prié de la conduire, elle lui demandait tout à coup de la mener à un spectacle tout différent, il était ravi de cette distraction inattendue et y prenait le plus grand plaisir, tandis qu'en se conformant à un plan quelconque tracé d'avance, il éprouvait un insurmontable malaise et le besoin de tout dénigrer. Thérèse le traita donc comme un enfant en convalescence à qui l'on ne refuse rien[70], et elle ne voulut faire aucune attention aux inconvénients qui en résultaient pour elle.

Le premier et le plus grave fut de compromettre sa réputation*[71]. On la disait et on la savait sage. Tout le monde n'était pas persuadé qu'elle n'eût pas eu d'autre amant que Laurent* : en outre, une personne ayant répandu qu'elle l'avait vue en Italie autrefois avec le comte de ★ ★ ★, qui était marié en Amérique*, elle passait pour avoir été entretenue par celui qu'elle avait bien réellement épousé, et on a vu que Thérèse aimait mieux supporter cette tache que de soulever une lutte scandaleuse contre le malheureux qu'elle avait aimé ;

mais on s'accordait* à la regarder comme prudente et raisonnable. « Elle garde les apparences, disait-on ; il n'y a jamais eu de rivalités* ni de scandale autour d'elle, tous ses amis la respectent et en disent du bien. C'est une femme de tête et qui ne cherche qu'à passer inaperçue, ce qui ajoute à son mérite. »

Quand on la vit hors de chez elle au bras de Laurent, on commença à s'étonner, et le blâme fut d'autant plus sévère qu'elle s'en était préservée plus longtemps. Laurent était fort prisé des artistes, mais il comptait parmi eux un très petit nombre d'amis. On lui savait mauvais gré de faire le gentilhomme avec les élégants d'une autre classe, et de leur côté les amis qu'il avait dans ce monde-là ne comprirent rien à sa conversion et n'y crurent pas. Donc l'amour tendre et dévoué de Thérèse passa pour un caprice effréné*. Une femme chaste eût-elle choisi pour amant parmi les hommes sérieux qui l'entouraient, le seul qui eût mené une vie dissolue avec toutes les pires dévergondées de Paris[72] ? Et, pour ceux qui ne voulurent pas condamner Thérèse, la passion violente de Laurent ne parut être qu'une rouerie menée à bonne fin, et dont il était assez habile pour se *dépêtrer* quand il en serait las.

Ainsi de toutes parts Mlle Jacques fut déconsidérée pour le choix qu'elle venait de faire et qu'elle paraissait vouloir afficher.

Telle n'était pas, à coup sûr, l'intention de Thérèse ; mais avec Laurent, bien qu'il eût résolu de l'entourer de respect, il n'y avait guère moyen de cacher sa vie. Il ne pouvait renoncer au monde extérieur, et il fallait l'y laisser retourner pour s'y perdre, ou l'y suivre pour l'en préserver. Il était habitué à voir la foule et à en être vu. Quand il avait vécu un jour dans la retraite, il se croyait tombé dans une cave, et demandait à grands cris le gaz et le soleil.

Avec la déconsidération arriva bientôt pour Thérèse un autre sacrifice à faire : celui de la sécurité domestique. Jusque-là elle avait gagné assez d'argent par son travail pour mener une vie aisée ; mais ce n'était qu'à la condition d'avoir des habitudes réglées, beaucoup d'ordre dans ses dépenses et de suite dans ses occupations. L'imprévu qui charmait Laurent amena la gêne. Elle le lui cacha, ne voulant pas lui refuser le sacrifice de ce précieux temps, qui est tout le capital de l'artiste[73].

Mais tout ceci n'était que le cadre d'un tableau bien plus sombre* sur lequel Thérèse jetait un voile si épais que personne ne se doutait de son malheur, et que ses amis, scandalisés ou peinés de sa situation, s'éloignaient d'elle en disant : « Elle est enivrée. Attendons qu'elle ouvre les yeux ; cela viendra bien vite ! »

Cela était tout venu. Thérèse acquérait tous les jours la triste certitude que Laurent ne l'aimait déjà plus[74], ou qu'il l'aimait si mal, qu'il n'y avait dans leur union pas plus d'espoir de bonheur pour lui que pour elle. C'est en Italie que la certitude absolue en fut tout à fait acquise pour tous deux*, et c'est leur voyage en Italie que nous allons raconter.

VI

Il y avait longtemps que Laurent voulait voir l'Italie[75] ; c'était son rêve depuis l'enfance, et quelques travaux qu'il put vendre d'une manière inespérée le mirent enfin à même de le réaliser. Il offrit à Thérèse de l'emmener, en lui montrant avec orgueil sa petite fortune, et en lui jurant que si elle ne voulait pas le suivre, il renonçait à ce voyage. Thérèse savait bien qu'il n'y renoncerait pas sans regret et sans reproche. Aussi s'ingénia-t-elle à trouver de l'argent de son côté. Elle en vint à bout en engageant son travail futur[76], et ils partirent vers la fin de l'automne.

Laurent s'était fait de grandes illusions sur l'Italie, et croyait trouver le printemps en décembre dès qu'il apercevrait la Méditerranée. Il fallut en rabattre, et souffrir d'un froid très âpre durant la traversée de Marseille à Gênes[77]. Gênes lui plut extrêmement, et comme il y avait beaucoup de peinture à voir, que c'était là pour lui le principal but du voyage, il consentit de bonne grâce à s'arrêter là un ou deux mois, et loua un appartement meublé*.

Au bout de huit jours, Laurent avait tout vu[78], et Thérèse ne faisait que de commencer à s'installer pour peindre, car il faut dire qu'elle ne pouvait s'en dispenser. Pour avoir quelques billets de mille francs, elle avait dû s'engager envers un marchand de tableaux à lui rapporter plusieurs copies de portraits inédits qu'il voulait ensuite faire graver. La besogne n'était pas désagréable ; en homme de goût, l'industriel* avait désigné divers portraits de Van Dyck[79], un à Gênes, un autre à Florence, etc. Copier ce maître était une spécialité grâce à laquelle Thérèse avait formé son propre talent et gagné de quoi vivre avant de faire le portrait pour son compte ; mais il lui fallait commencer par obtenir l'autorisation des propriétaires de ces chefs-d'œuvre*, et, quelque diligence qu'elle y mît, une semaine s'écoula avant qu'elle pût commencer la copie désignée à Gênes.

Laurent ne se sentait nullement disposé à copier quoi que ce fût. Il avait une individualité trop prononcée et trop ardente pour ce genre d'étude. Il profitait autrement de la vue des grandes choses. C'était son droit. Pourtant plus d'un grand maître, trouvant l'occasion toute servie, l'eût peut-être mise à profit. Laurent n'avait pas encore vingt-cinq ans et pouvait encore apprendre. C'était l'avis de Thérèse, qui voyait là aussi l'occasion pour lui d'augmenter ses ressources pécuniaires. S'il eût daigné copier un Titien*, qui était son maître de prédilection[80], nul doute que le même industriel à qui Thérèse avait affaire ne l'eût acquis ou fait acquérir par un amateur. Laurent trouva cette idée absurde. Tant qu'il avait quelque argent en poche, il ne concevait pas que l'on descendît des hauteurs de l'art jusqu'à songer au gain. Il laissa Thérèse absorbée devant son modèle, la raillant même un peu d'avance du Van Dyck qu'elle allait faire, et cherchant à la décourager de la tâche effrayante qu'elle osait entreprendre ; puis il se mit à errer dans la ville, assez soucieux de l'emploi de six semaines* que Thérèse lui avait demandées pour mener son œuvre à bonne fin.

Certes il n'y avait pas pour elle de temps à perdre avec des journées de décembre courtes et sombres, une installation de matériel qui ne lui présentait pas toutes les commodités de son atelier de Paris, un mauvais jour, une grande salle peu ou point chauffée, et des volées de badauds* en voyage qui, sous prétexte de contempler le chef-d'œuvre, se plaçaient devant elle, ou l'importunaient de leurs réflexions plus ou moins saugrenues. Enrhumée, souffrante[81], attristée, effrayée surtout de l'ennui qu'elle voyait déjà creuser les yeux de Laurent, elle rentrait pour le trouver de mauvaise humeur*, ou pour l'attendre jusqu'à ce que la faim le fît revenir. Deux jours ne se passèrent pas sans qu'il lui reprochât d'avoir accepté un travail abrutissant, et sans qu'il lui proposât d'y renoncer. N'avait-il pas de l'argent pour deux, et d'où venait donc que sa maîtresse refusait de le partager avec lui ?

Thérèse tint bon ; elle savait que l'argent ne durerait pas dans les mains de Laurent, et qu'il ne s'en trouverait peut-être plus pour revenir le jour où il serait las de l'Italie. Elle le supplia de la laisser travailler, et de travailler lui-même comme il l'entendrait, mais comme tout artiste peut et doit travailler quand il a son avenir à conquérir.

Il convint qu'elle avait raison et résolut de s'y mettre. Il déballa ses boîtes, trouva un local et fit plusieurs esquisses ; mais, soit le changement d'air et d'habitudes, soit la vue trop récente de trop de chefs-d'œuvre différents qui l'avaient vivement ému* et qu'il lui fallait le temps de digérer en lui-même, il se sentit frappé d'impuissance momentanée, et tomba dans un de ces *spleens* contre lesquels il ne savait pas réagir seul. Il lui eût fallu des émotions venant du dehors, une magnifique musique sortant du plafond, un cheval arabe* entrant par le trou de la serrure, un chef-d'œuvre littéraire inconnu sous la main, ou, encore mieux, une bataille navale dans le port de Gênes, un tremblement de terre, n'importe quel événement, délicieux ou terrible, qui l'arrachât à lui-même, et sous l'impulsion duquel il se sentît exalté et renouvelé.

96

Tout à coup au milieu de ses vagues et tumultueuses aspirations une mauvaise pensée vint le trouver malgré lui.

« Quand je songe, se dit-il, qu'*autrefois* (c'est ainsi qu'il appelait le temps où il n'aimait pas Thérèse) la moindre folie suffisait pour me ranimer ! J'ai aujourd'hui beaucoup de choses que je rêvais, de l'argent, c'est-à-dire six mois de loisir et de liberté, l'Italie sous les pieds, la mer à ma porte, autour de moi une maîtresse tendre comme une mère, en même temps qu'elle est un ami sérieux et intelligent. Et tout cela ne suffit pas pour que mon âme revive ! A qui la faute ? Ce n'est pas la mienne à coup sûr. Je n'avais pas été gâté, et il ne m'en fallait pas tant autrefois pour m'étourdir. Quand je pense que la moindre piquette me portait au cerveau tout aussi bien que le vin le plus généreux, que le moindre minois chiffonné, avec un regard provoquant et une toilette problématique, suffisait pour me mettre en gaieté et pour me persuader qu'une telle conquête faisait de moi un héros de la régence ! Avais-je besoin d'un idéal comme Thérèse ? Comment donc ai-je pu me persuader que la beauté morale et physique m'était nécessaire en amour ? Je savais me contenter du *moins*, donc le *plus* devait m'accabler, puisque le mieux est l'ennemi du bien. Et puis d'ailleurs y a-t-il une vraie beauté pour les sens ? La véritable est celle qui plaît. Celle dont on est rassasié est comme si elle n'avait jamais été. Et puis encore il y a le plaisir du changement, et c'est peut-être là tout le secret de la vie. Changer, c'est se renouveler ; pouvoir changer, c'est être libre. L'artiste est-il né pour l'esclavage, et n'est-ce pas l'esclavage que la fidélité gardée, ou seulement la foi promise ? »

Laurent se laissa envahir par ces vieux sophismes, toujours nouveaux pour les âmes en dérive. Il éprouva bientôt le besoin de les exprimer à quelqu'un, et ce quelqu'un fut Thérèse. Tant pis pour elle, puisque Laurent ne voyait qu'elle !

La causerie du soir commençait toujours à peu près de même :

« Quelle assommante ville que celle-ci ! »

Un soir il ajouta : « On doit s'y ennuyer en peinture. Je ne voudrais pas être le modèle que tu copies. Cette pauvre belle comtesse en robe noir et or, qui est là accrochée depuis deux cents ans, si ses doux yeux ne l'ont pas damnée, elle doit se damner dans le ciel de voir son image enfermée dans ce maussade pays.

— Et pourtant, répondit Thérèse, elle y a toujours le privilège de la beauté, le succès qui survit à la mort, et que la main d'un maître éternise. Toute desséchée qu'elle est au fond de sa tombe, elle a encore des amants ; tous les jours je vois des jeunes gens, insensibles d'ailleurs au mérite de la peinture, rester en extase devant cette beauté qui semble respirer et sourire avec un calme triomphant.

— Elle te ressemble, Thérèse, sais-tu cela ? Elle a un peu du sphinx, et je ne m'étonne pas de ta passion pour son mystérieux sourire. On dit que les artistes créent toujours dans leur nature : il est tout simple que tu aies choisi les portraits de Van Dyck pour ton école d'apprentissage. Il faisait grand, mince, élégant et fier comme ta forme.

— Voilà des compliments ! arrête-toi là, je vois que la moquerie va arriver.

— Non, je ne suis pas en train de rire. Tu sais bien que je ne ris plus, moi. Avec toi, il faut tout prendre au sérieux : je me conforme à l'ordonnance. Je dis seulement une chose triste, c'est que ta défunte comtesse doit être bien lasse d'être toujours belle de la même façon. Une idée, Thérèse ! un rêve fantastique qui me vient de ce que tu disais tout à l'heure. Écoute.

« Un jeune homme, qui avait probablement des notions de sculpture, se prit d'amour pour une statue de marbre couchée sur un tombeau. Il en devint fou, et ce pauvre fou souleva un jour la pierre* pour voir ce qu'il restait de cette belle femme dans le sarcophage. Il y trouva... ce qu'il y devait trouver, l'imbécile ! une momie ! Alors la raison lui revint, et, embrassant ce squelette, il lui dit : — Je t'aime mieux ainsi ; au moins tu es quelque chose qui a vécu, tandis que j'étais épris d'une pierre qui n'a jamais eu conscience d'elle-même.

— Je ne comprends pas, dit Thérèse.

— Ni moi non plus, répondit Laurent ; mais peut-être qu'en amour la statue est ce qu'on édifie dans sa tête*, et la momie, ce que l'on ramasse dans son cœur. »

Un autre jour, il esquissa la figure et l'attitude de Thérèse, rêveuse et triste, dans un album qu'elle feuilleta ensuite, et où elle trouva une douzaine de croquis de femmes* dont les poses impertinentes et les types effrontés la firent rougir. C'étaient les fantômes du passé qui avaient traversé la mémoire de Laurent[82] et qui s'étaient collés, peut-être malgré lui, à ces feuilles blanches. Thérèse, sans rien dire, déchira celle où elle avait pris place dans cette mauvaise compagnie, la jeta au feu, ferma l'album et le remit sur la table ; puis elle s'assit près du feu, étendit son pied sur un chenet et voulut parler d'autre chose.

Laurent ne répondit pas, mais il lui dit : « Vous êtes trop orgueilleuse, ma chère ! Si vous eussiez brûlé tous les feuillets qui vous déplaisent, pour ne laisser dans l'album que votre image, j'aurais compris, et je vous aurais dit : "Tu fais bien" ; mais vous retirer de là en y laissant les autres signifie que vous ne me feriez jamais l'honneur de me disputer à personne.

— Je vous ai disputé à la débauche, répondit Thérèse, je ne vous disputerai jamais à aucune de ses vestales.

— Eh bien ! c'est de l'orgueil[83], je le répète, ce n'est pas de l'amour. Moi, je vous ai disputée à la sagesse, et je vous disputerais à n'importe lequel de ses moines.

— Pourquoi me disputeriez-vous ? Est-ce que vous n'êtes pas fatigué d'aimer la statue ? Est-ce que la momie n'est pas dans votre cœur ?

— Ah ! vous avez la mémoire des mots, vous ! Mon Dieu, qu'est-ce qu'un mot ? On l'interprète comme on veut. Avec un mot, on fait pendre un innocent. Je vois qu'il faut prendre garde à ce que l'on dit avec vous ; le plus prudent serait peut-être de ne jamais causer ensemble.

— En sommes-nous là, mon Dieu ? » dit Thérèse, fondant en larmes[84].

Ils en étaient là. C'est en vain que Laurent s'affligea de ses pleurs, et lui demanda pardon de les avoir fait couler* : le mal recommença le lendemain.

« Que veux-tu donc que je devienne dans cette détestable ville ? lui dit-il. Tu veux que je travaille ; je l'ai voulu aussi, mais je ne peux pas ! Je ne suis pas né comme toi avec un petit ressort d'acier dans le cerveau, dont il ne faut que pousser le bouton pour que la volonté fonctionne. Je suis un créateur, moi ! Grand ou petit, faible ou puissant, c'est toujours un ressort qui n'obéit à rien et que met en jeu, quand il lui plaît, le souffle de Dieu ou le vent qui passe. Je suis incapable de quoi que ce soit quand je m'ennuie ou me déplais quelque part.

— Comment est-il possible qu'un homme intelligent s'ennuie, dit Thérèse, à moins qu'il ne soit privé de jour et d'air au fond d'un cachot ? N'y a-t-il donc dans cette ville, qui t'avait ravi le premier jour, ni belles choses à voir, ni intéressantes promenades à faire aux environs, ni bons livres à consulter, ni personnes intelligentes à entretenir ?

— J'ai des belles choses d'ici par-dessus les yeux ; je n'aime pas à me promener seul ; les meilleurs livres m'irritent lorsqu'ils me disent ce que je ne suis pas en train de croire. Quant aux relations à établir..., j'ai des lettres de recommandation dont tu sais bien que je ne peux pas faire usage !

— Non, je ne sais pas cela ; pourquoi ?

— Parce que naturellement mes amis du monde m'ont adressé à des gens du monde ; or les gens du monde ne vivent pas entre quatre murs sans songer à se divertir ; et comme tu n'es pas du monde, Thérèse, comme tu ne peux pas m'y accompagner, il faudra donc que je te laisse seule !

— Dans le jour ? puisque je suis forcée de travailler là-bas dans ce palais !

— Dans le jour, on se rend des visites et on fait des projets pour le soir. C'est le soir qu'on s'amuse en tout pays ; ne le sais-tu pas ?

— Eh bien ! sors quelquefois le soir, puisqu'il le faut ; va au bal, aux *conversazioni*. Ne joue pas, c'est tout ce que je te demande.

— Et c'est ce que je ne peux pas te promettre. Dans le monde, il faut se donner au jeu ou aux femmes.

— Ainsi tous les hommes du monde se ruinent au jeu ou se jettent dans la galanterie ?

— Ceux qui ne font ni l'un ni l'autre s'ennuient dans le monde ou y sont ennuyeux. Je ne suis pas un causeur de salon, moi. Je ne suis pas encore assez creux pour me faire écouter sans rien dire.

Voyons*, Thérèse, veux-tu que je me jette dans le monde à nos risques et périls ?

— Pas encore, dit Thérèse ; patiente un peu. Hélas ! je n'étais pas préparée à te perdre si tôt ! »

L'accent douloureux et le regard déchirant de Thérèse irritèrent Laurent plus que de coutume*.

« Tu sais, lui dit-il, que tu me ramènes toujours à tes fins avec la moindre plainte, et tu abuses de ton pouvoir, ma pauvre Thérèse. Ne t'en repentiras-tu pas un jour, si tu me vois malade et exaspéré ?

— Je m'en repens déjà, puisque je t'ennuie, répondit-elle. Fais donc ce que tu voudras !

— Ainsi tu m'abandonnes à ma destinée ? Es-tu déjà lasse de lutter ? Tiens, ma chère, c'est toi qui ne m'aimes plus !

— Au ton dont tu le dis, il semble que tu désires que cela soit ! »

Il répondit *non* ; mais un instant après c'était *oui* sous toutes les formes. Thérèse était trop sérieuse, trop fière, trop pudique. Elle ne voulait pas descendre avec lui des hauteurs de l'empyrée. Un mot leste lui semblait un outrage, un souvenir sans importance encourait sa censure. Elle était sobre en tout et ne comprenait rien aux appétits capricieux, aux fantaisies immodérées. Elle était la meilleure des deux, à coup sûr, et, s'il lui fallait des compliments, il était prêt à lui en faire ; mais s'agissait-il de cela entre eux ? La question n'était-elle pas de trouver le moyen de vivre ensemble ? Autrefois elle était plus gaie, elle avait été *coquette* avec lui, et elle ne voulait plus l'être ; elle était maintenant comme un oiseau malade sur son bâton, les plumes ébouriffées, la tête dans les épaules et l'œil éteint. Sa figure pâle et morne était quelquefois effrayante. Dans cette grande chambre sombre attristée des restes d'un vieux luxe, elle lui faisait l'effet d'un spectre[85]. Par moments, il avait peur d'elle. Ne pouvait-elle remplir cet intérieur lugubre de chants bizarres et de joyeux éclats de rire ? Voyons : que faire pour secouer cette mort qui glace les épaules ? Mets-toi au piano, et joue-moi une valse[86]. Je vais valser tout seul. Sais-tu valser, toi ? Je parie que non ! Tu ne sais rien que de triste !

« Tiens, dit Thérèse en se levant, partons demain[87], et advienne que pourra ! Tu deviendras fou* ici[88]. Ce sera peut-être pire ailleurs ; mais j'irai jusqu'au bout de ma tâche. »

Sur ce mot, Laurent s'emporta. C'était donc une tâche qu'elle s'était imposée ? Elle accomplissait donc froidement un devoir ? Peut-être avait-elle fait à la Vierge le vœu de lui consacrer son amant. Il ne lui manquait plus que d'être dévote ![89]

Il prit son chapeau avec cet air de suprême dédain et de rupture *bien troussée* qui lui était propre. Il sortit sans dire où il allait. Il était dix heures du soir. Thérèse passa la nuit dans des angoisses effroyables. Il rentra au jour et s'enferma dans sa chambre en jetant les portes avec fracas. Elle n'osa se montrer, dans la crainte de l'irriter, et se retira sans bruit chez elle. C'était la première fois qu'ils s'endormaient sans se dire un mot d'affection ou de pardon.

Le lendemain, au lieu de retourner à son travail, elle fit ses paquets et prépara tout pour le départ. Lui s'éveilla à trois heures de l'après-midi, et lui demanda en riant à quoi elle songeait. Il avait pris son parti, il avait retrouvé son assiette. Il s'était promené la nuit, seul au bord de la mer ; il avait fait ses réflexions, il était calmé.

« Cette grosse mer grondeuse et rabâcheuse m'a impatienté, dit-il gaiement. J'ai fait d'abord de la poésie. Je me suis comparé à elle. J'ai eu envie de me jeter dans son beau sein verdâtre !... Et puis j'ai trouvé la vague monotone et ridicule de se plaindre toujours de ce qu'il y a des rochers sur la grève. Si elle n'a pas la force de les détruire, qu'elle se taise ! Qu'elle fasse comme moi, qui ne veux plus me plaindre. Me voilà charmant ce matin ; j'ai résolu de travailler, je reste[90]. J'ai fait ma barbe avec soin ; embrasse-moi, Thérèse, et ne parlons plus de la sotte soirée d'hier. Défais ces paquets surtout, ôte ces malles, vite, que je ne les voie pas davantage ! Elles ont l'air d'un reproche, et je n'en mérite plus. »

Il y avait bien loin de cette prompte manière de se réconcilier avec lui-même au temps où un regard inquiet de Thérèse suffisait pour lui faire plier les deux genoux, et pourtant il n'y avait pas plus de trois mois.

Une surprise vint les distraire. M. Palmer, arrivé à Gênes le matin, vint leur demander à dîner. Laurent fut enchanté de cette diversion. Lui, toujours assez froid de manières avec les autres hommes, il sauta au cou de l'Américain en lui disant qu'il était l'envoyé du ciel. Palmer fut plus surpris que flatté de cet accueil chaleureux. Il lui avait suffi d'un coup d'œil jeté sur Thérèse pour voir que ce n'était pas là l'expansion du bonheur. Cependant Laurent* ne lui parla pas de son ennui, et Thérèse fut surprise de l'entendre faire l'éloge de la ville et du pays. Il déclara même que les femmes étaient charmantes. D'où les connaissait-il ?

A huit heures, il demanda son pardessus et sortit. Palmer voulut se retirer aussi.

« Pourquoi, lui dit Laurent, ne restez-vous pas un peu plus longtemps avec Thérèse ? Cela lui ferait plaisir. Nous sommes tout à fait seuls ici. Je sors pour une heure. Attendez-moi pour prendre le thé. »

A onze heures, Laurent n'était pas rentré. Thérèse était fort abattue. Elle faisait de vains efforts pour cacher son désespoir. Elle n'était plus inquiète, elle se sentait perdue*. Palmer vit tout et feignit de ne rien voir : il causa encore avec elle pour tâcher de la distraire ; mais comme Laurent n'arrivait pas, et qu'il n'était pas convenable de l'attendre passé minuit, il se retira en serrant la main de Thérèse. Malgré lui, il lui apprit dans ce serrement de main qu'il n'était pas dupe de son courage et qu'il ressentait l'étendue de son désastre.

Laurent arriva en ce moment et vit l'émotion de Thérèse. A peine fut-il seul avec elle qu'il l'en railla sur un ton qui affectait de ne pas descendre à la jalousie.

« Voyons, lui dit-elle, ne me faites pas inutilement souffrir.

Pensez-vous que Palmer me fasse la cour ? Partons, je vous l'ai offert.

— Non, ma chère, je ne suis pas absurde à ce point. Du moment que vous avez une société et que vous me permettez de sortir un peu pour mon compte*, tout est bien, et je me sens en train de travailler.

— Dieu le veuille ! dit Thérèse. Je ferai, moi, ce que vous voudrez ; mais si vous vous réjouissez de la société qui m'est venue, ayez le bon goût de ne pas m'en parler comme vous venez de le faire, je ne saurais le souffrir.

— De quoi diable vous fâchez-vous ? qu'ai-je donc dit de si blessant ? Vous devenez d'une susceptibilité par trop ombrageuse, ma chère amie ! Quel mal y aurait-il à ce que ce bon Palmer fût amoureux de vous ?

— Il y en aurait à vous de me laisser seule avec lui, si vous pensiez ce que vous dites.

— Ah ! il y aurait du mal... à vous abandonner au danger ? Vous voyez bien que le danger existe, selon vous, et que je ne me trompais pas !

— Soit ! alors passons nos soirées ensemble et ne recevons personne. Je le veux bien, moi. Est-ce convenu ?

— Vous êtes bonne, ma chère Thérèse. Pardonnez-moi. Je resterai avec vous et nous verrons qui vous voudrez, ce sera le meilleur et le plus doux arrangement. »

En effet, Laurent parut revenir à lui-même. Il entama une bonne étude dans son atelier et invita Thérèse à venir la voir. Quelques jours se passèrent* sans orage. Palmer n'avait pas reparu ; mais bientôt Laurent se lassa de cette vie réglée, et alla le chercher en lui reprochant d'abandonner ses amis. A peine fut-il arrivé pour passer la soirée avec eux, que Laurent trouva un prétexte pour sortir et resta dehors jusqu'à minuit.

Une semaine se passa ainsi, puis une seconde. Laurent donnait une soirée sur trois ou quatre à Thérèse, et quelle soirée ! elle eût préféré la solitude.

Où allait-il ? elle ne l'a jamais su[91]. Il ne paraissait pas dans le monde ; le temps humide et froid ne permettait pas de penser qu'il se promenât en mer pour son plaisir. Cependant il montait souvent dans une barque, disait-il, et ses habits en effet sentaient le goudron. Il s'exerçait à ramer et prenait des leçons d'un pêcheur de la côte qu'il allait chercher dans la rade. Il prétendait se trouver bien, pour son travail du lendemain, d'une fatigue qui abattait l'excitation de ses nerfs. Thérèse n'osait plus aller le trouver dans son atelier. Il montrait du dépit lorsqu'elle désirait voir son travail. Il ne voulait pas de ses réflexions lorsqu'il était en train de manifester son idée, et il ne voulait pas non plus de son silence, qui lui faisait l'effet d'un blâme. Elle ne devait voir son œuvre que lorsqu'il la jugerait digne d'être vue. Autrefois il ne commençait rien sans lui exposer son idée ; maintenant il la traitait comme un public*.

Deux ou trois fois il passa toute la nuit dehors*. Thérèse ne s'habituait pas à l'inquiétude que lui causait le prolongement de ces absences. Elle l'eût exaspéré en ayant l'air de s'en apercevoir ; mais on pense bien qu'elle le guettait et qu'elle cherchait à savoir la vérité. Il était impossible qu'elle le suivît elle-même la nuit dans une ville pleine de matelots et d'aventuriers de toute nation. Pour rien au monde, elle ne se fût abaissée à le faire suivre* par quelqu'un. Elle entrait chez lui sans bruit et le regardait dormir. Il semblait accablé de fatigue. C'était peut-être en effet une lutte désespérée contre lui-même qu'il avait entreprise pour éteindre par l'exercice physique l'excès de sa pensée.

Une nuit elle remarqua que ses habits étaient fangeux et déchirés comme s'il eût eu à soutenir une lutte matérielle, ou comme s'il eût fait une chute. Effrayée, elle s'approcha de lui et vit du sang sur son oreiller ; il avait une légère entaille au front*. Il dormait si profondément qu'elle espéra ne pas l'éveiller en lui découvrant un peu la poitrine pour voir s'il n'avait pas d'autre blessure ; mais il s'éveilla et entra dans une colère qui fut pour elle le coup de grâce. Elle voulait s'enfuir, il la retint de force, passa une robe de chambre, ferma la porte, et, marchant avec agitation dans l'appartement qu'éclairait faiblement une petite lampe de nuit, il exhala enfin toute la souffrance amassée dans son âme.

« C'en est assez, lui dit-il ; soyons francs vis-à-vis l'un de l'autre. Nous ne nous aimons plus, nous ne nous sommes jamais aimés[92] ! Nous nous sommes trompés l'un l'autre ; vous avez voulu avoir un amant ; peut-être n'étais-je ni le premier ni le second, n'importe ! il vous fallait un serviteur, un esclave ; vous avez cru que mon malheureux caractère, mes dettes, mon ennui, ma lassitude d'une vie d'excès, mes illusions sur l'amour vrai, me mettraient à votre discrétion, et que je ne pourrais jamais me reprendre. Pour mener à bonne fin une si périlleuse entreprise, il vous eût fallu à vous-même un plus heureux caractère, plus de patience, plus de souplesse, et surtout plus d'esprit ! Vous n'avez pas d'esprit du tout, Thérèse, soit dit sans vous offenser. Vous êtes tout d'une pièce, monotone, têtue et vaine à l'excès de votre prétendue modération, qui n'est que la philosophie des gens à vues courtes et à facultés bornées. Quant à moi, je suis un fou, un inconstant, un ingrat, tout ce qu'il vous plaira ; mais je suis sincère, je ne fais pas de calculs, je me livre sans arrière-pensée : c'est pourquoi je me reprends de même. Ma liberté morale est chose sacrée, et je ne permets à personne de s'en emparer. Je vous l'avais confiée et non donnée, c'était à vous d'en faire bon usage et de savoir me rendre heureux. Oh ! n'essayez pas de dire que vous ne vouliez pas de moi ! Je connais ces manèges de la modestie et ces évolutions de la conscience des femmes. Le jour où vous m'avez cédé, j'ai compris que vous pensiez bien m'avoir conquis, et que toutes ces feintes résistances, ces larmes de détresse et ces pardons toujours accordés à mes prétentions n'étaient que l'art vulgaire de tendre une

ligne et d'y faire mordre le pauvre poisson ébloui par la mouche arti-
ficielle. Je vous ai trompée, Thérèse, en feignant d'être la dupe de
cette mouche* ; c'était mon droit. Vous vouliez des adorations pour
vous rendre ; je vous les ai prodiguées sans effort et sans hypocrisie ;
vous êtes belle, et je vous désirais ! Mais une femme n'est qu'une
femme, et la dernière de toutes nous donne autant de volupté que la
plus grande reine. Vous avez eu la simplicité de l'ignorer, et à présent
il faut rentrer en vous-même. Il faut savoir que la monotonie ne me
convient pas, il faut me laisser à mes instincts, qui ne sont pas toujours sublimes, mais que je ne peux pas détruire sans me détruire
avec eux... Où est le mal, et pourquoi nous arracherions-nous les
cheveux ? Nous nous sommes associés* et nous nous quittons, voilà
tout. Il n'est pas besoin de nous haïr et de nous décrier pour cela.
Vengez-vous en comblant les vœux de ce pauvre Palmer, que vous
faites languir ; je serai content de sa joie, et nous resterons tous trois
les meilleurs amis du monde. Vous retrouverez vos grâces d'autrefois
que vous avez perdues, et l'éclat de vos beaux yeux, qui s'usent et se
ternissent à veiller pour espionner mes démarches. Je redeviendrai,
moi, le bon camarade que j'étais, et nous oublierons ce cauchemar
que nous traversons ensemble... Est-ce convenu ? vous ne répondez
pas ? C'est de la haine que vous voulez ? Prenez-y garde ! je n'ai
jamais haï, mais je peux tout apprendre, j'ai de la facilité, moi, vous
savez ! Tenez, je me suis colleté ce soir avec un matelot ivre qui était
deux fois grand et fort comme moi ; je l'ai roué de coups, et je n'ai
reçu qu'une égratignure. Prenez garde que je ne sois aussi vigoureux
dans l'occasion au moral qu'au physique, et que dans une lutte
d'aversion et de vengeance, je n'écrase le diable en personne sans lui
laisser un de mes cheveux entre les griffes ! »

Laurent, pâle, amer, tour à tour ironique et furieux, les cheveux
en désordre, la chemise déchirée et le front ensanglanté, était si
effrayant à voir et à entendre que Thérèse sentit tout son amour se
changer en dégoût. Elle était si désespérée de la vie en cet instant
qu'elle ne songea pas seulement à avoir peur. Muette et immobile sur
le fauteuil où elle s'était assise, elle laissait couler ce torrent de blas-
phèmes, et tout en se disant que cet insensé était capable de la tuer,
elle attendait avec un dédain glacial et une indifférence absolue le
paroxysme de son accès.

Il se tut quand il n'eut plus la force de parler. Alors elle se leva et
sortit sans lui avoir répondu une syllabe et sans jeter sur lui un
regard[93].

VII

Laurent valait mieux que ses paroles ; il ne pensait pas un mot de tout ce qu'il avait dit d'atroce à Thérèse durant cette affreuse nuit. Il le pensait dans ce moment-là, ou plutôt il parlait sans en avoir conscience*. Il ne se rappela rien quand il eut dormi dessus, et si on le lui eût rappelé, il eût tout désavoué.

Mais il y avait une chose vraie, c'est que pour le moment il était las de l'amour élevé, et aspirait de tout son être aux funestes enivrements du passé. C'était le châtiment de la mauvaise voie qu'il avait prise en entrant dans la vie, châtiment bien cruel sans doute, et dont on conçoit qu'il se plaignît avec énergie, lui qui n'avait rien prémédité et qui s'était jeté en riant dans un abîme d'où il croyait pouvoir aisément sortir quand il voudrait. Mais l'amour est régi par un code qui semble reposer, comme les codes sociaux, sur cette terrible formule* : *Nul n'est censé ignorer la loi !* Tant pis pour ceux qui l'ignorent en effet ! Que l'enfant se jette dans les griffes de la panthère, croyant pouvoir la caresser : la panthère ne tiendra compte de cette innocence ; elle dévorera l'enfant, parce qu'il ne dépend pas d'elle de l'épargner. Ainsi des poisons, ainsi de la foudre, ainsi du vice, agents aveugles de la loi fatale* que l'homme doit *connaître* ou *subir*.

Il ne resta dans la mémoire de Laurent, au lendemain de cette crise, que la conscience d'avoir eu avec Thérèse une explication décisive, et le vague souvenir de l'avoir vue résignée*. Tout est peut-être pour le mieux, pensa-t-il en la retrouvant aussi calme qu'il l'avait quittée. Il fut pourtant effrayé de sa pâleur. « Ce n'est rien, lui dit-elle tranquillement ; ce rhume me fatigue beaucoup, mais ce n'est qu'un rhume. Cela doit faire son temps.

— Eh bien ! Thérèse, lui dit-il, qu'y a-t-il d'établi dans nos rapports à présent ? Y avez-vous réfléchi ? C'est vous qui déciderez. Devons-nous nous quitter avec dépit ou rester ensemble sur le pied de l'amitié comme *autrefois !*

— Je n'ai aucun dépit, répondit-elle ; restons amis. Demeurez ici si vous vous y plaisez. Moi j'achève mon travail, et je retourne en France dans quinze jours.

— Mais d'ici à quinze jours dois-je aller demeurer dans une autre maison ? Ne craignez-vous pas qu'on en jase ?

— Faites ce que vous jugerez à propos. Nous avons ici nos appartements indépendants l'un de l'autre, le salon seul est commun. Je n'en ai aucun besoin ; je vous le cède[94].

— Non, c'est moi qui vous prie de le garder. Vous ne m'entendrez pas aller et venir ; je n'y mettrai jamais les pieds, si vous me le défendez.

— Je ne vous défends rien, répondit Thérèse, sinon de croire un seul instant que votre maîtresse puisse vous pardonner. Quant à votre amie, elle est au-dessus d'une certaine sphère de désillusions. Elle espère encore pouvoir vous être utile, et vous la retrouverez toujours quand vous aurez besoin d'affection*. »

Elle lui tendit la main et s'en alla travailler.

Laurent ne la comprit pas. Tant d'empire sur elle-même était une chose qu'il ne pouvait s'expliquer, lui qui ne connaissait pas le courage passif et les résolutions muettes. Il crut qu'elle comptait reprendre son empire sur lui et qu'elle voulait le ramener à l'amour par l'amitié*. Il se promit d'être invulnérable à toute faiblesse, et pour être plus sûr de lui-même, il résolut de prendre quelqu'un à témoin de la rupture consommée. Il alla trouver Palmer, lui confia la malheureuse histoire de son amour et ajouta : « Si vous aimez Thérèse comme je le crois, mon cher ami, faites que Thérèse vous aime. Je ne peux pas en être jaloux, bien au contraire. Comme je l'ai rendue assez malheureuse et que vous serez excellent pour elle, j'en suis certain, vous m'ôterez par là un remords que je ne tiens pas à conserver. »

Laurent fut surpris du silence de Palmer. « Est-ce que je vous offense en vous parlant comme je fais ? lui dit-il. Telle n'est pas mon intention. J'ai de l'amitié pour vous, de l'estime, et même du respect si vous voulez. Si vous blâmez ma conduite dans tout ceci, dites-le-moi ; cela vaudra mieux que cet air d'indifférence ou de dédain.

— Je ne suis indifférent ni aux chagrins de Thérèse ni aux vôtres, répondit Palmer. Seulement je vous épargne des conseils ou des reproches qui viendraient trop tard. Je vous ai crus faits l'un pour l'autre ; je suis persuadé à présent que le plus grand bonheur et le seul que vous puissiez vous donner l'un à l'autre, c'est de vous quitter. Quant à mes sentiments personnels pour Thérèse, je ne vous reconnais pas le droit de m'interroger, et quant à ceux que, selon vous, je pourrais parvenir à lui inspirer, c'est, après ce que vous venez de me dire, une supposition que vous n'avez plus le droit d'émettre devant moi, encore moins devant elle.

— C'est juste, reprit Laurent d'un air dégagé, et j'entends fort bien ce que parler veut dire. Je vois que maintenant je serais de trop ici, et je crois que je ferai aussi bien de m'en aller pour ne gêner personne. »

Il partit en effet après de froids adieux à Thérèse, et s'en alla tout droit à Florence avec l'intention de se jeter dans le monde ou dans le travail, selon son caprice. Il éprouvait une douceur souveraine à se dire : « Je ferai ce qui me passera par la tête sans que personne en souffre ou s'en inquiète. Le pire des supplices quand on n'est pas plus méchant que je ne le suis, c'est d'être fatalement entraîné à voir une victime. Allons ! je suis libre enfin, et le mal que je pourrai faire ne retombera que sur moi ! »

Sans doute, Thérèse eut le tort de ne pas lui laisser voir combien était profonde la blessure qu'il lui avait faite. Elle eut trop de courage et de fierté. Puisqu'elle avait entrepris cette cure d'un malade désespéré, elle eût dû ne pas reculer devant les grands remèdes et les opérations cruelles. Il eût fallu faire saigner abondamment ce cœur en délire, l'accabler de reproches, lui rendre injure pour injure et douleur pour douleur. En voyant le mal qu'il avait fait, Laurent se serait peut-être rendu justice à lui-même. Peut-être la honte et le repentir eussent-ils sauvé son âme du crime d'y tuer l'amour de sang-froid.

Mais après trois mois d'inutiles efforts Thérèse était rebutée. Devait-elle donc tant de dévouement à un homme qu'elle n'avait jamais désiré asservir, qui s'était imposé à elle malgré sa douleur et ses tristes prévisions, qui s'était attaché à ses pas comme un enfant abandonné pour lui crier : « Emmène-moi, garde-moi, ou je vais mourir là, au bord du chemin ?... »

Et cet enfant la maudissait d'avoir cédé à ses cris et à ses pleurs. Il l'accusait d'avoir profité de sa faiblesse pour l'enlever aux plaisirs de la liberté. Il s'éloignait d'elle, respirant à pleine poitrine, et disant : « Enfin, enfin ! »

Puisqu'il est incurable, pensa-t-elle, à quoi bon le faire souffrir ? N'ai-je pas vu que je ne pouvais rien ? Ne m'a-t-il pas dit et presque prouvé, hélas ! que j'étouffais son génie en voulant détruire sa fièvre ? Quand je croyais être venue à bout de le dégoûter des excès, n'ai-je pas vu qu'il en était plus avide ? Quand je lui ai dit : « Retourne au monde », il a craint ma jalousie, et il s'est jeté dans la débauche mystérieuse et grossière ; il est revenu ivre, avec les habits déchirés et du sang sur la figure* !

Le jour du départ de Laurent, Palmer dit à Thérèse : « Eh bien ! mon amie, que voulez-vous faire ? Dois-je courir après lui ?

— Non, certes ! répondit-elle.

— Je le ramènerais peut-être !

— J'en serais désolée.

— Vous ne l'aimez donc plus ?

— Non, plus du tout. »

Il y eut un silence, après quoi Palmer rêveur reprit* : « Thérèse, j'ai une nouvelle très grave à vous annoncer. J'hésite, parce que je crains de vous causer une grande émotion de plus, et vous n'êtes guère disposée...

— Je vous demande pardon, mon ami. Je suis horriblement triste, mais je suis absolument calme et préparée à tout.

— Eh bien ! Thérèse, apprenez que vous êtes libre*. Le comte de
★ ★ ★ n'est plus.

— Je le savais, répondit Thérèse. Il y a huit jours que je le sais.

— Et vous ne l'avez pas dit à Laurent ?

— Non.

— Pourquoi ?

— Parce qu'à l'instant même il se fût fait en lui une réaction
quelconque. Vous savez comme l'imprévu le bouleverse et le pas-
sionne. De deux choses l'une : ou il eût imaginé qu'en lui faisant part
de ma nouvelle situation je voulais l'éprouver, et l'effroi d'un lien
avec moi eût exaspéré son aversion, ou il se fût tourné tout à coup de
lui-même vers l'idée du mariage, dans un de ces paroxysmes de
dévouement qui s'emparent de lui, et qui durent... juste un quart
d'heure, pour faire place à un profond désespoir ou à une colère
insensée. Le malheureux est assez coupable envers moi ; il n'était pas
nécessaire de jeter un appât nouveau à sa fantaisie et un motif de
plus à son parjure.

— Vous ne l'estimez donc plus ?

— Je ne dis pas cela, mon cher Palmer. Je le plains et ne l'accuse
pas. Peut-être une autre femme le rendra-t-elle heureux et bon. Moi,
je n'ai pu faire ni l'un ni l'autre. Il y a probablement de ma faute
autant que de la sienne. Quoi qu'il en soit, il est bien prouvé pour
moi que nous ne devions pas et que nous ne devons plus chercher à
nous aimer.

— Et maintenant, Thérèse, ne songerez-vous pas à tirer avantage
de la liberté qui vous est rendue ?

— Quel avantage puis-je en tirer ?

— Vous pouvez vous remarier et connaître les joies de la famille.

— Mon cher Dick, j'ai aimé deux fois dans ma vie, et vous voyez
où j'en suis. Il n'est pas dans ma destinée d'être heureuse. Il est trop
tard pour chercher ce qui m'a fui. J'ai trente ans.

— C'est parce que vous avez trente ans que vous ne pouvez vous
passer d'amour. Vous venez* de subir l'entraînement de la passion, et
c'est précisément l'âge où les femmes ne peuvent s'y soustraire. C'est
parce que vous avez souffert, c'est parce que vous avez été mal aimée
que l'inextinguible soif du bonheur va se réveiller en vous et vous
conduire peut-être, de déceptions en déceptions, dans des abîmes plus
profonds que celui d'où vous sortez.

— J'espère que non.

— Oui, sans doute, vous espérez ; mais vous vous trompez, Thérèse. Il faut tout craindre de votre âge, de votre sensibilité surexcitée
et du calme trompeur où vous plonge un moment d'abattement et de
lassitude. L'amour vous cherchera, n'en doutez pas, et à peine rendue
à la liberté, vous allez être poursuivie et obsédée. Votre isolement*
tenait autrefois en respect les espérances de ceux qui vous
entouraient ; mais à présent que Laurent vous a peut-être fait descendre dans leur estime, tous ceux qui se tenaient pour vos amis vont

vouloir être vos amants. Vous inspirerez des passions violentes, et il s'en trouvera d'assez habiles pour vous persuader. Enfin...

— Enfin, Palmer, vous me jugez perdue parce que je suis malheureuse ! Voilà qui est fort cruel, et vous me faites vivement sentir combien je suis déchue ! » Thérèse mit ses mains sur sa figure et pleura amèrement.

Palmer la laissa pleurer ; voyant que les larmes lui étaient nécessaires, il avait provoqué à dessein ce déchirement. Quand il la vit apaisée, il se mit à genoux devant elle. « Thérèse, lui dit-il, je vous ai fait beaucoup de peine, mais vous devez absoudre mon intention. Thérèse, je vous aime, je vous ai toujours aimée, non avec une passion aveugle, mais avec toute la foi et tout le dévouement dont je suis capable. Je vois plus que jamais en vous une noble existence* gâtée et brisée par la faute des autres. Vous êtes déchue aux yeux du monde en effet, mais non aux miens[95]. Au contraire, votre tendresse pour Laurent m'a prouvé que vous étiez femme, et je vous aime mieux ainsi qu'armée de pied en cap contre toutes les faiblesses humaines, comme je me le persuadais auparavant. Écoutez-moi, Thérèse. Je suis un philosophe, moi, c'est-à-dire que je consulte la raison et la tolérance plus que les préjugés du monde et les subtilités romanesques du sentiment. Dussiez-vous devenir la proie des plus funestes égarements, je ne cesserai pas de vous aimer et de vous estimer, parce que vous êtes de ces femmes qui ne peuvent être égarées que par le cœur. Mais pourquoi faut-il que vous tombiez dans ces désastres ? Il est bien certain pour moi que si vous rencontriez dès aujourd'hui un cœur dévoué, tranquille et fidèle, exempt de ces maladies de l'âme* qui font quelquefois les grands artistes et souvent les mauvais époux, un père, un frère, un ami, un mari enfin, vous seriez à jamais préservée des dangers et des malheurs de l'avenir. Eh bien ! Thérèse, j'ose dire que je suis cet homme-là. Je n'ai rien de brillant pour vous éblouir*, mais j'ai le cœur solide pour vous aimer. J'ai une confiance absolue en vous. Du moment que vous serez heureuse, vous serez reconnaissante, et, reconnaissante, vous serez fidèle et à jamais réhabilitée. Dites oui, Thérèse, consentez à m'épouser, et consentez-y tout de suite, sans effroi, sans scrupule, sans fausse délicatesse, sans méfiance de vous-même. Je vous donne ma vie et ne vous demande que de croire en moi. Je me sens assez fort pour ne pas souffrir des larmes que l'ingratitude d'un autre vous a fait verser encore. Je ne vous reprocherai jamais le passé, et je me charge de vous faire l'avenir si doux et si sûr que jamais le vent d'orage ne viendra vous arracher de mon sein. »

Palmer parla longtemps ainsi avec une abondance de cœur que Thérèse ne lui connaissait pas. Elle essaya de se défendre de la confiance ; mais cette résistance était, suivant Palmer, un reste de maladie morale* qu'elle devait combattre en elle-même. Elle sentait que Palmer disait la vérité, mais elle sentait aussi qu'il voulait assumer sur lui une tâche effrayante.

« Non, lui disait-elle, ce n'est pas moi-même que je crains. Je ne peux plus aimer Laurent et je ne l'aime plus ; mais le monde, mais votre mère, votre patrie, votre considération, l'honneur de votre nom ! Je suis déchue, vous l'avez dit, et je le sens. Ah ! Palmer, ne me pressez pas* ainsi ! Je suis trop épouvantée de ce que vous voulez affronter pour moi ! »

Le lendemain et les jours suivants, Palmer insista avec énergie. Il ne laissa pas respirer Thérèse. Du matin au soir, seul avec elle, il multiplia les forces de sa volonté pour la convaincre. Palmer était un homme de cœur et de premier mouvement* ; nous verrons plus tard si Thérèse eut raison d'hésiter. Ce qui l'inquiétait, c'était la précipitation avec laquelle Palmer agissait et voulait la forcer d'agir en s'engageant à lui par une promesse. « Vous craignez mes réflexions, lui disait-elle : vous n'avez donc pas en moi la confiance dont vous vous vantez ?

— Je crois en votre parole, répondait-il. La preuve, c'est que je vous la demande ; mais je ne suis pas forcé de croire que vous m'aimez, puisque vous ne répondez pas sur ce fait, et vous avez raison. Vous ne savez pas encore quel nom donner à votre amitié. Quant à moi, je sais que c'est de l'amour que j'éprouve, et je ne suis pas de ceux qui hésitent à voir clair en eux-mêmes. L'amour est en moi très logique. Il veut fortement. Il s'oppose donc aux mauvaises chances que vous pouvez lui faire courir en vous jetant dans des réflexions et des rêveries où, malade comme vous voilà, vous ne verrez peut-être pas bien vos véritables intérêts. »

Thérèse se sentait presque blessée quand Palmer lui parlait de ses intérêts à elle. Elle voyait trop d'abnégation chez Palmer, et ne pouvait souffrir qu'il la crût capable* de l'accepter sans vouloir y répondre. Tout à coup elle eut honte d'elle-même dans ce combat de générosité, où Palmer se livrait tout entier sans exiger autre chose que de faire accepter son nom, sa fortune, sa protection et l'affection de sa vie entière. Il donnait tout, et pour toute récompense il la priait de songer à elle-même.

L'espoir revint donc au cœur de Thérèse. Cet homme qu'elle avait toujours cru positif, et qui affectait encore naïvement de l'être, se révélait à elle sous un aspect si imprévu, que son esprit en était frappé et comme ranimé au milieu de son agonie. C'était comme un rayon de soleil au sein d'une nuit qu'elle avait jugé devoir être éternelle. Au moment où, injuste et désespérée, elle allait maudire l'amour, il la forçait de croire à l'amour et de regarder son désastre comme un accident dont le ciel voulait la dédommager. Palmer, d'une beauté froide et régulière, se transfigurait à chaque instant sous le regard étonné, incertain et attendri de la femme aimée. Sa timidité, qui donnait à ses premières ouvertures quelque chose de rude, faisait place à l'expansion, et pour s'exprimer avec moins de poésie que Laurent*, il n'en arrivait que mieux à la persuasion.

Thérèse découvrit l'enthousiasme sous cette écorce un peu âpre de l'obstination, et elle ne put s'empêcher de sourire avec attendrissement en voyant la passion avec laquelle il prétendait poursuivre *froidement* le dessein de la sauver. Elle se sentit touchée et se laissa arracher la promesse qu'il exigeait.

Tout à coup elle reçut une lettre d'une écriture inconnue, tant elle était altérée*. Elle eut même peine à déchiffrer la signature. Elle parvint cependant, avec l'aide de Palmer, à lire ces mots :

« J'ai joué, j'ai perdu ; j'ai eu une maîtresse, elle m'a trompé, je l'ai tuée. J'ai pris du poison. Je me meurs. Adieu, Thérèse.

LAURENT. »

« Partons ! dit Palmer.

— Ô mon ami, je vous aime ! répondit Thérèse en se jetant dans ses bras. Je sens maintenant combien vous êtes digne d'être aimé. »

Ils partirent à l'instant même. En une nuit, ils arrivèrent par mer à Livourne, et le soir ils étaient à Florence[96]. Ils trouvèrent Laurent dans une auberge, non pas mourant, mais dans un accès de fièvre cérébrale si violent, que quatre hommes ne pouvaient le tenir[97]. En voyant Thérèse, il la reconnut, et s'attacha à elle en lui criant qu'on voulait l'enterrer vivant[98]. Il la tenait si fort, qu'elle tomba par terre, étouffée[99]. Palmer dut l'emporter de la chambre, évanouie ; mais elle y revint au bout d'un instant, et, avec une persévérance qui tenait du prodige, elle passa vingt jours et vingt nuits au chevet de cet homme qu'elle n'aimait plus[100]. Il ne la reconnaissait guère que pour l'accabler d'injures grossières, et dès qu'elle s'éloignait un instant, il la rappelait en disant que sans elle il allait mourir.

Il n'avait heureusement ni tué aucune femme, ni pris aucun poison, ni peut-être perdu son argent au jeu[101], ni rien fait de ce qu'il avait écrit à Thérèse dans l'invasion du délire et de la maladie. Il ne se rappela jamais cette lettre dont elle eût craint de lui parler ; il était assez effrayé du dérangement de sa raison, quand il lui arrivait d'en avoir conscience. Il eut encore bien d'autres rêves sinistres, tant que dura sa fièvre. Il s'imagina tantôt que Thérèse lui versait du poison, tantôt que Palmer lui mettait des menottes. La plus fréquente et la plus cruelle de ses hallucinations consistait à voir une grande épingle d'or que Thérèse détachait de sa chevelure et lui enfonçait lentement dans le crâne[102]. Elle avait en effet une telle épingle pour retenir ses cheveux, à la mode italienne. Elle l'ôta, mais il continua à la voir et à la sentir.

Comme il semblait le plus souvent que sa présence l'exaspérât, Thérèse se plaçait ordinairement derrière son lit, avec le rideau entre eux ; mais aussitôt qu'il était question de le faire boire, il s'emportait, et protestait qu'il ne prendrait rien que de la main de Thérèse. « Elle seule a le droit de me tuer*, disait-il ; je lui ai fait tant de mal ! Elle me hait, qu'elle se venge ! Ne la vois-je pas à toute heure, sur le pied de mon lit, dans les bras de son nouvel amant[103] ? Allons, Thérèse, venez donc, j'ai soif : versez-moi le poison. » Thérèse lui versait le calme et le sommeil. Après plusieurs jours d'une exaspération à laquelle les médecins ne croyaient pas qu'il pût résister, et qu'ils notèrent comme un fait anormal, Laurent se calma subitement, et resta inerte, brisé, continuellement assoupi, mais sauvé.

Il était si faible, qu'il fallait le nourrir sans qu'il en eût conscience, et le nourrir à doses si minimes pour que son estomac n'eût pas le moindre travail de digestion à faire, que Thérèse jugea ne devoir pas le quitter un instant. Palmer essaya de lui faire prendre du repos en lui donnant sa parole d'honneur de la remplacer auprès du malade ; mais elle refusa, sentant bien que les forces humaines n'étaient pas à l'abri de la surprise du sommeil, et que, puisqu'un miracle se faisait en elle pour l'avertir de chaque minute où elle devait porter la cuiller aux lèvres du malade, sans que jamais elle fût vaincue par la fatigue[104], c'était elle, non pas un autre, que Dieu avait chargée de sauver cette existence fragile.

C'était elle en effet, et elle la sauva.

Si la médecine, quelque éclairée qu'elle soit, est insuffisante dans des cas désespérés, c'est bien souvent parce que le traitement est presque impossible à observer d'une manière absolue. On ne sait pas assez ce qu'une minute de besoin ou une minute de plénitude peut apporter de perturbation dans une vie chancelante, et le miracle qui manque au salut du moribond, c'est souvent le calme, la ténacité et la ponctualité chez ceux qui le soignent.

Enfin, un matin, Laurent s'éveilla comme d'une léthargie*, parut surpris de voir Thérèse à sa droite et Palmer à sa gauche[105], leur tendit une main à chacun, et leur demanda où il était et d'où il venait.

On le trompa longtemps sur la durée et l'intensité de son mal, car il s'affecta beaucoup en se voyant si maigre et si faible. La première fois qu'il se regarda dans une glace, il se fit peur. Dans les premiers jours* de sa convalescence, il demanda Thérèse. On lui répondit qu'elle dormait. Il en fut très surpris. « Elle est donc devenue Italienne, dit-il, qu'elle dort dans le jour ? »

Thérèse dormit vingt-quatre heures* de suite. La nature reprit ses droits dès que l'inquiétude fut dissipée.

Peu à peu Laurent apprit à quel point elle s'était dévouée à lui, et il vit sur sa figure les traces de tant de fatigues succédant à tant de douleurs. Comme il était encore trop faible pour s'occuper, Thérèse s'installa près de lui, tantôt lui faisant la lecture, tantôt jouant aux cartes pour l'amuser, tantôt le menant promener en voiture. Palmer était toujours avec eux.

Les forces revenaient à Laurent avec une rapidité aussi extraordinaire que son organisation. Son cerveau cependant n'était pas toujours bien lucide. Un jour, il dit à Thérèse avec humeur, dans un moment où il se trouvait seul avec elle : « Ah çà ! quand donc ce bon Palmer nous fera-t-il le plaisir de s'en aller ? »

Thérèse vit qu'il y avait une lacune dans sa mémoire, et ne répondit pas. Il fit alors un travail sur lui-même, et ajouta : « Vous me trouvez ingrat, mon amie, de parler ainsi d'un homme qui s'est dévoué à moi presque autant que vous-même ; mais enfin je ne suis pas assez vain ou assez simple pour ne pas comprendre que c'est pour ne pas vous quitter qu'il s'est enfermé un mois dans la chambre d'un malade fort désagréable. Voyons, Thérèse, peux-tu me jurer que c'est à cause de moi seul ? »

Thérèse fut blessée de cette question à bout portant, et de ce *tu* qu'elle croyait à jamais retranché de leur intimité. Elle secoua la tête, et tâcha de parler d'autre chose. Laurent céda tristement ; mais il y revint le lendemain, et comme Thérèse, le voyant assez fort pour se passer d'elle, se disposait à partir, il lui dit avec une surprise réelle* : « Mais où donc allons-nous, Thérèse ? Est-ce que nous ne sommes pas bien ici ? »

Il fallait s'expliquer, car il insistait. « Mon enfant, lui dit Thérèse, vous restez ici, les médecins disent qu'il vous faut encore une semaine ou deux avant de pouvoir faire un voyage quelconque sans danger de rechute. Moi, je retourne en France, puisque j'ai fini mon travail à Gênes, et que mon intention n'est pas, quant à présent, de voir le reste de l'Italie.

— Fort bien, Thérèse, tu es libre ; mais si tu veux retourner en France, je suis libre de le vouloir aussi. Ne peux-tu m'attendre huit jours ? Je suis sûr qu'il ne m'en faut pas davantage pour être en état de voyager. »

Il mettait tant de candeur dans l'oubli de ses torts, et il était si enfant dans ce moment-là, que Thérèse retint une larme prête à couler au souvenir de cette adoption, autrefois si tendre, qu'elle était forcée d'abdiquer.

Elle se remit à le tutoyer sans en avoir conscience, et lui dit, avec le plus de douceur et de ménagement possible, qu'il fallait se quitter pour quelque temps*.

« Et pourquoi donc se quitter ? s'écria Laurent ; est-ce que nous ne nous aimons plus ?

— Cela serait impossible, reprit-elle, nous aurons toujours de l'amitié l'un pour l'autre ; mais nous nous sommes fait mutuellement beaucoup de peine, et ta santé n'en pourrait supporter* davantage à présent. Laissons passer le temps nécessaire pour que tout soit oublié.

— Mais j'ai oublié, moi ! s'écria Laurent avec une bonne foi* attendrissante à force d'être ingénue. Je ne me souviens d'aucun mal que tu m'aies fait ! Tu as toujours été un ange pour moi, et puisque tu es un ange, tu ne peux pas garder de ressentiment. Il faut me pardonner tout et m'emmener, Thérèse ! Si tu me laisses ici, j'y périrai d'ennui ! »

Et comme Thérèse montrait une fermeté à laquelle il ne s'attendait pas, il prit de l'humeur et lui dit qu'elle avait tort de feindre une sévérité que démentait toute sa conduite. « Je comprends bien ce que tu veux, lui dit-il. Tu exiges que je me repente, que j'expie mes torts. Eh bien ! ne vois-tu pas que je les déteste, et ne les ai-je pas assez expiés en devenant fou pendant huit ou dix jours ? Tu veux des larmes et des serments comme autrefois ? A quoi bon ? tu n'y croirais plus. C'est ma conduite à venir qu'il faut juger, et tu vois que je ne crains pas l'avenir, puisque je m'attache à toi. Voyons, ma Thérèse, toi aussi tu es un enfant, et tu sais bien que souvent je t'ai appelée comme cela, quand je te voyais faire semblant de bouder. Penses-tu pouvoir me persuader que tu ne m'aimes plus, quand tu viens de passer, enfermée ici*, un mois sur lequel tu as été vingt nuits et vingt jours sans te coucher, et presque sans sortir de ma chambre ? Ne vois-je pas, à tes beaux yeux cerclés de bleu, que tu serais morte à la peine, s'il eût fallu en passer davantage[106] ? On ne fait pas de pareilles choses pour un homme que l'on n'aime plus ! »

Thérèse n'osait prononcer le mot fatal. Elle espérait que Palmer viendrait rompre ce tête-à-tête, et qu'elle pourrait éviter une scène dangereuse au convalescent. Ce fut impossible ; il se mit en travers de la porte pour l'empêcher de sortir, tomba à ses pieds, et s'y roula avec désespoir.

« Mon Dieu ! lui dit-elle, est-il possible que tu me croies assez cruelle, assez fantasque pour te refuser un mot que je pourrais te dire ? Mais je ne le peux pas, ce mot ne serait plus la vérité. L'amour est fini entre nous. »

Laurent se releva avec rage. Il ne comprenait pas qu'il eût pu tuer cet amour auquel il avait prétendu ne pas croire. « C'est donc Palmer ? s'écria-t-il en brisant une théière avec laquelle il s'était machinalement versé de la tisane[107] ; c'est donc lui ? Dites, je le veux ! je veux la vérité ! J'en mourrai, je le sais, mais je ne veux pas être trompé !

— Trompé ! dit Thérèse en lui prenant les mains* pour l'empêcher de se les déchirer avec ses ongles ; trompé ? de quel mot vous servez-vous là ? Est-ce que je vous appartiens ? est-ce que, depuis la première nuit que vous avez passée dehors à Gênes, après m'avoir dit que j'étais votre supplice et votre bourreau, nous n'avons pas été étrangers l'un à l'autre ? Est-ce qu'il n'y a pas de cela quatre mois* et plus ? Et croyez-vous que ce temps, passé sans retour de votre part, n'ait pas suffi à me rendre maîtresse de moi-même[108] ? »

Et comme elle vit que Laurent, au lieu de s'exaspérer de sa franchise, se calmait et l'écoutait avec une curiosité avide, elle continua : « Si vous ne comprenez pas le sentiment qui m'a ramenée à votre lit d'agonie et qui m'a retenue jusqu'à ce jour auprès de vous pour achever votre guérison par des soins maternels, c'est que vous n'avez jamais rien compris à mon cœur. Ce cœur-là, Laurent, dit-elle en frappant sa poitrine, n'est ni si fier ni si ardent peut-être que le vôtre ; mais, vous l'avez dit vous-même souvent autrefois, il reste toujours à la même place. Ce qu'il a aimé, il ne peut pas cesser de l'aimer ; mais ne vous y trompez pas, ce n'est pas de l'amour comme vous l'entendez, comme vous m'en avez inspiré, et comme vous avez la folie d'en attendre encore. Ni mes sens ni ma tête ne vous appartiennent plus. J'ai repris ma personne et ma volonté ; ma confiance et mon enthousiasme ne peuvent plus vous revenir. J'en peux disposer pour qui les mérite, pour Palmer si bon me semble, et vous n'auriez pas une objection à faire*, vous qui avez été le trouver un matin pour lui dire : Consolez donc Thérèse, vous me rendrez service !

— C'est vrai... c'est vrai ! dit Laurent en joignant ses mains tremblantes, j'ai dit cela ! Je l'avais oublié, je me le rappelle à présent !

— Ne l'oublie donc plus, dit Thérèse, qui se remit à lui parler avec douceur en le voyant apaisé, et sache, mon pauvre enfant, que l'amour est une fleur trop délicate pour se relever quand on l'a foulée aux pieds. N'y songe plus avec moi, cherche-le ailleurs, si cette triste expérience que tu en as faite t'ouvre les yeux et modifie ton caractère. Tu le trouveras, le jour où tu en seras digne. Quant à moi je ne pourrais plus supporter tes caresses, j'en serais avilie ; mais ma tendresse de sœur et de mère te restera malgré toi et malgré tout*[109]. Ceci est autre chose, c'est de la pitié, je ne te le cache pas, et je te le dis précisément pour que tu ne songes plus à reconquérir un amour dont tu serais humilié aussi bien que moi-même. Si tu veux que cette amitié, qui t'offense maintenant, te redevienne douce, tu n'as qu'à la mériter. Jusqu'à présent, tu n'en as pas eu l'occasion. Voilà qu'elle se présente : profites-en, quitte-moi sans faiblesse et sans aigreur. Montre-moi la figure calme et attendrie d'un homme de cœur, au lieu de cette figure d'enfant qui pleure sans savoir pourquoi.

— Laisse-moi pleurer, Thérèse, dit Laurent en se mettant à genoux, laisse-moi laver ma faute dans mes larmes ; laisse-moi adorer cette pitié sainte qui a survécu en toi à l'amour brisé. Elle ne m'humilie pas comme tu crois, je sens que j'en deviendrai digne. N'exige pas que je sois calme, tu sais bien que je ne peux jamais l'être ; mais crois que je peux devenir bon. Ah ! Thérèse, je t'ai connue trop tard ! Pourquoi ne m'as-tu pas parlé plus tôt comme tu viens de le faire ! Pourquoi viens-tu m'accabler de ta bonté et de ton dévouement, pauvre sœur de charité[110], qui ne peux plus me rendre le bonheur ? Mais tu as raison, Thérèse, je méritais ce qui m'arrive, et tu me l'as fait enfin comprendre. La leçon me servira, je t'en réponds, et si je peux jamais aimer une autre femme, je saurai comment il faut aimer. Je te devrai donc tout, ma sœur, le passé et l'avenir ! »

Laurent parlait encore avec effusion lorsque Palmer rentra. Il se jeta à son cou en l'appelant son frère* et son sauveur, et il s'écria en lui montrant Thérèse : « Ah ! mon ami ! vous rappelez-vous ce que vous me disiez à l'hôtel Meurice la dernière fois que nous nous sommes vus à Paris ? *Si vous* ne croyez pas pouvoir la rendre heureuse, brûlez-vous la cervelle ce soir plutôt que de retourner chez elle !* J'aurais dû le faire, et je ne l'ai pas fait ! Et à présent regardez-la : elle est plus changée que moi, la pauvre Thérèse ! Elle a été brisée, et pourtant elle est venue m'arracher à la mort, quand elle aurait dû me maudire et m'abandonner ! »

Le repentir de Laurent était véritable ; Palmer en fut vivement attendri. A mesure qu'il s'y livrait, l'artiste l'exprimait avec une éloquence persuasive et quand Palmer se retrouva seul avec Thérèse, il lui dit :

« Mon amie, ne croyez pas que j'aie souffert de votre sollicitude pour lui. J'ai bien compris ! Vous vouliez guérir l'âme et le corps. Vous avez remporté la victoire. Il est sauvé, votre pauvre enfant ! A présent, que voulez-vous faire ?

— Le quitter pour toujours, répondit Thérèse, ou du moins ne le revoir qu'après des années[111]. S'il retourne en France, je reste en Italie, et s'il reste en Italie, je retourne en France. Ne vous ai-je pas dit que telle était ma résolution ? C'est parce qu'elle est bien arrêtée que je retardais encore le moment des adieux. Je savais bien qu'il y aurait une crise inévitable, et je ne voulais pas le laisser sur cette crise-là, si elle était mauvaise.

— Y avez-vous bien songé, Thérèse ? dit Palmer rêveur. Êtes-vous bien sûre de ne pas faiblir au dernier moment ?

— J'en suis sûre.

— Cet homme-là me paraît irrésistible dans la douleur. Il arracherait la pitié des entrailles d'une pierre, et pourtant, Thérèse, si vous lui cédez, vous êtes perdue, et lui avec vous. Si vous l'aimez encore, songez que vous ne pouvez le sauver qu'en le quittant !

— Je le sais, répondit Thérèse ; mais que me dites-vous donc là, mon ami ? Êtes-vous malade, vous aussi ? Avez-vous oublié que ma parole vous était engagée ? »

Palmer lui baisa la main et sourit. La paix rentra dans son âme.

Laurent vint leur dire le lendemain qu'il voulait aller en Suisse* pour achever de se rétablir. Le climat de l'Italie ne lui convenait pas : c'était la vérité. Les médecins lui conseillaient même de ne pas attendre les grandes chaleurs[112].

De toute façon il fut décidé que l'on se séparerait à Florence. Thérèse n'avait d'autre projet arrêté pour elle-même que d'aller où Laurent n'irait pas ; mais en le voyant si fatigué* de la crise de la veille, elle dut lui promettre de passer à Florence encore une semaine, afin de l'empêcher de partir sans avoir recouvré les forces nécessaires.

Cette semaine fut peut-être la meilleure de la vie de Laurent. Généreux*, cordial, confiant, sincère, il était entré dans un état de l'âme où il ne s'était jamais senti, même durant les premiers huit jours de son union avec Thérèse. La tendresse l'avait vaincu, pénétré, on peut dire envahi[113]. Il ne quittait pas ses deux amis, se promenant avec eux en voiture aux *Cascine*, aux heures où la foule n'y va pas[114], mangeant avec eux, se faisant une joie d'enfant d'aller dîner dans la campagne en donnant le bras à Thérèse alternativement avec Palmer, essayant ses forces en faisant un peu de gymnastique avec celui-ci, accompagnant Thérèse avec lui au théâtre, et se faisant tracer par *Dick le grand touriste* l'itinéraire de son voyage en Suisse. C'était une grande question de savoir s'il irait par Milan* ou par Gênes. Il se décida enfin pour cette dernière voie[115], en prenant par Pise* et Lucques, et en suivant ensuite le littoral par terre ou par mer, selon qu'il se sentirait fortifié ou affaibli par les premières journées du voyage.

Le jour du départ arriva. Laurent avait fait tous ses préparatifs avec une gaieté mélancolique. Étincelant de plaisanteries sur son costume*, sur son bagage, sur la tournure hétéroclite qu'il allait avoir avec un certain manteau imperméable que Palmer l'avait forcé d'accepter et qui était alors une nouveauté dans le commerce, sur le baragouin français d'un domestique italien que Palmer lui avait choisi et qui était le meilleur homme du monde ; acceptant avec reconnaissance et soumission toutes les prévisions et toutes les gâteries de Thérèse, il avait des larmes plein les yeux, tout en riant aux éclats.

La nuit qui précéda le dernier jour, il eut un léger accès de fièvre. Il en plaisanta. Le voiturin qui devait le conduire à petites journées était à la porte de l'hôtel. La matinée était fraîche. Thérèse s'inquiéta. « Accompagnez-le jusqu'à la Spezia, lui dit Palmer. C'est là qu'il doit s'embarquer, s'il ne supporte pas bien la voiture. C'est là que je vous rejoindrai le lendemain de son départ*. Il vient de me tomber sur la tête une affaire indispensable qui me retient ici vingt-quatre heures. »

Thérèse, surprise de cette résolution et de cette proposition, refusa de partir avec Laurent. « Je vous en supplie, lui dit Palmer avec quelque vivacité ; il m'est impossible d'aller avec vous !

— Fort bien, mon ami, mais il n'est pas nécessaire que j'aille avec lui.

— Si fait, reprit-il, il le faut. »

Thérèse crut comprendre que Palmer jugeait cette épreuve nécessaire*. Elle s'en étonna et s'en inquiéta. « Pouvez-vous, lui dit-elle, me donner votre parole d'honneur que vous avez effectivement une affaire importante ici ?

— Oui, répondit-il, je vous la donne.

— Eh bien ! je reste.

— Non, il faut que vous partiez.

— Je ne comprends pas.

— Je m'expliquerai plus tard, mon amie. Je crois en vous comme en Dieu, vous le voyez bien ; ayez confiance aussi en moi. Partez ! »

Thérèse fit à la hâte un léger paquet qu'elle jeta dans le voiturin, et elle y monta auprès de Laurent en criant à Palmer : « J'ai votre parole d'honneur que vous venez me rejoindre dans vingt-quatre heures. »

VIII

Palmer*, forcé réellement de rester à Florence et d'en éloigner Thérèse, fut frappé d'un coup mortel en la voyant partir. Cependant le danger qu'il redoutait n'existait pas. La chaîne ne pouvait pas être renouée. Laurent ne songea même pas à émouvoir les sens de Thérèse ; mais, certain de n'avoir pas perdu son cœur, il résolut de reprendre son estime*. Il le résolut, disons-nous ? Non, il ne fit aucun calcul, il éprouva tout naturellement le besoin de se relever aux yeux de cette femme qui avait grandi dans son esprit. S'il l'eût implorée en ce moment, elle lui eût résisté sans peine, elle l'eût peut-être méprisé. Il s'en garda bien, ou plutôt il n'y songea pas. Il fut trop bien inspiré pour commettre une pareille faute. Il prit de bonne foi et d'enthousiasme le rôle du cœur brisé, de l'enfant soumis et châtié*, si bien qu'au bout du voyage, Thérèse se demandait si ce n'était pas lui la victime de ce fatal amour.

Pendant ces trois jours de tête-à-tête, Thérèse se trouva* heureuse auprès de Laurent. Elle voyait s'ouvrir une nouvelle ère de sentiments exquis, une route inexplorée, puisque dans cette voie* elle avait jusque-là marché seule. Elle savourait la douceur d'aimer sans remords, sans inquiétude et sans combat, un être pâle et faible, qui n'était plus pour ainsi dire qu'une âme, et qu'elle s'imaginait retrouver dès cette vie dans le paradis des pures essences, comme on rêve de se retrouver après la mort.

Et puis elle avait été profondément froissée et humiliée par lui, brouillée* et irritée contre elle-même ; cet amour, accepté avec tant de vaillance et de grandeur, lui avait laissé une flétrissure, comme eût fait un entraînement de pure galanterie*. Il était venu un moment où elle s'était méprisée de s'être laissé si grossièrement tromper. Elle se sentait donc renaître, et elle se réconciliait avec le passé* en voyant pousser sur ce tombeau de la passion ensevelie une fleur d'amitié enthousiaste plus belle que la passion, même dans ses meilleurs jours.

C'est le 10 mai qu'ils arrivèrent à la Spezia[116], une petite ville pittoresque à demi génoise et à demi florentine, au fond d'une rade bleue et unie comme le plus beau ciel. Ce n'était pas encore la saison des bains de mer. Le pays était une solitude enchantée, le temps frais et délicieux. A la vue de cette belle eau tranquille, Laurent, que la voiture avait un peu fatigué, se décida pour le voyage par mer. On s'informa des moyens de transport ; un petit bateau à vapeur partait pour Gênes* deux fois par semaine[117]. Thérèse fut contente que le jour du départ ne fût pas pour le soir même. C'étaient vingt-quatre heures de repos pour son malade. Elle lui fit retenir une cabine sur ce bateau pour le lendemain soir.

Laurent, tout affaibli qu'il se sentait encore, ne s'était jamais si bien porté. Il avait un sommeil et un appétit d'enfant. Cette douce langueur des premiers jours de la complète guérison jetait son âme dans un trouble délicieux. Le souvenir de sa vie passée s'effaçait comme un mauvais rêve. Il se sentait et se croyait transformé radicalement pour toujours[118]. Dans ce renouvellement de sa vie, il n'avait plus la faculté de souffrir. Il quittait Thérèse avec une sorte de joie triomphante* au milieu de ses larmes[119]. Cette soumission aux arrêts de la destinée était à ses yeux une expiation volontaire dont elle devait lui tenir compte. Il ne l'avait pas provoquée, mais il l'acceptait au moment où il sentait le prix de ce qu'il avait méconnu. Il poussait ce besoin de s'immoler au point de lui dire qu'elle devait aimer Palmer, qu'il était le meilleur des amis et le plus grand des philosophes. Puis il s'écriait tout à coup :

« Ne me dis rien, chère Thérèse ! Ne me parle pas de lui ! Je ne me sens pas encore assez fort pour t'entendre dire que tu l'aimes. Non, tais-toi ! j'en mourrais !... Mais sache que je l'aime aussi ! Que puis-je te dire de mieux[120] ? »

Thérèse ne prononça pas une seule fois le nom de Palmer, et dans les moments où Laurent, moins héroïque, la questionnait indirectement, elle lui répondait :

« Tais-toi. J'ai un secret que je te dirai plus tard[121], et qui n'est pas ce que tu crois. Tu ne pourrais pas le deviner, ne cherche pas. »

Ils passèrent le dernier jour à parcourir en barque la rade de la Spezia. Ils se faisaient mettre à terre de temps en temps pour cueillir sur les rives de belles plantes aromatiques qui croissent dans le sable et jusque dans les premiers remous du flot indolent et clair. L'ombrage est rare sur ces beaux rivages d'où s'élancent à pic des montagnes couvertes de buissons en fleur. La chaleur se faisant sentir, dès qu'ils apercevaient un groupe de pins, ils s'y faisaient conduire. Ils avaient apporté leur dîner, qu'ils mangèrent ainsi sur l'herbe, au milieu des touffes de lavande et de romarin[122]. La journée passa comme un rêve, c'est-à-dire qu'elle fut courte comme un instant, et qu'elle résuma pourtant les plus douces émotions de deux existences[123].

Cependant le soleil baissait, et Laurent devenait triste. Il voyait de loin la fumée du *Ferruccio*, le bateau à vapeur de la Spezia[124], que l'on chauffait pour le départ, et ce nuage noir passait sur son âme.

120

Thérèse vit qu'il fallait le distraire jusqu'au dernier moment, et elle demanda au batelier ce qu'il y avait encore à voir dans la baie[125].

« Il y a, répondit-il, l'île Palmaria et la carrière de marbre *portor*. Si vous voulez y aller, vous pourrez vous y embarquer. Le vapeur y passe pour prendre la mer, car il s'arrête en face, à Porto-Venere, pour recevoir des passagers ou des marchandises. Vous aurez tout le temps de gagner son bord. Je réponds de tout. »

Les deux amis se firent conduire à l'île Palmaria[126].

C'est un bloc de marbre à pic sur la mer et qui s'abaisse en pente douce et fertile du côté du golfe. Il y a de ce côté quelques habitations à mi-côte et deux villas sur le rivage. Cette île est plantée, comme une défense naturelle, à l'entrée du golfe, dont la passe est fort étroite entre l'île et le petit port jadis consacré à Vénus*. De là le nom de Porto-Venere.

Rien dans l'affreuse bourgade ne justifie ce nom poétique ; mais sa situation sur les rochers nus, battus de flots agités, car ce sont les premiers flots de la véritable mer qui s'engouffrent dans la passe, est des plus pittoresques. On ne saurait imaginer un décor plus frappant pour caractériser un nid de pirates. Les maisons noires et misérables, rongées par l'air salin, s'échelonnent, démesurément hautes, sur le roc inégal. Pas une vitre qui ne soit brisée à ces petites fenêtres*, qui semblent des yeux inquiets occupés à guetter une proie à l'horizon. Pas un mur qui ne soit dépouillé de son ciment, tombant en grandes plaques comme des voiles déchirées par la tempête. Pas une ligne d'aplomb dans ces constructions appuyées l'une contre l'autre et près de crouler toutes ensemble. Tout cela monte jusqu'à l'extrémité du promontoire, où tout cesse brusquement, et que terminent un vieux fort tronqué et l'aiguille d'un petit clocher planté en vigie en face de l'immensité. Derrière ce tableau, qui forme un plan détaché sur les eaux marines, s'élèvent d'énormes rochers d'une teinte livide, dont la base, irisée par les reflets de la mer, semble plonger dans quelque chose d'indécis et d'impalpable comme la couleur du vide.

C'est de la carrière de marbre de l'île Palmaria, de l'autre côté de l'étroite passe, que Laurent et Thérèse contemplaient cet ensemble pittoresque. Le soleil couchant jetait sur les premiers plans un ton rougeâtre qui confondait en une seule masse, homogène d'aspect, les rochers, les vieux murs et les ruines, à ce point que tout, l'église même, semblait taillé dans le même bloc, tandis que les grands rochers du dernier plan baignaient dans une lumière d'un vert glauque.

Laurent fut frappé de ce spectacle, et, oubliant tout, il l'embrassa d'un regard de peintre où Thérèse vit rayonner, comme dans un miroir, tous les feux du ciel embrasé. « Dieu merci ! pensa-t-elle, voilà enfin l'artiste qui se réveille ! » En effet, depuis sa maladie, Laurent n'avait pas eu une pensée pour son art.

La carrière n'offrant que l'intérêt d'un moment, celui de voir de gros blocs d'un beau marbre noir veiné de jaune d'or, Laurent voulut gravir la pente rapide de l'île pour regarder de haut la pleine mer, et il s'avança, sous un bois de pins assez peu praticable, jusqu'à une corniche de lichens où il se vit tout à coup comme perdu dans l'espace. Le rocher surplombait la mer, qui avait rongé sa base et qui s'y brisait avec un bruit formidable. Laurent, qui ne croyait pas cette côte si escarpée, fut saisi d'un tel vertige que, sans Thérèse qui l'avait suivi et qui le contraignit de glisser tout de son long en arrière, il se serait laissé tomber dans le gouffre.

En ce moment elle le vit pris de terreur et l'œil hagard, comme elle l'avait vu dans la forêt de ★ ★ ★.

« Qu'est-ce donc ? lui dit-elle. Voyons, est-ce encore un rêve ?

— Non ! non ! s'écria-t-il en se relevant et en s'attachant à elle comme s'il eût cru se retenir à une force immuable ; ce n'est plus le rêve, c'est la réalité ! C'est la mer, l'affreuse mer qui va m'emporter tout à l'heure ! C'est l'image de la vie où je vais retomber, c'est l'abîme qui va se creuser entre nous, c'est le bruit monotone, infatigable, odieux que j'allais écouter la nuit dans la rade de Gênes, et qui me hurlait le blasphème aux oreilles ! C'est cette houle brutale* que je m'exerçais à dompter dans une barque, et qui me portait fatalement vers un abîme* plus profond et plus implacable encore que celui des eaux ! Thérèse, Thérèse, sais-tu ce que tu fais en me jetant en proie à ce monstre qui est là, et qui ouvre déjà sa gueule hideuse* pour dévorer ton pauvre enfant ?

— Laurent ! lui dit-elle en lui secouant le bras, Laurent, m'entends-tu ? »

Il parut s'éveiller dans un autre monde en reconnaissant la voix de Thérèse, car en l'interpellant il s'était cru seul, et il se retourna avec surprise en voyant que l'arbre auquel il se cramponnait* n'était autre chose que le bras tremblant et fatigué de son amie.

« Pardon ! pardon ! lui dit-il, c'est un dernier accès, ce n'est rien. Partons ! » Et il descendit précipitamment le versant qu'il avait monté avec elle.

Le *Ferruccio* arrivait* à toute vapeur du fond de la rade.

« Mon Dieu, le voilà ! dit-il. Qu'il va vite ! s'il pouvait sombrer avant d'être ici !

— Laurent ! reprit Thérèse d'un ton sévère.

— Oui, oui, ne crains rien, mon amie, me voilà tranquille. Ne sais-tu pas qu'à présent il suffit d'un regard de toi pour que j'obéisse avec joie ? Allons, la barque ! Allons, c'en est fait ! Je suis calme, je suis content ! Donne-moi ta main, Thérèse. Tu vois, je ne t'ai pas demandé un seul baiser depuis trois jours* de tête-à-tête ! Je ne te demande que cette main loyale. Souviens-toi du jour où tu m'as dit : "N'oublie jamais qu'avant d'être ta maîtresse j'ai été ton ami !" Eh bien ! voilà ce que tu souhaitais, je ne te suis plus rien, mais je suis à toi pour la vie !... »

Il s'élança dans la barque croyant que Thérèse resterait sur le rivage de l'île, et que cette barque reviendrait la prendre quand il serait monté à bord du *Ferruccio* ; mais elle sauta auprès de lui. Elle voulait s'assurer, disait-elle, que le domestique qui devait accompagner Laurent, et qui s'était embarqué avec les paquets à la Spezia, n'avait rien oublié de ce qui était nécessaire à son maître pour le voyage.

Elle profita donc du temps d'arrêt que faisait le petit *steamer* devant Porto-Venere, pour monter à bord avec Laurent. Vicentino*, le domestique en question[127], les y attendait*. On se souvient que c'était un homme de confiance choisi par M. Palmer. Thérèse le prit à l'écart. « Vous avez la bourse de votre maître ? lui dit-elle. Je sais qu'il vous a chargé de veiller à tous les frais du voyage. Combien vous a-t-il confié ?

— Deux cents *lire* florentines, signora ; mais je pense* qu'il a sur lui son portefeuille. »

Thérèse avait examiné les poches des habits de Laurent pendant qu'il dormait. Elle avait trouvé le portefeuille, elle le savait à peu près vide. Laurent avait dépensé beaucoup à Florence ; les frais de sa maladie avaient été très considérables*. Il avait remis à Palmer le reste de sa petite fortune, en le chargeant de faire ses comptes, et il ne les avait pas regardés. En fait de dépense, Laurent était un véritable enfant, qui ne savait encore le prix de rien à l'étranger, pas même la valeur des monnaies des diverses provinces*. Ce qu'il avait confié à Vicentino lui paraissait devoir durer longtemps, et il n'y avait pas de quoi gagner la frontière pour un homme qui n'avait pas la moindre notion de prévoyance.

Thérèse remit à Vicentino tout ce qu'elle possédait en ce moment en Italie, et même sans garder ce qui lui était nécessaire pour elle-même pendant quelques jours, car, en voyant Laurent s'approcher, elle n'eut pas le temps de reprendre quelques pièces d'or dans le rouleau qu'elle glissa précipitamment au domestique, en lui disant : « Voilà ce qu'il avait dans ses poches ; il est fort distrait, il aime mieux que vous vous en chargiez. » Et elle se retourna vers l'artiste pour lui donner une dernière poignée de main. Elle le trompait sans remords cette fois. Elle l'avait vu irrité et désespéré lorsqu'elle avait autrefois voulu payer ses dettes ; maintenant elle n'était plus pour lui qu'une mère, elle avait le droit d'agir comme elle le faisait*[128].

Laurent n'avait rien vu. « Encore un moment, Thérèse ! lui dit-il d'une voix étranglée par les larmes. On sonnera une cloche pour avertir ceux qui ne sont pas du voyage de descendre à leurs barques. »

Elle passa son bras sous le sien et alla voir sa cabine, qui était assez commode pour dormir, mais qui sentait le poisson d'une manière révoltante. Thérèse chercha son flacon pour le lui laisser, mais elle l'avait perdu sur le rocher de Palmaria. « De quoi vous inquiétez-vous ? lui dit-il, attendri de toutes ses gâteries. Donnez-moi une de ces lavandes sauvages que nous avons cueillies ensemble là-bas, dans les sables. »

Thérèse avait mis ces fleurs dans le corsage de sa robe ; c'était comme un gage d'amour à lui laisser. Elle trouva quelque chose d'indélicat ou tout au moins d'équivoque dans cette idée, et son instinct de femme s'y refusa ; mais, comme elle se penchait sur la bande du *steamer*, elle vit, dans une des barques d'attente attachées à l'escale, un enfant qui présentait aux passagers de gros bouquets de violettes. Elle chercha dans sa poche une dernière pièce de monnaie qu'elle y trouva avec joie et qu'elle jeta au petit marchand, pendant que celui-ci lui lançait son plus beau bouquet par-dessus le bord ; elle le reçut adroitement et le répandit dans la cabine de Laurent[129], qui comprit la suprême pudeur de son amie, mais qui ne sut jamais que ces violettes étaient payées avec la seule et dernière obole de Thérèse*.

Un jeune homme dont les habits de voyage et la tournure aristocratique contrastaient avec ceux des passagers, presque tous marchands d'huile d'olive ou petits négociants côtiers, passa auprès de Laurent*, et l'ayant regardé, lui dit : « Tiens ! c'est vous ! » Ils se serrèrent la main avec cette parfaite froideur* de geste et de physionomie qui est le cachet des gens de bon ton. C'était pourtant un de ces anciens compagnons de plaisir que Laurent avait appelés, en parlant d'eux à Thérèse dans ses jours d'ennui, ses meilleurs, ses seuls amis. Il ajoutait dans ces moments-là : « Les gens de ma classe ! » car il n'avait jamais de dépit contre Thérèse sans se rappeler qu'il était gentilhomme.

Mais Laurent était bien amendé, et, au lieu de se réjouir de cette rencontre, il donna intérieurement au diable ce témoin importun de son dernier adieu à Thérèse. M. de Vérac, c'était le nom de l'ancien ami, connaissait Thérèse pour lui avoir été présenté* par Laurent à Paris, et, l'ayant respectueusement saluée, il lui dit qu'il avait bien bonne chance de rencontrer sur ce pauvre petit *Ferruccio* deux compagnons de voyage comme elle et Laurent.

« Mais je ne suis pas des vôtres, répondit-elle ; je reste ici, moi.

— Comment ici ? Où ? à Porto-Venere ?

— En Italie.

— Bah ! alors Fauvel va faire vos commissions à Gênes, et il revient demain ?

— Non ! dit Laurent impatienté de cette curiosité, qui lui parut indiscrète : je vais en Suisse, et Mlle Jacques n'y va pas. Cela vous étonne ? Eh bien ! sachez que Mlle Jacques me quitte, et que j'en ai beaucoup de chagrin. Comprenez-vous ?

— Non ! dit Vérac en souriant ; mais je ne suis pas forcé...

— Si fait ; il faut comprendre ce qui est, reprit Laurent avec une vivacité un peu altière* ; j'ai mérité ce qui m'arrive, et je m'y soumets, parce que Mlle Jacques, sans tenir compte de mes torts, a daigné être une sœur et une mère pour moi* dans une maladie mortelle que je viens de faire ; donc je lui dois autant de reconnaissance que de respect et d'amitié. »

Vérac fut très surpris de ce qu'il entendait. C'était une histoire qui pour lui ne ressemblait à rien. Il s'éloigna par discrétion, après avoir dit à Thérèse que rien de beau ne l'étonnait de sa part ; mais il observa du coin de l'œil les adieux des deux amis. Thérèse, debout sur l'escale, pressée et poussée par les indigènes qui s'embrassaient tumultueusement et bruyamment au son de la cloche du départ*, donna un baiser maternel au front de Laurent[130]. Ils pleuraient tous deux ; puis elle descendit dans la barque, et se fit aborder à l'informe et sombre escalier de roches plates qui donnait entrée à la bourgade de Porto-Venere.

Laurent s'étonna de la voir prendre cette direction au lieu de retourner à la Spezia : « Ah ! pensa-t-il en fondant en larmes, Palmer est là sans doute qui l'attend ! »

Mais au bout de dix minutes, comme le *Ferruccio*, après avoir pris la mer avec quelque effort, tournait en face du promontoire*, Laurent, en jetant une dernière fois les yeux vers ce triste rocher, vit, sur la plate-forme du vieux fort ruiné, une silhouette* dont le soleil dorait encore la tête et les cheveux agités par le vent : c'était la chevelure blonde de Thérèse et sa forme adorée. Elle était seule. Laurent lui tendit les bras avec transport, puis il joignit les mains en signe de repentir, et ses lèvres murmurèrent deux mots que la brise emporta :
— Pardon ! pardon !

M. de Vérac regardait Laurent avec stupeur, et Laurent, l'homme le plus chatouilleux de la terre à l'endroit du ridicule, ne se souciait pas du regard de son ancien compagnon de débauche. Il mettait même une sorte d'orgueil à le braver en ce moment.

Quand la côte eut disparu* dans la brume du soir, Laurent se trouva assis sur un banc auprès de Vérac.

« Ah çà ! lui dit celui-ci, contez-moi donc cette étrange aventure ! Vous m'en avez trop dit pour me laisser en si beau chemin : tous vos amis de Paris, je pourrais dire tout Paris, puisque vous êtes un homme célèbre, va me demander quel dénouement a eu votre liaison avec Mlle Jacques, qui est trop en vue* aussi pour ne pas exciter la curiosité. Que répondrai-je ?

— Que vous m'avez vu fort triste et fort sot. Ce que je vous ai dit se résume en trois paroles. Faut-il vous les redire ?

— C'est donc vous qui l'avez abandonnée le premier ? J'aime mieux cela pour vous !

— Oui, je vous entends, c'est un ridicule que d'être trahi, c'est une gloire que d'avoir pris les devants. C'est comme cela que je raisonnais autrefois avec vous, c'était notre code ; mais j'ai tout à fait changé de notions sur tout cela depuis que j'ai aimé. J'ai trahi, j'ai été quitté, j'en suis au désespoir : donc nos anciennes théories n'avaient pas le sens commun. Trouvez dans cette science de la vie que nous avons pratiquée ensemble un argument qui me débarrasse de mon regret et de ma souffrance, et je dirai que vous avez raison.

— Je ne chercherai pas d'arguments, mon cher, la souffrance ne se raisonne pas. Je vous plains, puisque vous voilà malheureux ; seulement je me demande s'il existe une femme qui mérite d'être tant pleurée, et si Mlle Jacques n'eût pas mieux fait de vous pardonner une infidélité que de vous renvoyer désolé comme vous voilà. Pour une mère*, je la trouve dure et vindicative !

— C'est que vous ne savez pas combien j'ai été coupable et absurde. Une infidélité ! elle me l'eût pardonnée, j'en suis sûr ; mais des injures, des reproches... pis que cela, Vérac ! je lui ai dit le mot qu'une femme qui se respecte ne peut pas oublier : *Vous m'ennuyez !*

— Oui, le mot est dur, surtout quand il est vrai. Mais s'il ne l'était pas ? Si c'était un simple moment d'humeur ?

— Non ! c'était de la lassitude morale. Je n'aimais plus ! Ou, tenez, c'était pire ; je n'ai jamais pu l'aimer quand elle était à moi. Retenez cela, Vérac, riez si bon vous semble, mais retenez-le pour votre gouverne. Il est fort possible qu'un beau matin vous vous réveilliez harassé de faux plaisirs et violemment épris d'une femme honnête. Cela peut vous arriver tout comme à moi, car je ne vous crois pas plus débauché que je ne l'ai été. Eh bien ! quand vous aurez vaincu la résistance de cette femme, il vous arrivera probablement ce qui m'est arrivé : c'est qu'ayant pris la funeste habitude de faire l'amour* avec des femmes que l'on méprise, vous soyez condamné à retomber dans ces besoins de liberté farouche dont l'amour élevé a horreur[131]. Alors vous vous sentirez comme un animal sauvage dompté par un enfant et toujours prêt à le dévorer pour rompre sa chaîne. Et un jour que vous aurez tué le faible gardien, vous vous enfuirez tout seul, rugissant de joie et secouant la crinière ; mais alors,... alors les bêtes du désert vous feront peur, et, pour avoir connu la cage, vous n'aimerez plus la liberté. Si peu et si mal que votre cœur eût accepté le lien, il le regrettera dès qu'il l'aura brisé*, et il se trouvera saisi de l'horreur de la solitude, sans pouvoir faire un choix entre l'amour et le libertinage. C'est là un mal que vous ne connaissez pas encore. Que Dieu vous préserve de le connaître ! Et en attendant moquez-vous comme je faisais, moi ! Cela n'empêchera pas votre jour de venir, si la débauche n'a pas encore fait de vous un cadavre ! »

M. de Vérac laissa couler en souriant ce torrent d'idéal qu'il écoutait comme une cavatine bien chantée au Théâtre-Italien. Laurent était sincère à coup sûr, mais peut-être son auditeur avait-il raison de ne pas attacher trop d'importance à son désespoir*[132].

IX

Quand Thérèse eut perdu de vue le *Ferruccio*, il faisait nuit. Elle avait renvoyé la barque qu'elle avait prise le matin et payée d'avance à la Spezia. Au moment où le batelier l'avait ramenée du bateau à vapeur à Porto-Venere, elle avait remarqué qu'il était ivre ; elle avait craint de revenir seule avec cet homme, et, comptant trouver quelque autre barque sur cette côte, elle l'avait congédié.

Mais quand elle songea au retour, elle s'avisa du dénuement absolu où elle se trouvait. Rien n'était plus simple pourtant que de retourner à l'hôtel de *la Croix de Malte**, à la Spezia[133], où elle était descendue la veille avec Laurent, d'y faire payer le bateau qui l'y conduirait*, et d'attendre là l'arrivée de Palmer ; mais cette idée de n'avoir pas une obole et d'être forcée de devoir à Palmer son déjeuner du lendemain lui causa une répugnance, puérile peut-être, mais insurmontable, dans les termes où elle se trouvait avec lui. A cette répugnance se joignait une inquiétude* assez vive sur les causes de sa conduite avec elle. Elle avait remarqué la tristesse déchirante de son regard lorsqu'elle était partie de Florence. Elle ne pouvait s'empêcher de croire qu'un obstacle à leur mariage s'était élevé tout à coup, et elle voyait dans ce mariage tant d'inconvénients réels pour Palmer, qu'elle jugeait ne devoir pas essayer de lutter contre l'obstacle, de quelque part qu'il pût venir. Thérèse obéit à une solution toute d'instinct qui était de rester jusqu'à nouvel ordre à Porto-Venere. Elle avait, dans le petit paquet qu'elle avait pris à tout hasard avec elle, de quoi passer, n'importe où, quatre ou cinq jours. En fait de bijoux, elle avait une montre et une chaîne d'or ; c'était un gage qu'elle pouvait laisser jusqu'à ce qu'elle eût reçu l'argent de son travail, qui devait être arrivé à Gênes sous forme de mandat sur un banquier[134]. Elle avait chargé Vicentino de prendre ses lettres à la poste restante de Gênes et de les lui envoyer à la Spezia.

Il s'agissait de passer la nuit quelque part, et l'aspect de Porto-Venere* n'était pas engageant. Ces hautes maisons qui plongent, du côté de la passe de mer, jusqu'au bord de l'eau, sont, dans l'intérieur de la ville, tellement de niveau avec le sommet du rocher, qu'il faut se baisser en plusieurs endroits pour passer sous l'auvent de leurs toits, projetés jusque vers le milieu de la rue. Cette rue étroite et rapide, toute pavée en dalles brutes, était encombrée d'enfants, de poules, et de grands vases de cuivre placés sous les angles irréguliers formés par les toits, à l'effet de recevoir l'eau de pluie durant la nuit. Ces vases sont le thermomètre de la localité : l'eau douce y est si rare qu'aussitôt qu'un nuage paraît dans la direction du vent, les ménagères s'empressent de placer tous les récipients possibles devant leur porte, afin de ne rien perdre du bienfait* que le ciel leur envoie[135].

En passant devant ces portes béantes, Thérèse avisa un intérieur qui lui parut plus propre que les autres, et d'où s'exhalait une odeur d'huile* un peu moins âcre. Il y avait sur le seuil une pauvre femme* dont la figure douce et honnête lui inspira confiance, et justement cette femme la prévint en lui parlant italien ou quelque chose d'approchant. Thérèse put donc s'entendre* avec cette bonne femme, qui lui demandait d'un air obligeant si elle cherchait quelqu'un*. Elle entra, regarda le local, et demanda si l'on pouvait disposer d'une chambre pour la nuit.

« Oui, certainement, d'une chambre meilleure que celle-ci, et où vous serez plus tranquille que dans l'auberge[136], où vous entendriez les mariniers chanter toute la nuit ! Mais je ne suis pas aubergiste, et si vous ne voulez pas que j'aie des querelles, vous direz tout haut demain dans la rue que vous me connaissiez avant de venir ici.

— Soit, dit Thérèse, montrez-moi cette chambre. »

On lui fit monter quelques marches, et elle se trouva dans une pièce vaste et misérable d'où l'œil embrassait un immense panorama sur la mer et sur le golfe ; elle prit cette chambre en amitié à première vue, sans trop savoir pourquoi, si ce n'est qu'elle lui fit l'effet d'un refuge contre des liens qu'elle ne voulait pas être forcée d'accepter. C'est de là qu'elle écrivit le lendemain à sa mère :

« Ma chère bien-aimée, me voilà tranquille depuis douze heures et en pleine possession de mon libre arbitre pour... je ne sais combien de jours ou d'années ! Tout a été remis en question en moi-même, et vous allez être juge de la situation.

« Ce fatal amour qui vous effrayait tant n'est pas renoué et ne le sera pas. Sur ce point, soyez en paix. J'ai suivi mon malade, et je l'ai embarqué hier soir. Si je n'ai pas sauvé sa pauvre âme, et je n'ose guère m'en flatter, du moins je l'ai amendée, et j'y ai fait entrer pour quelques instants la douceur de l'amitié. Si j'avais voulu l'en croire, il était pour jamais guéri de ses orages ; mais je voyais bien, à ses contradictions et à ses retours vers moi, qu'il y avait encore en lui ce qui fait le fonds de sa nature, et ce que je ne saurais bien définir qu'en l'appelant l'amour de ce qui n'est pas.

« Hélas ! oui, cet enfant voudrait avoir pour maîtresse quelque chose comme la Vénus de Milo, animée* du souffle de ma patronne sainte Thérèse, ou plutôt il faudrait que la même femme fût aujourd'hui Sapho et demain Jeanne d'Arc*. Malheur à moi d'avoir pu croire qu'après m'avoir ornée dans son imagination de tous les attributs de la Divinité, il n'ouvrirait pas les yeux le lendemain ! Il faut que, sans m'en douter, je sois bien vaine, pour avoir pu accepter la tâche d'inspirer un culte[137] ! Mais non, je ne l'étais pas, je vous jure ! Je ne songeais pas à moi ; le jour où je me suis laissé porter sur cet autel, je lui disais : Puisqu'il faut absolument que tu m'adores au lieu de m'aimer, ce qui me vaudrait bien mieux, adore-moi, hélas ! sauf à me briser demain !

« Il m'a brisée, mais de quoi puis-je me plaindre ? Je l'avais prévu, et je m'y étais soumise d'avance.

« Pourtant j'ai été faible, indignée et infortunée, quand cet affreux moment est venu ; mais le courage a repris le dessus, et Dieu m'a permis de guérir plus vite que je n'espérais.

« Maintenant, c'est de Palmer qu'il faut que je vous parle. Vous voulez que je l'épouse, il le veut, et moi aussi... Je l'ai voulu ! le veux-je encore ? Que vous dirai-je, ma bien-aimée ? Il me vient encore des scrupules et des craintes. Il y a peut-être de sa faute. Il n'a pas pu ou il n'a pas voulu passer avec moi les derniers moments que j'ai passés avec Laurent : il m'a laissée seule avec lui trois jours, trois jours que je savais être et qui ont été sans danger pour moi ; mais lui, Palmer, le savait-il et pouvait-il en répondre ? ou, ce qui serait pire, s'est-il dit qu'il fallait savoir à quoi s'en tenir ? Il y a eu là, de sa part, je ne sais quel désintéressement romanesque ou quelle discrétion exagérée qui ne peut partir que d'un bon sentiment chez un tel homme, mais qui m'a cependant donné à réfléchir.

« Je vous ai écrit ce qui se passait entre nous ; il semblait qu'il se fût fait un devoir sacré de me réhabiliter, par le mariage, des affronts que je venais de subir. J'ai senti*, moi, l'enthousiasme de la reconnaissance et les attendrissements de l'admiration. J'ai dit oui, j'ai promis d'être sa femme, et encore aujourd'hui je sens que je l'aime autant que désormais je puis aimer*.

« Cependant aujourd'hui j'hésite, parce qu'il me semble qu'il se repent. Est-ce que je rêve ? Je n'en sais rien ; mais pourquoi n'a-t-il pas pu me suivre ici ? Quand j'ai appris la terrible maladie de mon pauvre Laurent, il n'a pas attendu que je lui dise : Je pars pour Florence ; il m'a dit : Nous partons ! Les vingt nuits que j'ai passées au chevet de Laurent, il les a passées dans la chambre voisine, et il ne m'a jamais dit* : Vous vous tuez ! mais seulement : Reposez-vous un peu afin de pouvoir continuer. Jamais je n'ai vu en lui l'ombre de la jalousie. Il semblait qu'à ses yeux je n'en pusse jamais trop faire pour sauver ce fils ingrat que nous avions comme adopté à nous deux[138]. Il sentait bien, ce noble cœur, que sa confiance et sa générosité augmentaient mon amour pour lui, et je lui savais un gré infini de le comprendre. Par là il me relevait à mes propres yeux, et il me rendait fière de lui appartenir.

« Eh bien donc ! pourquoi ce caprice ou cette impossibilité au dernier moment ? Un obstacle imprévu ? Avec la volonté dont je le sais doué, je ne crois guère aux obstacles ; il semble plutôt qu'il ait voulu m'éprouver. Cela m'humilie, je l'avoue. Hélas ! je suis devenue affreusement susceptible depuis que je suis déchue ! N'est-ce pas dans l'ordre ? lui qui comprenait tout, pourquoi n'a-t-il pas compris cela ?

« Ou bien peut-être a-t-il fait un retour sur lui-même et s'est-il dit enfin tout ce que je lui disais dans le principe pour l'empêcher de songer à moi : qu'y aurait-il là d'étonnant ? J'avais toujours connu Palmer pour un homme prudent et raisonnable. En découvrant en lui des trésors d'enthousiasme et de foi, j'ai été bien surprise. Ne pourrait-il pas être un de ces caractères qui s'exaltent en voyant souffrir, et qui se mettent à aimer passionnément les victimes ? C'est un instinct naturel aux gens forts, c'est la sublime pitié des cœurs heureux et purs ! Il y a eu des moments où je me disais cela pour me réconcilier avec moi-même, quand j'aimais Laurent, puisque c'est sa souffrance, avant tout et plus que tout, qui m'avait attachée à lui !

« Tout ce que je vous dis là, chère bien-aimée, je n'oserais pourtant le dire à Richard Palmer, s'il était là ! Je craindrais que mes doutes ne lui fissent un chagrin affreux, et me voilà bien embarrassée, car ces doutes, je les ai malgré moi, et j'ai peur, sinon pour aujourd'hui, du moins pour demain. Ne va-t-il pas se couvrir de ridicule en épousant une femme qu'il aime, dit-il, depuis dix ans, à qui il n'en a jamais dit le premier mot, et qu'il se décide à attaquer le jour où il la trouve sanglante et brisée sous les pieds d'un autre homme ?

« Je suis ici dans un affreux et magnifique petit port de mer où j'attends assez passivement le mot de ma destinée. Peut-être Palmer est-il à la Spezia, à trois lieues d'ici. C'est là que nous nous étions donné rendez-vous. Et moi, comme une boudeuse, ou plutôt comme une peureuse, je ne peux pas me décider à aller lui dire : Me voilà !
— Non, non ! s'il doute de moi, rien n'est plus possible entre nous ! J'ai pardonné à l'autre cinq ou six outrages par jour. A celui-ci je ne pourrais passer l'ombre d'un soupçon*. Est-ce de l'injustice ? Non ! il me faut désormais un amour sublime ou rien ! Ai-je donc cherché le sien ? Il me l'a imposé en me disant : Ce sera le ciel ! L'*autre* m'avait bien dit que ce serait peut-être l'enfer qu'il m'apportait ! Il ne m'a pas trompée. Eh bien ! il ne faut pas que Palmer me trompe en se trompant lui-même, car après cette nouvelle erreur* il ne me resterait plus qu'à nier tout, à me dire que, comme Laurent, j'ai à jamais perdu par ma faute le droit de croire, et je ne sais pas si avec cette certitude-là je supporterais la vie, moi !

« Pardon, ma bien-aimée, mes agitations vous font du mal, j'en suis sûre, bien que vous disiez qu'il vous les faut ! N'ayez du moins pas d'inquiétude pour ma santé ; je me porte à merveille, j'ai sous les yeux la plus belle mer, et sur la tête le plus beau ciel qui se puissent imaginer. Je ne manque de rien, je suis chez de braves gens, et peut-être demain vous écrirai-je que mes incertitudes sont évanouies. Aimez toujours votre Thérèse qui vous adore. »

Palmer était en effet à la Spezia depuis la veille. Il était arrivé à dessein juste une heure après le départ du *Ferruccio*. Ne trouvant pas Thérèse à *la Croix de Malte*, et apprenant* qu'elle avait dû embarquer Laurent à l'entrée du golfe, il attendit son retour. Il vit revenir seul à neuf heures le batelier qu'elle avait pris le matin*, et qui appartenait à l'hôtel. Le brave garçon n'était pas sujet à s'enivrer. Il avait été *surpris* par une bouteille* de chypre que Laurent, après avoir dîné sur l'herbe avec Thérèse, lui avait donnée[139], et qu'il avait bue pendant la station des deux amis à l'île de Palmaria*, si bien qu'il se souvenait assez bien d'avoir conduit le *signore* et la *signora* à bord du *Ferruccio*, mais nullement d'avoir conduit ensuite la *signora* à Porto-Venere.

Si Palmer l'eût interrogé avec calme, il eût bientôt découvert que les idées du barcarolle n'étaient pas très nettes sur le dernier point ; mais Palmer, avec son air grave et impassible, était très irritable et très passionné. Il crut que Thérèse était partie avec Laurent, partie en rougissant, et sans oser ou sans vouloir* lui faire l'aveu de la vérité. Il se le tint pour dit, et rentra à l'hôtel, où il passa une nuit terrible.

Ce n'est pas l'histoire de Richard Palmer que nous nous sommes proposé d'écrire. Nous avons intitulé notre récit *Elle et Lui*, c'est-à-dire Thérèse et Laurent. Nous ne dirons donc de Palmer que ce qu'il est nécessaire d'en dire pour faire comprendre les événements auxquels il se trouva mêlé, et nous pensons que son caractère sera suffisamment expliqué par sa conduite[140]. Hâtons-nous de dire seulement en trois mots que Richard était aussi ardent que romanesque, qu'il avait beaucoup d'orgueil, l'orgueil du bien et du beau, mais que la force de son caractère n'était pas toujours à la hauteur de l'idée qu'il s'en était faite, et qu'en voulant s'élever sans cesse au-dessus de la nature humaine, il caressait un rêve généreux, mais peut-être irréalisable en amour.

Il se leva de bonne heure et se promena au bord du golfe, en proie à des pensées de suicide, dont le détourna cependant une sorte de mépris pour Thérèse ; puis la fatigue* d'une nuit d'agitations reprit ses droits et lui donna les conseils de la raison. Thérèse était femme, et il n'eût pas dû la soumettre à une épreuve dangereuse. Eh bien ! puisqu'il en était ainsi, puisque Thérèse, placée si haut* dans son estime, avait été vaincue par une passion déplorable* après des promesses sacrées, il ne fallait plus croire à aucune femme, et aucune femme ne méritait le sacrifice de la vie d'un galant homme. Palmer en était là, lorsqu'il vit aborder près du lieu où il se trouvait un élégant canot noir*, monté par un officier de marine. Les huit rameurs qui faisaient rapidement glisser la longue et mince embarcation sur le flot tranquille relevèrent leurs rames blanches en signe de respect avec une précision militaire ; l'officier mit pied à terre et se dirigea vers Richard, qu'il avait reconnu de loin.

C'était le capitaine Lawson, commandant la frégate américaine* *l'Union*, en station depuis un an dans le golfe[141]. On sait que les puissances maritimes envoient stationner, pour plusieurs mois ou plusieurs années, des navires destinés à protéger leurs relations commerciales dans les différents parages du globe*.

Lawson était l'ami d'enfance de Palmer, qui avait donné à Thérèse une lettre de recommandation pour lui, dans le cas où elle voudrait visiter le navire en parcourant la rade.

Palmer pensa* que Lawson allait lui parler d'elle, mais il n'en fut rien. Il n'avait reçu aucune lettre, il n'avait vu personne venant de sa part. Il l'emmena déjeuner à son bord, et Richard se laissa faire. *L'Union* quittait la station à la fin du printemps[142], Palmer caressa l'idée de profiter de l'occasion pour retourner en Amérique. Tout lui semblait rompu entre Thérèse et lui ; pourtant il résolut de rester à la Spezia, la vue de la mer ayant toujours eu sur lui une influence fortifiante dans les moments difficiles de sa vie.

Il y était depuis trois jours, habitant le navire américain beaucoup plus que l'hôtel de *la Croix de Malte*, s'efforçant de reprendre goût aux études sur la navigation, qui avait rempli la majeure partie de sa vie, lorsqu'un jeune enseigne raconta un matin à déjeuner, moitié riant, moitié soupirant, qu'il était tombé amoureux depuis la veille, et que l'objet de sa passion était un problème sur lequel il voudrait avoir l'avis d'un homme du monde comme M. Palmer.

C'était une femme qui paraissait avoir de vingt-cinq à trente ans. Il ne l'avait vue qu'à une fenêtre où elle était assise, faisant de la dentelle. La grosse dentelle de coton est l'ouvrage des femmes du peuple sur toute la côte génoise. C'était autrefois une branche de commerce que les métiers ont ruinée, mais qui sert encore d'occupation et de petit profit aux femmes et aux filles du littoral*[143]. Donc celle dont le jeune enseigne était épris appartenait à la classe des artisanes, non seulement par ce genre de travail, mais encore par la pauvreté du gîte où il l'avait aperçue. Cependant la coupe de sa robe noire et la distinction de ses traits lui causaient du doute*. Elle avait des cheveux ondés qui n'étaient ni bruns ni blonds, des yeux rêveurs, un teint pâle*. Elle avait très bien vu que, de l'auberge où il s'était réfugié contre la pluie, le jeune officier la contemplait avec curiosité. Elle n'avait daigné ni l'encourager, ni se soustraire à ses regards. Elle lui avait offert l'image désespérante de l'indifférence personnifiée*[144].

Le jeune marin raconta encore qu'il avait interrogé l'aubergiste de Porto-Venere. Celle-ci lui avait répondu que l'étrangère était là depuis trois jours, chez une vieille femme de l'endroit qui la faisait passer pour sa nièce et qui mentait probablement, car c'était une vieille intrigante qui louait une mauvaise chambre au détriment de l'auberge attitrée et patentée, et qui se mêlait d'attirer et de nourrir les voyageurs apparemment, mais qui devait les nourrir bien mal, car elle n'avait rien, et pour ce méritait le mépris des gens établis et des voyageurs qui se respectent.

En raison de ce discours, le jeune enseigne n'avait rien eu de plus pressé que d'aller chez la vieille et de lui demander à loger pour un de ses amis qu'il attendait, espérant, à la faveur de cette histoire, la faire causer et savoir quelque chose sur le compte de cette inconnue ; mais la vieille avait été impénétrable et même incorruptible*.

Le portrait que le marin faisait de cette jeune inconnue éveilla l'attention de Palmer. Ce pouvait être celui de Thérèse ; mais que faisait-elle et pourquoi se cachait-elle à Porto-Venere ? Sans doute elle n'y était pas seule ; Laurent devait être caché dans quelque autre coin. Palmer agita en lui-même la question de savoir s'il s'en irait en Chine pour n'être pas témoin de son malheur. Pourtant il prit le parti le plus raisonnable, qui était de savoir à quoi s'en tenir*.

Il se fit conduire aussitôt à Porto-Venere, et n'eut pas de peine à y découvrir Thérèse, logée et occupée ainsi qu'on le lui avait raconté. L'explication fut vive et franche[145]. Tous deux étaient trop sincères pour se bouder, aussi tous deux s'avouèrent-ils qu'ils avaient eu beaucoup d'humeur l'un contre l'autre, Palmer pour n'avoir pas été averti par Thérèse du lieu de sa retraite, Thérèse pour n'avoir pas été mieux cherchée et retrouvée plus tôt par Palmer.

« Mon amie, dit celui-ci, vous semblez me reprocher surtout de vous avoir comme abandonnée à un danger. Ce danger, moi, je n'y croyais pas !

— Vous aviez raison, et je vous en remercie. Alors pourquoi étiez-vous triste et comme désespéré en me voyant partir ? Et comment se fait-il qu'en arrivant ici, vous n'ayez pas su découvrir où j'étais dès le premier jour ? Vous avez donc supposé que j'étais partie, et qu'il était inutile de me chercher ?

— Écoutez-moi, dit Palmer, éludant la question, et vous verrez que j'ai eu, depuis quelques jours, bien des amertumes qui ont pu me faire perdre la tête. Vous comprendrez aussi pourquoi, vous ayant connue toute jeune, et pouvant prétendre à vous épouser, j'ai passé à côté d'un bonheur dont le regret et le rêve ne m'ont jamais quitté. J'étais dès lors l'amant* d'une femme qui s'est jouée de moi de mille manières. Je me croyais, je me suis cru, pendant dix ans en devoir de la relever et de la protéger. Enfin elle a mis le comble à son ingratitude et à sa perfidie, et j'ai pu l'abandonner, l'oublier, et disposer de moi-même. Eh bien ! cette femme que je croyais en Angleterre, je l'ai retrouvée à Florence au moment où Laurent devait partir. Abandonnée d'un nouvel amant qui m'avait succédé, elle voulait et comptait me reprendre : tant de fois déjà elle m'avait trouvé généreux ou faible ! Elle m'écrivait une lettre de menaces, et, feignant une jalousie absurde, elle prétendait venir vous insulter en ma présence. Je la savais femme à ne reculer devant aucun scandale, et je ne voulais, pour rien au monde, que vous fussiez seulement témoin de ses fureurs[146]. Je ne pus la décider à ne pas se montrer qu'en lui promettant d'avoir une explication avec elle le jour même. Elle demeurait précisément dans l'hôtel où nous logions auprès de notre malade, et quand le voiturin qui devait emmener Laurent arriva devant la porte, elle était là, résolue à faire un esclandre. Son thème odieux et ridicule était de crier, devant tous les gens de l'hôtel et de la rue, que je partageais ma nouvelle maîtresse avec Laurent de Fauvel[147]. Voilà pourquoi je vous fis partir avec lui, et pourquoi je restai, afin d'en finir avec cette folle sans vous compromettre, et sans vous exposer à la voir ou à l'entendre. A présent ne dites plus que j'ai voulu vous soumettre à une épreuve en vous laissant seule avec Laurent. J'ai assez souffert de cela, mon Dieu, ne m'accusez pas ! Et quand je vous ai crue partie avec lui, toutes les furies de l'enfer se sont mises après moi.

— Et voilà ce que je vous reproche, dit Thérèse.

— Ah ! que voulez-vous ! s'écria Palmer, j'ai été si odieusement trompé dans ma vie ! Cette misérable femme avait remué en moi tout un monde d'amertume* et de mépris.

— Et ce mépris a rejailli sur moi ?

— Oh ! ne dites pas cela, Thérèse !

— Moi aussi pourtant, reprit-elle, j'ai été bien trompée, et je croyais en vous quand même.

— Ne parlons plus de cela, mon amie, je regrette d'avoir été forcé de vous confier mon passé. Vous allez croire qu'il peut réagir sur mon avenir, et que, comme Laurent, je vous ferai payer les trahisons dont j'ai été abreuvé. Voyons, voyons, ma chère Thérèse, chassons ces tristes pensées. Vous êtes ici dans un endroit à donner le *spleen*. La barque nous attend ; venez vous établir à la Spezia.

— Non, dit Thérèse, je reste ici, moi.

— Comment ? qu'est-ce donc ? du dépit entre nous ?

— Non, non, mon cher Dick, reprit-elle en lui tendant la main : avec vous je n'en veux jamais avoir. Oh ! faites, je vous en supplie, que notre affection soit un idéal de sincérité*, car j'y veux, quant à moi, faire tout ce qui est possible à une âme croyante ; mais je ne vous savais pas jaloux, vous l'avez été et vous en convenez. Eh bien ! sachez qu'il n'est pas en mon pouvoir de ne pas souffrir cruellement de cette jalousie. C'est tellement le contraire de ce que vous m'aviez promis, que je me demande où nous allons maintenant, et pourquoi il faut qu'au sortir d'un enfer, j'entre dans un purgatoire, moi qui n'aspirais qu'au repos et à la solitude.

« Ces nouveaux tourments* qui semblent se préparer, ce n'est pas pour moi seule que je les redoute ; s'il était possible qu'en amour, l'un des deux fût heureux quand l'autre souffre, la route du dévouement serait toute tracée et facile à suivre ; mais il n'en est pas ainsi, vous le voyez bien : je ne puis avoir un instant de douleur que vous ne le ressentiez. Me voilà donc entraînée à gâter votre vie, moi qui voulais rendre la mienne inoffensive, et je commence* à faire un malheureux ! Non, Palmer, croyez-moi, nous pensions nous connaître, et nous ne nous connaissions pas. Ce qui m'avait charmé en vous, c'était une disposition d'esprit que vous n'avez déjà plus, la confiance. Ne comprenez-vous pas qu'avilie comme je l'étais, il me fallait cela pour vous aimer, et rien autre chose ? Si je subissais maintenant votre affection avec des taches et des faiblesses, avec des doutes et des orages, ne seriez-vous pas en droit de vous dire que je fais un calcul en vous épousant ? Oh ! ne dites pas que cette idée ne vous viendra jamais ; elle vous viendra malgré vous. Je sais trop comment d'un soupçon on passe à un autre, et quelle pente rapide nous emporte d'un premier désenchantement à un dégoût injurieux ! Or moi, tenez, j'en ai assez bu de ce fiel ! je n'en veux plus, et je ne m'en fais pas accroire, je ne suis plus capable de subir ce que j'ai subi ; je vous l'ai dit dès le premier jour, et si vous l'avez oublié, moi, je m'en souviens. Éloignons donc cette idée de mariage, ajouta-t-elle*, et restons amis. Je reprends provisoirement ma parole, jusqu'à ce que je puisse compter sur votre estime, telle que je croyais la posséder. Si vous ne voulez pas vous soumettre à une épreuve*, quittons-nous tout de suite. Quant à moi, je vous jure que je ne veux rien vous devoir, pas même le plus léger service, dans la position où je suis. Cette position, je veux vous la dire, car il faut que vous compreniez ma volonté. Je me trouve ici logée et nourrie sur parole, car je n'ai absolument rien, j'ai tout confié à Vicentino pour les frais du voyage de Laurent ; mais il se trouve que je sais faire de la dentelle plus vite et mieux que les femmes du pays*, et, en attendant que je reçoive de Gênes l'argent qui m'est dû, je peux gagner ici, au jour le jour, de quoi, sinon récompenser, du moins défrayer ma bonne hôtesse de la très frugale nourriture qu'elle me fournit. Je n'éprouve ni humiliations, ni souffrance de cet état de choses, et il faut qu'il dure jusqu'à ce que mon argent arrive. Je verrai alors quel parti j'ai à prendre. Jusque-là, retournez à la Spezia, et venez me voir quand vous voudrez ; je ferai de la dentelle, tout en causant avec vous. »

Palmer dut se soumettre, et il se soumit de bonne grâce. Il espérait regagner la confiance de Thérèse, et il sentait bien* l'avoir ébranlée par sa faute.

Porto Venere. de Palmaria

X

Quelques jours après, Thérèse reçut une lettre de Genève. Laurent s'y accusait par écrit de tout ce dont il s'était accusé en paroles, comme s'il eût voulu consacrer ainsi le témoignage de son repentir. « Non, disait-il, je n'ai pas su te mériter. J'ai été indigne d'un amour si généreux, si pur et si désintéressé. J'ai lassé ta patience, ô ma sœur ! ô ma mère* ! Les anges aussi se fussent lassés de moi ! Ah ! Thérèse, à mesure que je reviens à la santé et à la vie, mes souvenirs s'éclaircissent, et je regarde dans mon passé comme dans un miroir qui me montre le spectre d'un homme que j'ai connu, mais que je ne comprends plus. A coup sûr, ce malheureux était en démence ; ne penses-tu pas, Thérèse, que, marchant vers cette épouvantable maladie physique dont tu m'as sauvé par miracle, j'ai pu, trois et quatre mois d'avance, être sous le coup d'une maladie morale qui m'ôtait la conscience de mes paroles et de mes actions[148] ? Oh ! si cela était, n'aurais-tu pas dû me pardonner ?... Mais ce que je dis là, hélas ! n'a pas le sens commun. Qu'est-ce que le mal, sinon une maladie morale ? Celui qui tue son père* ne pourrait-il pas invoquer la même excuse que moi ? Le bien, le mal, voici la première fois que cette notion me tourmente : avant de te connaître et de te faire souffrir, ma pauvre bien-aimée, je n'y avais jamais songé. Le mal était pour moi un monstre de bas étage*, la bête apocalyptique qui souille de ses embrassements hideux le rebut des hommes dans les bas-fonds infects de la société ; le mal ! pouvait-il approcher de moi, l'homme de la vie élégante, le *beau* de Paris, le noble fils des muses[149] ! Ah ! imbécile que j'étais, je me figurais donc, parce que j'avais la barbe parfumée et les mains bien gantées, que mes caresses purifiaient la grande prostituée des nations, l'orgie*, ma fiancée, qui m'avait lié à elle d'une chaîne aussi noble que celle qui lie les forçats dans les bagnes[150] ! Et je t'ai immolée, ma pauvre douce maîtresse, à mon brutal égoïsme, et après cela j'ai relevé la tête en disant : C'était mon droit, elle m'appartenait ; rien ne saurait être mal de ce que j'ai le droit de faire ! Ah ! malheureux, malheureux que je suis ! j'ai été criminel, et je ne m'en suis pas douté ! Il m'a fallu, pour le comprendre, te perdre, toi mon seul bien, le seul être qui m'eût jamais aimé et qui fût capable d'aimer l'enfant ingrat et insensé que j'étais ! C'est seulement quand j'ai vu mon ange gardien se voiler la face et reprendre son vol vers les cieux, que j'ai compris que j'étais à jamais seul et abandonné sur la terre ! »

Une longue partie de cette première lettre[151] était écrite sur un ton d'exaltation dont la sincérité se trouvait confirmée par des détails de réalité et un brusque changement de ton*, caractéristique chez Laurent.

« Croirais-tu qu'en arrivant à Genève, la première chose que j'aie faite avant de songer à t'écrire, c'est d'aller acheter un gilet ? Oui, un gilet d'été, fort joli, ma foi, et très bien coupé, que j'ai trouvé chez un tailleur français, rencontre agréable pour un voyageur pressé de quitter cette ville d'horlogers et de naturalistes ! Me voilà donc courant les rues de Genève, enchanté de mon gilet neuf, et m'arrêtant devant la boutique d'un libraire où une certaine édition de Byron, reliée avec un grand goût, me paraissait une tentation irrésistible[152]. Que lire en voyage ? Je ne peux pas souffrir les livres de voyage précisément, à moins qu'ils ne parlent de pays où je ne pourrai jamais aller. J'aime mieux les poètes qui vous promènent dans le monde de leurs rêves, et je me suis payé cette édition. Et puis j'ai suivi au hasard une très jolie fille court vêtue qui passait devant moi, et dont la cheville me paraissait un chef-d'œuvre d'emmanchement. Je l'ai suivie en pensant beaucoup plus à mon gilet qu'à elle. Tout à coup elle a pris à droite, et moi à gauche sans m'en apercevoir, et je me suis trouvé de retour à mon hôtel, où, en voulant serrer mon livre nouveau dans ma malle, j'ai retrouvé les violettes doubles que tu avais semées dans ma cabine du *Ferruccio* au moment de nos adieux. Je les avais ramassées une à une avec soin, et je les gardais comme une relique ; mais voilà qu'elles m'ont fait pleurer comme une gouttière*[153], et en regardant mon gilet neuf, qui avait été le principal événement de ma matinée, je me suis dit : "Voilà pourtant l'enfant que cette pauvre femme a aimé !" »

Ailleurs il lui disait :

« Tu m'as fait promettre de soigner ma santé, en me disant : "Puisque c'est moi qui te l'ai rendue, elle m'appartient un peu, et j'ai le droit de te défendre de la perdre[154]." Hélas ! ma Thérèse, que veux-tu donc que j'en fasse, de cette maudite santé qui commence à m'enivrer comme le vin nouveau ? Le printemps fleurit, et c'est la saison d'aimer, je le veux bien ; mais dépend-il de moi d'aimer ? Tu n'as pu m'inspirer le véritable amour, toi, et tu crois que je rencontrerai une femme capable de faire le miracle que tu n'as pas fait[155] ? Où la trouverai-je, cette magicienne ? Dans le monde ? Non, certes : il n'y a là que des femmes qui ne veulent rien risquer ou rien sacrifier. Elles ont bien raison certainement, et tu pourrais leur dire, ma pauvre amie, que ceux à qui l'on se sacrifie ne le méritent guère ; mais moi, ce n'est pas ma faute si je ne peux pas plus me résoudre à

138

partager avec un mari qu'avec un amant. Aimer une demoiselle ?
L'épouser alors ? Oh ! pour le coup, Thérèse, tu ne peux pas penser
à cela sans rire... ou sans trembler. Moi, enchaîné de par la loi,
quand je ne peux pas seulement l'être par ma propre volonté !

« J'ai eu jadis un ami qui aimait une grisette et qui se croyait heureux. J'ai fait la cour à cette fidèle amante, et je l'ai eue pour une
perruche verte que son amant ne voulait pas lui donner. Elle disait
naïvement : "Dame ! c'est sa faute, à *lui* ; que ne me donnait-il cette
perruche !" Et depuis ce jour-là je me suis promis de ne jamais aimer
une femme entretenue*, c'est-à-dire un être qui a envie de tout ce que
son amant ne lui donne pas.

« Alors, en fait de maîtresse, je ne vois plus qu'une aventurière,
comme on en rencontre sur les chemins, et qui sont toutes nées prin-
cesses, mais qui ont eu *des malheurs*. Trop de malheurs, merci ! Je ne
suis pas assez riche pour combler les abîmes de ces passés-là. — Une
actrice en renom ? Cela m'a tenté souvent[156] ; mais il faudrait que ma
maîtresse renonçât au public, et c'est là un amant que je ne me sens
pas la force de remplacer. Non, non, Thérèse, je ne peux pas aimer,
moi ! Je demande trop, et je demande ce que je ne sais pas rendre ;
donc il faudra bien que je retourne à mon ancienne vie. J'aime mieux
cela, parce que ton image ne sera jamais souillée en moi par une comparaison possible. Pourquoi ma vie ne s'arrangerait-elle pas ainsi : des
femmes pour les sens et une maîtresse pour mon âme ? Il ne dépend
ni de toi, ni de moi, Thérèse, que tu ne sois pas cette maîtresse, cet
idéal rêvé, perdu, pleuré, et rêvé plus que jamais. Tu ne peux t'en
offenser, je ne t'en dirai jamais rien. Je t'aimerai dans le secret de
ma pensée sans que personne ne le sache[157], et sans qu'aucune autre
femme puisse jamais dire : "Je l'ai remplacée, cette Thérèse." »

« Mon amie, il faut que tu m'accordes une faveur que tu m'as
refusée pendant ces derniers jours si doux et si chers que nous avons
passés ensemble : c'est de me parler de Palmer. Tu as cru que cela
me ferait encore du mal. Eh bien ! tu t'es trompée[158]. Cela m'aurait
tué lorsque pour la première fois je t'ai questionnée avec emportement sur son compte* : j'étais encore malade et un peu fou[159] ; mais
quand la raison m'est revenue, quand tu m'as laissé deviner le *secret*
que tu n'étais pas forcée de me confier, j'ai senti, au milieu de ma
douleur, qu'en acceptant ton bonheur je réparais toutes mes fautes.
J'ai examiné attentivement votre manière d'être ensemble : j'ai vu
qu'il t'aimait passionnément et qu'il me témoignait pourtant la tendresse d'un père. Cela, vois-tu, Thérèse, m'a bouleversé. Je n'avais
pas l'idée de cette générosité, de cette grandeur dans l'amour[160]. Heureux Palmer ! comme il est sûr de toi, lui ! comme il te comprend,
comme il te mérite par conséquent ! Cela m'a rappelé le temps où je
te disais : Aimez Palmer, vous me ferez bien plaisir ! Ah ! quel
odieux sentiment j'avais alors dans l'âme ! Je voulais être délivré de
ton amour qui m'accablait* de remords, et pourtant, si alors tu
m'avais répondu : Eh bien ! je l'aime !... je t'aurais tuée ?

« Et lui, ce bon grand cœur, il t'aimait déjà, et il n'a pas craint de se consacrer à toi au moment où peut-être tu m'aimais encore ! Moi, en pareille circonstance, je n'aurais jamais osé me risquer. J'avais une trop belle dose de cet orgueil que nous portons si fièrement, nous autres hommes du monde, et qui a été si bien inventé par les sots pour nous empêcher de vouloir conquérir le bonheur à nos risques et périls, ou de savoir seulement le ressaisir quand il nous échappe.

« Oui je veux me confesser jusqu'au bout, ma pauvre amie. Quand je te disais : *Aimez Palmer*, je croyais quelquefois que tu l'aimais déjà, et c'est là ce qui achevait de m'éloigner de toi. Il y a eu, dans les derniers temps, bien des heures où j'ai été prêt à me jeter à tes pieds ; j'étais arrêté par cette idée : il est trop tard*, elle en aime un autre. Je l'ai voulu, mais elle n'eût pas dû le vouloir. Donc elle est indigne de moi !

« Voilà comme je raisonnais dans ma folie, et pourtant, j'en suis sûr à présent, si j'étais revenu à toi sincèrement, quand même tu aurais commencé à aimer Dick, tu me l'aurais sacrifié. Tu aurais recommencé ce martyre que je t'imposais. Allons ! j'ai bien fait, n'est-ce pas, de m'enfuir ? Je le sentais en te quittant ! Oui, Thérèse, c'est là ce qui m'a donné la force de me sauver à Florence sans te dire un seul mot[161]. Je sentais que je t'assassinais jour par jour, et que je n'avais plus d'autre manière de réparer mes torts que de te laisser seule auprès d'un homme qui t'aimait véritablement.

« C'est encore là ce qui a soutenu mon courage à la Spezia, durant cette journée où j'aurais encore pu tenter d'obtenir ma grâce ; mais cette détestable pensée ne m'est pas venue, je t'en fais le serment, mon amie. Je ne sais pas si tu avais dit à ce batelier de ne pas nous perdre de vue ; mais c'était bien inutile, va ! Je me serais jeté dans la mer plutôt que de vouloir trahir la confiance que Palmer me témoignait en nous laissant ensemble.

« Dis-le-lui donc, à lui, que je l'aime véritablement, autant que je puis aimer. Dis-lui que c'est à lui, autant qu'à toi, que je dois de m'être condamné et exécuté comme j'ai fait. J'ai bien souffert, mon Dieu, pour accomplir ce suicide du vieil homme ! Mais je suis fier de moi-même à présent. Tous mes anciens amis jugeraient que j'ai été un sot ou un lâche de ne pas tâcher de tuer mon rival en duel[162], sauf à abandonner ensuite, en lui crachant au visage, la femme qui m'avait trahi ! Oui, Thérèse, c'est ainsi que moi-même j'eusse probablement jugé chez un autre la conduite que j'ai pourtant tenue vis-à-vis de toi et de Palmer avec autant de résolution que de joie*. C'est que je ne suis pas une brute, Dieu merci ! je ne vaux rien ; mais je comprends le peu que je vaux, et je me rends justice.

« Parle-moi donc de Palmer et ne crains pas que j'en souffre ; loin de là, ce sera ma consolation dans mes heures de spleen. Ce sera ma force aussi, car ton pauvre enfant est encore bien faible, et quand il se met à penser à ce qu'il eût pu être et à ce qu'il est maintenant pour toi, sa tête s'égare encore. Mais dis-moi que tu es heureuse et je me dirai avec orgueil : "J'aurais pu troubler, disputer et peut-être détruire ce bonheur ; je ne l'ai pas fait. Il est donc un peu mon ouvrage, et j'ai droit maintenant à l'amitié de Thérèse." »

Thérèse répondit avec tendresse à son pauvre enfant. C'est sous ce titre qu'il était désormais enseveli et comme embaumé dans le sanctuaire du passé... Thérèse aimait Palmer, du moins elle voulait ou croyait l'aimer. Il ne lui semblait pas qu'elle pût jamais regretter le temps, où, tous les matins, elle s'éveillait*, disait-elle, en regardant si la maison n'allait pas lui tomber sur la tête.

Et pourtant quelque chose lui manquait, et je ne sais quelle tristesse s'était emparée d'elle depuis qu'elle habitait ce livide rocher de Porto-Venere. C'était comme un détachement* de la vie qui, par moment, n'était pas sans charme pour elle ; mais c'était quelque chose de morne et d'abattu qui n'était pas dans son caractère, et qu'elle ne s'expliquait pas à elle-même.

Il lui fut impossible de faire ce que Laurent lui demandait à propos de Palmer : elle lui en fit brièvement le plus grand éloge et lui dit de sa part les choses les plus affectueuses ; mais elle ne put se résoudre à le prendre pour confident de leur intimité. Elle répugnait à faire part de sa véritable situation, c'est-à-dire à confier des engagements* sur lesquels elle ne s'était pas dit à elle-même son dernier mot. Et quand même elle eût été fixée, n'eût-il pas été trop tôt pour dire à Laurent : « Vous souffrez encore, tant pis pour vous ! moi, je me marie ! »

L'argent qu'elle attendait n'arriva qu'au bout de quinze jours. Elle fit de la dentelle pendant quinze jours* avec une persévérance qui désolait Palmer*. Lorsqu'elle se vit enfin à la tête de quelques billets de banque, elle paya largement sa bonne hôtesse et se permit de sortir avec Palmer pour se promener autour du golfe ; mais elle désira rester à Porto-Venere encore quelque temps, sans trop pouvoir expliquer pourquoi elle tenait à cette morne et misérable résidence.

Il est des situations morales qui se sentent mieux qu'elles ne se définissent. C'est avec sa mère que Thérèse venait à bout, dans ses lettres, de s'épancher.

« Je suis encore ici, lui écrivait-elle au mois de juillet*, en dépit d'une chaleur dévorante. Je me suis attachée comme un coquillage à ce rocher où jamais un arbre n'a pu songer à pousser, mais où soufflent des brises énergiques et vivifiantes. Ce climat est dur, mais sain, et la vue continuelle de la mer, que je ne pouvais souffrir autrefois, m'est devenue en quelque sorte nécessaire. Le pays que j'ai derrière moi, et qu'en moins de deux heures je peux gagner en barque, était ravissant au printemps. En s'enfonçant dans les terres au fond du golfe, à deux ou trois lieues de la côte, on découvre les sites les plus étranges. Il y a une certaine région de terrains déchirés par je ne sais quels anciens tremblements de terre*, qui présente les accidents les plus bizarres. C'est une suite de collines de sable rouge recouvertes de pins et de bruyères, s'échelonnant les unes sur les autres, et offrant sur leurs crêtes d'assez larges voies naturelles qui tout à coup tombent à pic dans les abîmes et vous laissent fort embarrassé de continuer[163]. Si l'on revient sur ses pas et que l'on se trompe dans le dédale des petits sentiers battus par les pieds des troupeaux, on arrive à d'autres abîmes, et nous sommes restés quelquefois, Palmer et moi, des heures entières sur ces sommets boisés, sans retrouver le chemin qui nous y avait amenés. De là on plonge sur une immensité de pays cultivé, coupé de place en place avec une sorte de régularité par ces accidents étranges, et au-delà de cette immensité se déploie l'immensité bleue de la mer. De ce côté-là, il semble que l'horizon n'ait pas de limites. Du côté du nord et de l'est, ce sont les Alpes maritimes*, dont les crêtes, hardiment dessinées, étaient encore couvertes de neige quand je suis arrivée ici[164].

« Mais il n'est plus question de ces savanes de cistes en fleurs et de ces arbres de bruyère blanche qui répandaient un parfum si frais et si fin aux premiers jours de mai. C'était alors un paradis terrestre : ces bois étaient pleins de faux ébéniers, d'arbres de Judée, de genêts odorants et de cytises étincelants comme de l'or au milieu des noirs buissons de myrte[165]. A présent, tout est brûlé, les pins exhalent une odeur âcre, les champs de lupin, si fleuris et si parfumés naguère, n'offrent plus que des tiges coupées, noires comme si le feu y avait passé ; les moissons enlevées, la terre fume au soleil de midi, et il faut se lever de grand matin pour se promener sans souffrir. Or, comme il faut d'ici quatre heures au moins, tant en barque que sur les pieds, pour gagner la partie boisée* du pays, le retour n'est pas agréable, et toutes les hauteurs qui entourent immédiatement le golfe, magnifiques de formes et d'aspect, sont si nues que c'est encore à Porto-Venere et dans l'île Palmaria que l'on peut respirer le mieux.

« Et puis il y a un fléau à la Spezia : ce sont les moustiques engendrés par les eaux stagnantes d'un petit lac voisin et des immenses marécages que la culture dispute aux eaux de la mer*. Ici, ce n'est pas l'eau des terres qui nous gêne : nous n'avons que la mer et le rocher, pas d'insectes par conséquent, pas un brin d'herbe ; mais quels nuages d'or et de pourpre, quelles tempêtes sublimes, quels calmes solennels ! La mer est un tableau qui change de couleur et de sentiment à chaque minute du jour et de la nuit. Il y a ici des gouffres remplis de clameurs dont vous ne pouvez vous représenter l'effroyable variété ; tous les sanglots du désespoir, toutes les imprécations de l'enfer s'y sont donné rendez-vous, et de ma petite fenêtre j'entends dans la nuit ces voix de l'abîme qui tantôt rugissent une bacchanale sans nom, tantôt chantent des hymnes sauvages encore redoutables dans leur plus grand apaisement.

« Eh bien ! j'aime tout cela maintenant, moi qui avais les goûts champêtres et l'amour des petits coins verts et tranquilles. Est-ce parce que j'ai pris dans ce fatal amour l'habitude des orages et le besoin du bruit ? Peut-être ! Nous sommes de si étranges créatures, nous autres femmes ! Il faut que je vous le confesse, ma bien-aimée, j'ai passé bien des jours avant de m'habituer à me passer de mon supplice. Je ne savais que faire de moi, n'ayant plus personne à servir et à soigner. Il eût fallu que Palmer fût un peu insupportable ; mais voyez l'injustice, dès qu'il a fait mine de l'être, je me suis révoltée, et à présent qu'il est redevenu bon comme un ange, je ne sais plus à qui m'en prendre de l'épouvantable ennui qui m'envahit par moments. Hélas ! oui, c'est comme cela !... Dois-je vous le dire ? Non, je ferais mieux de ne pas le savoir moi-même, ou, si je le sais, de ne pas vous affliger de ma folie. Je voulais ne vous parler que du pays, de mes promenades, de mes occupations, de ma triste chambre sous les toits, ou plutôt sur les toits*, et où je me plais à être seule, ignorée, oubliée du monde, sans devoirs, sans clients, sans affaires, sans autre travail que celui qui me plaît. Je fais poser des petits enfants, et je m'amuse à composer des groupes ; mais tout cela ne vous suffit pas, et si je ne vous dis pas où j'en suis de mon cœur et de ma volonté, vous serez encore plus inquiète. Eh bien ! sachez-le, je suis bien décidée à épouser Palmer et je l'aime ; mais je n'ai pas encore pu me résoudre à fixer l'époque du mariage, je crains* pour lui et pour moi-même le lendemain de cette union indissoluble. Je ne suis plus dans l'âge des illusions, et après une vie comme la mienne on a cent ans d'expérience et par conséquent de terreurs ! Je me suis crue absolument détachée de Laurent, je l'étais absolument en effet à Gênes, le jour où il me dit que j'étais son fléau, l'assassin de son génie et de sa gloire. A présent je ne me sens plus si indépendante de lui ; depuis sa maladie, son repentir et les lettres adorables de douceur et d'abnégation qu'il m'a écrites pendant ces deux derniers mois, je sens qu'un grand devoir m'attache encore à ce malheureux enfant, et je ne voudrais pas le froisser par un abandon complet. C'est pourtant ce qui peut arriver au lendemain de mon mariage. Palmer a eu un moment de jalousie, et ce moment peut revenir le jour où il aura le droit de me dire : *Je veux !* Je n'aime plus Laurent, ma bien-aimée, je vous le jure, j'aimerais mieux mourir que d'avoir de l'amour pour lui ; mais le jour où Palmer voudra briser l'amitié qui a survécu en moi à cette malheureuse passion[166], peut-être n'aimerai-je plus Palmer*.

« Tout cela, je le lui ai dit ; il le comprend, car il se pique d'être un grand philosophe, et il persiste à croire que ce qui lui paraît juste et bon aujourd'hui ne changera jamais d'aspect à ses yeux. Moi aussi je le crois, et cependant je lui demande de laisser couler les jours, sans les compter, sur la situation calme et douce où nous voici. J'ai des accès de spleen, il est vrai, mais par nature Palmer n'est pas très clairvoyant et je peux les lui cacher. Je peux avoir devant lui ce que Laurent appelait ma figure d'oiseau malade, sans qu'il en soit effarouché. Si le mal futur se borne à ceci, que je pourrai avoir les nerfs irrités* et l'esprit assombri sans qu'il s'en aperçoive et s'en affecte, nous pourrons vivre ensemble aussi heureux que possible. S'il se mettait à scruter mes regards* distraits, à vouloir percer le voile de mes rêveries, à faire enfin tous les cruels enfantillages dont m'accablait Laurent dans mes heures de défaillance morale, je ne me sens plus de force à lutter, et j'aimerais mieux que l'on me tuât tout de suite, ce serait plus tôt fait. »

Thérèse reçut de Laurent à la même époque une lettre si ardente qu'elle en fut inquiète. Ce n'était plus l'enthousiasme de l'amitié, c'était celui de l'amour. Le silence que Thérèse avait gardé sur ses relations avec Palmer avait rendu à l'artiste l'espoir de renouer avec elle. Il ne pouvait plus vivre sans elle ; il avait fait de vains efforts pour retourner à la vie de plaisir. Le dégoût l'avait saisi à la gorge[167]. « Ah ! Thérèse, lui disait-il, je t'ai reproché autrefois d'aimer trop chastement et d'être plus faite pour le couvent que pour l'amour[168]. Comment ai-je pu blasphémer ainsi ? Depuis que je cherche à me rattacher au vice, c'est moi qui me sens redevenir chaste comme l'enfance, et les femmes que je vois me disent que je suis bon à faire un moine*[169]. Non, non, je n'oublierai jamais ce qu'il y avait entre nous de plus que l'amour, cette douceur maternelle[170] qui me couvait durant des heures entières d'un sourire attendri et placide, ces épanchements du cœur, ces aspirations de l'intelligence, ce poème à deux dont nous étions les auteurs et les personnages sans y songer. Thérèse, si tu n'es pas à Palmer, tu ne peux être qu'à moi* ! Avec quel autre retrouveras-tu ces émotions ardentes, ces attendrissements profonds ? Tous nos jours ont-il donc été mauvais ? N'y en a-t-il pas eu de beaux ? Et d'ailleurs est-ce le bonheur que tu cherches, toi, la femme dévouée* ? Peux-tu te passer de souffrir pour quelqu'un[171], et ne m'as-tu pas appelé quelquefois, quand tu me pardonnais mes folies, ton cher supplice et ton tourment nécessaire* ? Souviens-toi, souviens-toi, Thérèse ! Tu as souffert, et tu vis. Moi, je t'ai fait souffrir, et j'en meurs ! N'ai-je pas assez expié ? Voilà trois mois d'agonie pour mon âme !... »

Puis venaient des reproches. Thérèse lui en avait dit trop ou trop peu. Les expressions de son amitié étaient trop vives si ce n'était que de l'amitié, trop froides et trop prudentes si c'était de l'amour. Il fallait qu'elle eût le courage de le faire vivre ou mourir.

Thérèse se décida à lui répondre qu'elle aimait Palmer, et qu'elle comptait l'aimer toujours, sans pourtant parler du projet de mariage qu'elle ne pouvait se résoudre à regarder comme une résolution arrêtée. Elle adoucit autant qu'elle put le coup que cet aveu devait porter à l'orgueil de Laurent. « Sache bien, lui dit-elle, que ce n'est pas, comme tu le prétendais, pour te *punir*, que j'ai donné mon cœur et ma vie à un autre. Non, tu étais pleinement pardonné le jour où j'ai répondu à l'affection de Palmer, et la preuve, c'est que j'ai couru à Florence avec lui. Crois-tu donc, mon pauvre enfant, qu'en te soignant comme j'ai fait durant ta maladie, je ne fusse réellement là qu'une sœur de charité* ? Non, non, ce n'était pas le devoir qui m'enchaînait à ton chevet, c'était la tendresse d'une mère. Est-ce qu'une mère ne pardonne pas toujours ? Eh bien ! il en sera toujours ainsi, vois-tu ! Toutes les fois que, sans manquer à ce que je dois à Palmer, je pourrai te servir, te soigner et te consoler, tu me retrouveras. C'est parce que Palmer ne s'y oppose pas que j'ai pu l'aimer, et que je l'aime. S'il m'eût fallu passer de tes bras dans ceux de ton ennemi, j'aurais eu horreur de moi ; mais ç'a été le contraire. C'est en nous jurant l'un à l'autre de veiller toujours sur toi, de ne t'abandonner jamais, que nos mains se sont unies. »

Thérèse montra cette lettre à Palmer, qui en fut vivement ému et voulut écrire de son côté à Laurent, pour lui faire les mêmes promesses de sollicitude constante et d'affection vraie.

Laurent fit attendre une nouvelle lettre de lui. Il avait recommencé un rêve qu'il voyait s'envoler sans retour. Il s'en affecta vivement d'abord ; mais il résolut de secouer ce chagrin qu'il ne se sentait pas la force de porter. Il se fit en lui une de ces révolutions soudaines et complètes qui étaient tantôt le fléau, tantôt le salut de sa vie, et il écrivit à Thérèse :

« Sois bénie, ma sœur adorée ; je suis heureux, je suis fier de ton amitié fidèle, et celle de Palmer m'a touché jusqu'aux larmes. Que ne parlais-tu plus tôt, méchante ? Je n'aurais pas tant souffert. Que me fallait-il en effet ? Te savoir heureuse, et rien de plus. C'est parce que je t'ai crue seule et triste que je revenais me mettre à tes pieds pour te dire : "Eh bien ! puisque tu souffres, souffrons ensemble. Je veux partager tes tristesses, tes ennuis et ta solitude." N'était-ce pas mon devoir et mon droit ? — Mais tu es heureuse, Thérèse, et moi aussi par conséquent ! Je te bénis de me l'avoir dit. Me voilà donc enfin délivré des remords qui me rongeaient le cœur ! Je peux marcher la tête haute, aspirer l'air à pleine poitrine et me dire que je n'ai pas souillé et gâté la vie de la meilleure des amies* ! Ah ! je suis plein d'orgueil de sentir en moi cette joie généreuse, au lieu de l'affreuse jalousie qui me torturait autrefois !

« Ma chère Thérèse, mon cher Palmer, vous êtes mes deux anges gardiens. Vous m'avez porté bonheur. Grâce à vous enfin, je sens que j'étais né pour autre chose* que la vie que j'ai menée. Je renais, je sens l'air du ciel descendre dans mes poumons, avides d'une pure atmosphère. Mon être se transforme. Je vais aimer[172] !

« Oui, je vais aimer, j'aime déjà !... J'aime une belle et pure enfant qui n'en sait rien encore, et auprès de qui je trouve un plaisir mystérieux* à garder le secret de mon cœur, et à paraître et à me faire aussi naïf, aussi gai, aussi enfant qu'elle-même. Ah ! qu'ils sont beaux, ces premiers jours d'une émotion naissante ! N'y a-t-il pas quelque chose de sublime et d'effrayant dans cette idée : je vais me trahir, c'est-à-dire je vais me donner ! demain, ce soir peut-être, je ne m'appartiendrai plus.

« Réjouis-toi, ma Thérèse, de ce dénouement de la triste et folle jeunesse de ton pauvre enfant. Dis-toi que ce renouvellement d'un être qui semblait perdu, et qui, au lieu de ramper dans la fange, ouvre ses ailes comme un oiseau, est l'ouvrage de ton amour, de ta douceur, de ta patience, de ta colère, de ta rigueur, de ton pardon et de ton amitié ! Oui, il a fallu toutes les péripéties d'un drame intime où j'ai été vaincu pour m'amener à ouvrir les yeux. Je suis ton œuvre, ton fils, ton travail et ta récompense, ton martyre et ta couronne*. Bénissez-moi tous les deux, mes amis, et priez pour moi, je vais aimer ! »

Tout le reste de la lettre était ainsi. En recevant cet hymne de joie et de reconnaissance, Thérèse sentit pour la première fois son propre bonheur complet et assuré. Elle tendit les deux mains à Palmer et lui dit : « Ah çà, où et quand nous marions-nous ? »

XI

Il fut décidé que le mariage aurait lieu en Amérique*. Palmer se faisait une joie suprême de présenter Thérèse à sa mère et de recevoir sous les yeux de celle-ci la bénédiction nuptiale. La mère de Thérèse ne pouvait se promettre le bonheur d'y assister, quand même la cérémonie aurait lieu en France. Elle en était dédommagée par la joie qu'elle éprouvait de voir sa fille engagée à un homme raisonnable et dévoué. Elle ne pouvait souffrir Laurent, et elle avait toujours tremblé que Thérèse ne retombât sous son joug.

L'Union faisait ses apprêts de départ. Le capitaine Lawson offrait d'emmener Palmer et sa fiancée. C'était une fête à bord de penser qu'on ferait la traversée avec ce couple aimé*. Le jeune enseigne réparait son impertinente entreprise par l'attitude la plus respectueuse et par l'estime la plus sincère pour Thérèse.

Thérèse, ayant tout préparé pour s'embarquer le 18 août, reçut une lettre de sa mère, qui la suppliait de venir d'abord à Paris, ne fût-ce que pour vingt-quatre heures. Elle devait y venir elle-même pour des affaires de famille*. Qui savait quand Thérèse pourrait revenir d'Amérique ? Cette pauvre mère n'était pas heureuse par ses autres enfants, que l'exemple d'un père défiant et irrité rendait insoumis et froids envers elle. Aussi elle adorait Thérèse, qui seule avait été vraiment pour elle une fille tendre et une amie dévouée. Elle voulait la bénir et l'embrasser, peut-être pour la dernière fois, car elle se sentait vieille avant l'âge, malade et fatiguée d'une vie sans sécurité et sans expansion.

Palmer fut plus contrarié de cette lettre qu'il ne voulut l'avouer. Bien qu'il eût toujours admis* avec une apparente satisfaction la certitude d'une amitié durable entre lui et Laurent, il n'avait pas cessé d'être inquiet, malgré lui, des sentiments qui pouvaient se réveiller dans le cœur de Thérèse lorsqu'elle le reverrait. A coup sûr il ne s'en rendait pas compte quand il proclamait le contraire ; mais il s'en aperçut quand le canon du navire américain fit retentir les échos du golfe de la Spezia de ses adieux répétés durant toute la journée du

18 août[173]. Chacune de ces explosions le faisait tressaillir, et à la dernière il se tordit les mains* jusqu'à les faire craquer.

Thérèse s'en étonna. Elle n'avait plus rien pressenti des anxiétés de Palmer depuis l'explication* qu'ils avaient eue ensemble au commencement de leur séjour en ce pays. « Mon Dieu, qu'est-ce donc ? s'écria-t-elle en le regardant avec attention. Quel pressentiment avez-vous ?

— Oui ! c'est cela, répondit Palmer à la hâte. C'est un pressentiment... pour Lawson, mon ami d'enfance. Je ne sais pourquoi... Oui, oui, c'est un pressentiment !

— Vous croyez qu'un malheur lui arrivera en mer ?

— Peut-être ! Qui sait ? Enfin vous n'y serez pas exposée, grâce au ciel, puisque nous allons à Paris.

— L'*Union* passe à Brest et s'y arrête quinze jours*. C'est là que nous irons nous embarquer ?

— Oui, oui, sans doute, si d'ici là il n'arrive pas une catastrophe ! »

Et Palmer resta triste et accablé, sans que Thérèse devinât ce qui se passait en lui. Comment l'eût-elle deviné ? Laurent était aux eaux de Baden[174]. Palmer le savait bien, et Laurent était occupé aussi de projets de mariage, il l'avait écrit.

Ils partirent le lendemain en poste, et, sans s'arrêter nulle part, ils rentrèrent en France par Turin et le Mont-Cenis.

Ce voyage fut d'une tristesse extraordinaire. Palmer voyait partout des signes de malheur ; il avouait des superstitions et des faiblesses d'esprit qui n'étaient nullement dans son caractère. Lui, si calme et si facile à servir, il s'abandonnait à des colères inouïes contre les postillons, contre les routes, contre les douaniers, contre les passants. Thérèse ne l'avait jamais vu ainsi. Elle ne put se défendre de le lui dire. Il lui répondit un mot insignifiant, mais avec une expression de visage si sombre et un accent de dépit si marqué, qu'elle eut peur de lui, de l'avenir par conséquent.

Il y a une destinée implacable pour certaines existences. Pendant que Thérèse et Palmer rentraient en France par le Mont-Cenis, Laurent y rentrait par Genève. Il arriva à Paris* quelques heures avant eux, préoccupé d'un vif souci. Il avait enfin découvert que, pour le faire voyager pendant quelque mois, Thérèse s'était dépouillée en Italie de tout ce qu'elle possédait alors, et il avait appris* (car tout se découvre tôt ou tard) d'une personne qui avait passé à la Spezia à cette époque que Mlle Jacques vivait à Porto-Venere dans un état de gêne extraordinaire, et faisait de la dentelle pour payer un logement de six livres* par mois.

Humilié et repentant, irrité et désolé, il voulait savoir à quoi s'en tenir sur la situation présente de Thérèse. Il la savait trop fière pour vouloir rien accepter de Palmer, et il se disait avec vraisemblance* que, si elle n'avait pas été payée de ses travaux à Gênes, elle avait dû faire vendre ses meubles à Paris.

Il courut aux Champs-Élysées, frémissant de trouver des inconnus installés dans cette chère petite maison dont il n'approchait qu'avec un violent battement de cœur. Comme il n'y avait pas de portier, il dut sonner* à la grille du jardin, sans savoir quelle figure allait venir lui répondre. Il ignorait le prochain mariage de Thérèse, il ignorait même qu'elle fût libre de se marier. Une dernière lettre qu'elle lui avait écrite à ce sujet était arrivée à Baden le lendemain de son départ.

Sa joie fut extrême de voir la porte ouverte par la vieille Catherine. Il lui sauta au cou ; mais tout aussitôt il devint triste en voyant la figure consternée de cette bonne femme.

« Et que venez-vous faire ici ? lui dit-elle avec humeur. Vous savez donc que mademoiselle arrive aujourd'hui ? Ne pouvez-vous la laisser tranquille ? Venez-vous encore faire son malheur ? On m'avait dit que vous vous étiez quittés, et j'en étais contente, car après vous avoir aimé, je vous détestais*. Je voyais bien que vous étiez l'*auteur* de ses embarras et de ses peines. Allons, allons, ne restez pas ici à l'attendre, à moins que vous n'ayez juré de la faire mourir !

— Vous dites* qu'elle arrive aujourd'hui ! » s'écria Laurent à plusieurs reprises.

C'est tout ce qu'il avait entendu de la mercuriale de la vieille servante. Il entra dans l'atelier de Thérèse, dans le petit salon lilas et jusque dans la chambre à coucher, soulevant les toiles grises que Catherine avait étendues partout pour garantir les meubles. Il les regardait un à un, tous ces petits meubles curieux et charmants, objets d'art et de goût que Thérèse avait payés de son travail ; aucun ne manquait. Rien* ne paraissait changé dans la situation que Thérèse s'était faite à Paris, et Laurent répétait d'un air un peu égaré en regardant Catherine, qui le suivait pas à pas d'un air soucieux : « Elle arrive aujourd'hui ! »

En disant qu'il aimait une belle enfant d'un amour pur et blond comme elle, Laurent s'était vanté. Il avait pensé dire la vérité en écrivant à Thérèse avec l'exaltation à laquelle il s'abandonnait pour lui parler de lui-même, et qui contrastait si étrangement avec le ton moqueur et froid qu'il se croyait obligé de porter dans le monde. La déclaration qu'il avait dû faire à la jeune fille objet de ses rêves, il ne l'avait pas faite. Un oiseau ou un nuage qui avait passé le soir dans le ciel avait suffi pour déranger le fragile édifice de bonheur et d'expansion éclos le matin dans cette imagination d'enfant et de poète. La peur d'être ridicule s'était emparée de lui, ou bien la crainte de guérir de son invincible et fatale passion* pour Thérèse.

Il était là, ne répondant rien à Catherine, qui, pressée de tout préparer pour l'arrivée de sa chère maîtresse, se décida à le laisser seul. Laurent était en proie à une agitation inouïe. Il se demandait pourquoi Thérèse revenait à Paris sans l'en avoir averti. Y venait-elle en secret avec Palmer, ou bien avait-elle fait comme Laurent lui-même ? Lui avait-elle annoncé un bonheur qui n'existait pas encore, et dont la pensée était déjà évanouie ? Ce brusque et mystérieux retour ne cachait-il pas une rupture avec Dick ?

Laurent s'en réjouissait et s'en effrayait à la fois. Mille idées, mille émotions se contrariaient dans sa tête et dans ses nerfs. Il y eut un moment où il oublia insensiblement la réalité et se persuada que ces meubles couverts de toiles grises étaient des tombes dans un cimetière[175]. Il avait toujours eu horreur de la mort, et malgré lui il y pensait sans cesse. Il la voyait autour de lui sous toutes les formes. Il se crut entouré de linceuls, et se leva avec effroi en s'écriant : « Qui donc est mort ? Est-ce Thérèse ? est-ce Palmer ? Je le vois, je le sens, quelqu'un est mort dans la région où je viens de rentrer !... Non, c'est toi, répondit-il en se parlant à lui-même, c'est toi qui as vécu dans cette maison les seuls jours de ta vie, et qui y rentres inerte, abandonné, oublié comme un cadavre ! »

Catherine revint sans qu'il y fît attention, enleva les toiles, épousseta les meubles, ouvrit toutes grandes les croisées, qui étaient fermées, ainsi que les persiennes, et mit des fleurs dans les grands vases de Chine posés sur les consoles dorées*. Puis elle s'approcha de lui et lui dit : « Eh bien ! voyons, que faites-vous ici ? »

Laurent sortit de son rêve*, et, regardant autour de lui avec égarement, il vit les fleurs répétées dans les glaces, les meubles de Boule[176] brillants au soleil, et tout cet air de fête qui avait succédé, comme par magie, à l'aspect funèbre de l'absence, qui ressemble tant en effet à celui de la mort.

Son hallucination prit un autre cours. — « Ce que je fais ici ? dit-il en souriant d'un air sombre ; oui, qu'est-ce que je fais ici ? C'est fête aujourd'hui chez Thérèse, c'est un jour d'ivresse et d'oubli*. C'est un rendez-vous d'amour que la maîtresse du logis a donné, et certes ce n'est pas moi qu'elle attend, moi, un mort ! Qu'est-ce qu'un cadavre a à voir dans cette chambre de noces ? Aussi que va-t-elle dire en me voyant là ? Elle dira comme toi, pauvre vieille, elle me dira : "Va-t'en, ta place est dans un cercueil !" »

Laurent parlait comme dans la fièvre*. Catherine eut pitié de lui. « Il est fou, pensa-t-elle, il l'a toujours été. » Et comme elle songeait à ce qu'elle lui dirait pour le renvoyer avec douceur, elle entendit qu'une voiture s'arrêtait dans la rue. Dans sa joie de revoir Thérèse, elle oublia Laurent et courut ouvrir.

Palmer était à la porte* avec Thérèse ; mais, pressé de se débarrasser de la poussière du voyage et ne voulant pas laisser* à Thérèse l'ennui de faire décharger la chaise de poste chez elle, il y remonta aussitôt, et donna l'ordre qu'on le conduisît à l'hôtel Meurice, en disant à Thérèse qu'il lui rapporterait ses malles dans deux heures et viendrait dîner avec elle.

Thérèse embrassa sa bonne Catherine, et, tout en lui demandant comment elle s'était portée en son absence, elle entra dans la maison avec cette curiosité* impatiente, inquiète ou joyeuse, que l'on éprouve instinctivement à revoir un lieu où l'on a longtemps vécu, si bien que

Catherine n'eut pas le loisir de lui dire que Laurent était là, et qu'elle le surprit pâle, absorbé et comme pétrifié sur le sofa du salon. Il n'avait entendu ni la voiture, ni le bruit des portes ouvertes précipitamment. Il était encore plongé dans ses rêveries lugubres, quand il la vit devant lui. Il poussa un cri terrible, s'élança vers elle pour l'embrasser, et tomba suffoqué, presque évanoui à ses pieds.

Il fallut lui ôter sa cravate et lui faire respirer de l'éther ; il étouffait, et les battements de son cœur étaient si violents que tout son corps en était ébranlé comme de commotions électriques. Thérèse, effrayée de le voir ainsi, crut qu'il était retombé malade. Cependant la fraîcheur de la jeunesse lui revint bientôt, et elle remarqua qu'il avait engraissé[177]. Il lui jura mille fois qu'il ne s'était jamais mieux porté, et qu'il était heureux de la voir embellie et de lui retrouver l'œil pur comme elle l'avait le premier jour de leur amour. Il se mit à genoux devant elle et lui baisa les pieds* pour lui témoigner son respect et son adoration. Ses effusions étaient si vives que Thérèse en fut inquiète et crut devoir se hâter de lui rappeler son prochain départ et son prochain mariage avec Palmer.

« Quoi ? qu'est-ce que c'est ? qu'est-ce que tu dis ? s'écria Laurent, pâle comme si la foudre fût tombée à ses pieds. Départ ! mariage !... Comment ? pourquoi ? Est-ce que je rêve encore ? est-ce que tu as dit ces mots-là ?

— Oui, répondit-elle, je te les dis. Je te les avais écrits, tu n'as donc pas reçu ma lettre ?

— Départ ! mariage ! répétait Laurent ; mais tu disais autrefois que c'était impossible ! Souviens-toi ! Il y a eu des jours où je regrettais de ne pouvoir faire taire les gens qui te déchiraient, en te donnant mon nom et ma vie entière. Et toi, tu disais : "Jamais, jamais, tant que cet homme vivra !" Il est donc mort ? ou bien tu aimes Palmer comme tu ne m'as jamais aimé, puisque tu braves pour lui des scrupules que je trouvais fondés et un scandale affreux que je crois inévitable ?

— Le comte de ★ ★ ★ n'est plus, et je suis libre. »

Laurent fut si étourdi de cette révélation qu'il oublia tous ses projets d'amitié fraternelle et désintéressée. Ce que Thérèse avait prévu à Gênes se réalisa dans les conditions les plus singulièrement déchirantes. Laurent se fit une idée exaltée du bonheur qu'il eût pu goûter en devenant le mari de Thérèse, et il versa des torrents de larmes sans qu'aucune parole de raison et de remontrance eût prise sur son âme troublée et désespérée. Sa douleur était si énergiquement exprimée et ses larmes si vraies que Thérèse ne put se soustraire à l'émotion d'une scène pathétique et navrante. Elle n'avait jamais pu voir souffrir Laurent sans ressentir toutes les pitiés de la maternité grondeuse, mais vaincue. Elle essaya en vain de retenir ses propres larmes. Ce n'étaient pas des larmes de regret, elle ne s'abusait pas sur ce vertige que Laurent éprouvait, et qui n'était autre chose qu'un vertige ; mais il agissait sur ses nerfs, et les nerfs d'une femme comme elle, c'étaient les propres fibres de son cœur, froissées par une souffrance qu'elle ne s'expliquait pas.

Elle réussit enfin à le calmer, et, en lui parlant avec douceur et tendresse, à lui faire accepter son mariage comme la plus sage et la meilleure solution pour elle et pour lui-même. Laurent en convenait avec un triste sourire. « Oui, certes, disait-il, j'eusse fait un mari détestable, et *lui*, il te rendra heureuse ! Le ciel te devait cette récompense et ce dédommagement. Tu as bien raison de l'en remercier et de trouver que cela nous préserve, toi d'une existence misérable, moi de remords pires que les anciens. C'est parce que tout cela est si vrai, si sage, si logique et si bien arrangé que je suis si malheureux ! » Et il recommençait à sangloter.

Palmer rentra sans qu'on l'eût entendu venir. Il était en effet sous le coup d'un pressentiment terrible, et, sans rien préméditer, il venait comme un jaloux en défiance, sonnant à peine et marchant sans faire crier les parquets.

Il s'arrêta* à la porte du salon et reconnut la voix de Laurent. « Ah ! j'en étais bien sûr ! » se dit-il en déchirant le gant qu'il s'était réservé de mettre justement à cette porte, apparemment pour se donner le temps de la réflexion avant d'entrer. Il crut devoir frapper.

« Entrez ! » cria vivement Thérèse, étonnée que quelqu'un lui fît cette insulte de frapper à la porte de son salon. En voyant que c'était Palmer, elle pâlit. Ce qu'il venait de faire était plus éloquent que bien des paroles, il la soupçonnait.

Palmer vit cette pâleur, et n'en put comprendre la véritable cause*. Il vit aussi que Thérèse avait pleuré, et la physionomie décomposée* de Laurent acheva de le troubler lui-même. Le premier regard qu'échangèrent involontairement ces deux hommes fut un regard de haine et de provocation ; puis ils marchèrent l'un sur l'autre, incertains s'ils se tendraient la main ou s'ils s'étrangleraient.

Laurent fut en ce moment le meilleur et le plus sincère des deux, car il avait des mouvements spontanés qui rachetaient toutes ses fautes. Il ouvrit les bras et embrassa Palmer avec effusion, sans lui cacher ses larmes, qui recommençaient à l'étouffer.

« Qu'est-ce donc ? lui dit Palmer en regardant Thérèse.

— Je ne sais, répondit-elle avec fermeté* ; je viens de lui dire que nous partons pour nous marier. Il en prend du chagrin. Il croit apparemment que nous allons l'oublier. Dites-lui, Palmer, que, de loin* comme de près, nous l'aimerons toujours.

— C'est un enfant gâté ! reprit Palmer. Il devrait savoir que je n'ai qu'une parole, et que je veux votre bonheur avant tout. Faudra-t-il donc que nous l'emmenions en Amérique pour qu'il cesse de s'affliger et de vous faire pleurer, Thérèse. »

Ces paroles furent dites d'un ton indéfinissable. C'était l'accent de l'amitié paternelle, mêlé de je ne sais quelle aigreur profonde et invincible.

Thérèse comprit. Elle demanda son châle et son chapeau en disant à Palmer : « Nous allons dîner *au cabaret**. Catherine n'attendait que moi, et il n'y aurait pas ici de quoi dîner pour nous deux.

— Vous voulez dire pour nous trois, reprit Palmer, toujours moitié amer, moitié tendre.

— Mais moi, je ne dîne pas avec vous, répondit Laurent, qui comprit enfin ce qui se passait dans l'esprit de Palmer. Je vous quitte ; je reviendrai vous dire adieu. Quel jour partez-vous ?

— Dans quatre jours, dit Thérèse.

— Au moins ! ajouta Palmer en la regardant d'une manière étrange ; mais ce n'est pas une raison pour que nous ne dînions pas tous trois ensemble aujourd'hui. Laurent, faites-moi ce plaisir. Nous irons aux Frères-Provençaux[178], et de là nous ferons un tour en voiture au bois de Boulogne. Cela nous rappellera Florence et les *Cascine*. Voyons, je vous prie.

— Je suis engagé, dit Laurent.

— Eh bien ! dégagez-vous, reprit Palmer. Voilà du papier et des plumes ! Écrivez, écrivez, je vous prie ! »

Palmer parlait d'un ton si décidé qu'il en était absolu. Laurent crut se rappeler que c'était son accent de rondeur accoutumé. Thérèse eût voulu qu'il refusât, et d'un regard elle eût pu le lui faire comprendre ; mais Palmer ne la perdait pas de vue*, et il paraissait en train d'interpréter toutes choses d'une manière funeste.

Laurent était très sincère. Quand il mentait, il était sa première dupe. Il se crut assez fort pour braver cette situation délicate, et il eut l'intention droite et généreuse de rendre à Palmer sa confiance d'autrefois. Malheureusement, lorsque l'esprit humain*, emporté par de grandes aspirations, a gravi de certains sommets, s'il est pris de vertige, il ne descend plus, il se précipite. C'est ce qui arrivait à Palmer. Homme de cœur et de loyauté entre tous, il avait eu l'ambition de vouloir dominer les émotions intérieures d'une situation trop délicate. Ses forces le trahissaient ; qui pourrait l'en blâmer* ? Et il s'élançait dans l'abîme, entraînant Thérèse et Laurent lui-même avec lui. Qui ne les plaindrait tous trois ? Tous trois avaient rêvé d'escalader le ciel et d'atteindre ces régions sereines où les passions n'ont plus rien de terrestre ; mais cela n'est pas donné à l'homme : c'est déjà beaucoup pour lui de se croire* un instant capable d'aimer sans trouble et sans méfiance.

Le dîner fut d'une tristesse mortelle ; bien que Palmer, qui s'était emparé du rôle d'amphitryon, prît à cœur de faire servir à ses convives les mets et les vins les plus recherchés, tout leur parut amer, et Laurent, après de vains efforts pour se retrouver dans la situation d'esprit qu'il avait savourée doucement à Florence au lendemain de sa maladie entre ces deux personnes, refusa de les suivre au bois de Boulogne. Palmer, qui pour s'étourdir avait bu un peu plus que de coutume, insista d'une manière impatiente pour Thérèse. « Voyons, dit-elle, ne vous obstinez pas ainsi. Laurent a raison de refuser ; au bois de Boulogne, dans votre calèche découverte, nous serons en vue, et nous pouvons rencontrer des gens qui nous connaissent. Ils ne sont pas obligés de savoir dans quelle position exceptionnelle nous nous trouvons tous les trois, et pourraient bien penser sur le compte de chacun de nous des choses assez fâcheuses.

— Eh bien ! rentrons chez vous, dit Palmer ; j'irai ensuite me promener seul, j'ai besoin de prendre l'air. »

Laurent s'esquiva en voyant que c'était comme un parti pris chez Palmer de le laisser seul avec Thérèse, apparemment pour les surveiller ou les surprendre. Il rentra chez lui fort triste, en se disant que Thérèse n'était peut-être pas heureuse, et un peu content aussi malgré lui de pouvoir se dire que Palmer n'était pas au-dessus de la nature humaine, comme il se l'était imaginé, et comme Thérèse le lui avait dépeint dans ses lettres.

Nous passerons rapidement sur les huit jours qui suivirent, huit jours qui firent* d'heure en heure tomber plus bas l'héroïque roman rêvé plus ou moins fortement par ces trois malheureux amis. La plus illusionnée avait été Thérèse, puisqu'après des craintes et des prévisions assez sages, elle s'était résolue à engager sa vie, et que, quelles que fussent désormais les injustices de Palmer, elle devait et voulait lui tenir parole.

Palmer l'en dégagea tout d'un coup, après une série de soupçons plus outrageants par le silence que ne l'avaient été toutes les injures de Laurent[179]. Un matin, Palmer, après avoir passé la nuit caché dans le jardin de Thérèse, allait se retirer lorsqu'elle parut auprès de la grille et l'arrêta. « Eh bien ! lui dit-elle, vous avez veillé là pendant six heures, et je vous voyais de ma chambre. Êtes-vous bien convaincu que personne n'est venu chez moi cette nuit ? »

Thérèse était irritée, et cependant, en provoquant l'explication que lui refusait Palmer, elle espérait encore le ramener à la confiance ; mais il en jugea autrement. « Je vois, Thérèse, lui dit-il, que vous êtes lasse de moi, puisque vous exigez une confession après laquelle je serai méprisable à vos yeux. Il ne vous en eût pas coûté beaucoup cependant de les fermer sur une faiblesse dont je ne vous ai pas beaucoup importunée. Que ne me laissiez-vous souffrir en silence ? Vous ai-je injuriée et obsédée de sarcasmes amers, moi ? Vous ai-je écrit des volumes d'outrages pour venir le lendemain pleurer à vos pieds et vous faire des protestations délirantes, sauf à recommencer à vous torturer le lendemain ? Vous ai-je seulement adressé une question indiscrète ? Que ne dormiez-vous tranquillement cette nuit, pendant que j'étais assis sur ce banc sans troubler votre repos par des cris et des larmes ? Ne pouvez-vous me pardonner une souffrance dont je rougis peut-être, et que j'ai du moins l'orgueil de vouloir et de savoir cacher ? Vous avez pardonné bien plus à quelqu'un qui n'avait pas le même courage.

— Je ne lui ai rien pardonné, Palmer, puisque je l'ai quitté sans retour. Quant à cette souffrance que vous avouez, et que vous croyez cacher si bien, sachez qu'elle est claire comme le jour à mes yeux, et

154

que j'en souffre plus que vous-même. Sachez qu'elle m'humilie profondément, et que, venant d'un homme fort et réfléchi comme vous, elle me blesse cent fois plus que les outrages d'un enfant en délire*.

— Oui, oui, c'est vrai, reprit Palmer. Ainsi vous voilà froissée par ma faute et à jamais irritée contre moi ! Eh bien ! Thérèse, tout est fini entre nous. Faites pour moi ce que vous avez fait pour Laurent : gardez-moi votre amitié.

— Ainsi vous me quittez ?

— Oui, Thérèse ; mais je n'oublie pas que quand vous avez daigné vous engager à moi*[180], j'avais mis mon nom, ma fortune et ma considération à vos pieds. Je n'ai qu'une parole, et je tiendrai ce que je vous ai promis ; marions-nous ici, sans bruit et sans joie, acceptez mon nom et la moitié de mes revenus, et après...

— Après ? dit Thérèse.

— Après, je partirai, j'irai embrasser ma mère,... et vous serez libre !

— Est-ce une menace de suicide que vous me faites là ?

— Non, sur l'honneur ! Le suicide est une lâcheté, surtout quand on a une mère comme la mienne. Je voyagerai, je recommencerai le tour du monde, et vous n'entendrez plus parler de moi ! »

Thérèse fut révoltée d'une telle proposition*.

« Ceci, Palmer, lui dit-elle*, me paraîtrait une mauvaise plaisanterie, si je ne vous connaissais pour un homme sérieux. J'aime à croire que vous ne me jugez pas capable d'accepter ce nom et cet argent que vous m'offrez comme la solution d'un cas de conscience. Ne revenez jamais* sur une pareille proposition, j'en serais offensée.

— Thérèse ! Thérèse ! s'écria Palmer avec violence en lui serrant le bras jusqu'à le meurtrir, jurez-moi, sur le souvenir de l'enfant que vous avez perdu, que vous n'aimez plus Laurent, et je tombe à vos pieds pour vous supplier de me pardonner mon injustice. »

Thérèse retira son bras meurtri et le regarda en silence. Elle était offensée jusqu'au fond de l'âme du serment qu'on lui demandait, et elle en trouvait la formule plus cruelle et plus brutale encore que le mal physique qu'elle venait de subir.

« Mon enfant, s'écria-t-elle enfin avec des sanglots étouffés, je te jure, à toi qui es dans le ciel, qu'aucun homme n'avilira plus ta pauvre mère. »

Elle se leva et rentra dans sa chambre, où elle s'enferma. Elle se sentait tellement innocente envers Palmer, qu'elle ne pouvait accepter de descendre à une justification, comme une femme coupable. Et puis elle voyait un avenir horrible avec un homme qui savait si bien couver une jalousie profonde, et qui, après avoir par deux fois provoqué ce qu'il croyait être un danger pour elle, lui faisait un crime de sa propre imprudence*. Elle songeait à l'affreuse existence de sa mère avec un mari jaloux du passé, et elle se disait avec raison qu'après le malheur d'avoir subi une passion comme celle de Laurent, elle avait été insensée de croire au bonheur avec un autre homme.

Palmer avait un fonds de raison et de fierté qui ne lui permettait pas non plus d'espérer de rendre Thérèse heureuse après une scène comme celle qui venait de se passer. Il sentait que sa jalousie ne guérirait pas, et il persistait à la croire fondée. Il écrivit à Thérèse :

« Mon amie, pardonnez-moi si je vous ai affligée ; mais il m'est impossible de ne pas reconnaître que j'allais vous entraîner dans un abîme de désespoir. Vous aimez Laurent, vous l'avez toujours aimé malgré vous, et vous l'aimerez peut-être toujours. C'est votre destinée. J'ai voulu vous y soustraire, vous le vouliez aussi. Je reconnais encore qu'en acceptant mon amour, vous étiez sincère, et que vous avez fait tout votre possible pour y répondre. Je me suis fait, moi, beaucoup d'illusions ; mais chaque jour, depuis Florence*, je les sentais s'échapper. S'il eût persisté à être ingrat, j'étais sauvé ; mais son repentir et sa reconnaissance vous ont attendrie. Moi-même j'en ai été touché, et je me suis pourtant efforcé de me croire tranquille. C'était en vain. Il y a eu dès lors entre vous deux, à cause de moi, des douleurs* que vous ne m'avez jamais racontées, mais que j'ai bien devinées. Il reprenait son ancien amour pour vous, et vous, tout en vous défendant, vous regrettiez de m'appartenir. Hélas ! Thérèse, c'est alors pourtant que vous eussiez dû reprendre votre parole. J'étais prêt à vous la rendre. Je vous laissais libre de partir avec lui de la Spezia : que ne l'avez-vous fait ?

« Pardonnez-moi, je vous reproche d'avoir beaucoup souffert pour me rendre heureux et pour vous rattacher à moi. J'ai bien lutté aussi, je vous jure ! Et à présent, si vous voulez encore accepter mon dévouement*, je suis prêt à lutter et à souffrir encore. Voyez si vous voulez souffrir vous-même, et si, en me suivant en Amérique, vous espérez guérir de cette malheureuse passion qui vous menace d'un avenir déplorable. Je suis prêt à vous emmener ; mais ne parlons plus de Laurent, je vous en supplie, et ne me faites pas un crime d'avoir deviné la vérité. Restons amis, venez demeurer chez ma mère, et si, dans quelques années, vous ne me trouvez pas indigne de vous, acceptez mon nom et le séjour de l'Amérique sans aucune pensée de revenir jamais en France.

« J'attendrai votre réponse huit jours à Paris.

RICHARD. »

Thérèse rejeta une offre qui blessait sa fierté. Elle aimait encore Palmer[181], et cependant elle se sentait si offensée d'être reçue à merci sans avoir rien à se reprocher, qu'elle lui cacha le déchirement de son âme. Elle sentait aussi qu'elle ne pouvait reprendre aucune espèce de lien avec lui sans faire durer un supplice qu'il n'avait plus la force de dissimuler, et que leur vie serait désormais une lutte ou une amertume de tous les instants. Elle quitta Paris avec Catherine sans dire à personne où elle allait, et s'enferma dans une petite maison de campagne qu'elle loua, pour trois mois*, en province[182].

XII

Palmer partit pour l'Amérique, emportant avec dignité une blessure profonde, mais ne pouvant admettre qu'il se fût trompé. Il avait dans l'esprit une obstination qui réagissait parfois sur son caractère*, mais seulement pour lui faire accomplir résolument tel ou tel acte, et non pour persister dans une voie douloureuse et vraiment difficile. Il s'était cru capable de guérir Thérèse de son fatal amour, et par sa foi exaltée, imprudente si l'on veut, il avait fait ce miracle ; mais voilà qu'il en perdait le fruit au moment de le recueillir, parce qu'au moment de la dernière épreuve la foi lui manquait.

Il faut bien dire aussi que la plus mauvaise circonstance possible pour établir un lien sérieux, c'est de vouloir trop vite posséder une âme qui vient d'être brisée. L'aurore d'une pareille union se présente avec des illusions généreuses* ; mais la jalousie rétrospective est un mal incurable, et engendre des orages que la vieillesse même ne dissipe pas toujours.

Si Palmer eût été un homme vraiment fort, ou si sa force eût été plus calme et mieux raisonnée, il eût pu sauver Thérèse des désastres qu'il pressentait pour elle. Il l'eût dû peut-être, car elle s'était confiée à lui avec une sincérité et un désintéressement dignes de sollicitude et de respect ; mais beaucoup d'hommes qui ont l'aspiration et l'illusion de la force n'ont que de l'énergie, et Palmer était de ceux sur lesquels on peut se tromper longtemps. Tel qu'il était, il méritait à coup sûr les regrets de Thérèse. On verra bientôt qu'il était capable des mouvements les plus nobles et des actions les plus courageuses. Tout son tort était d'avoir cru à la durée inébranlable de ce qui était chez lui un effort spontané de la volonté.

Laurent ignora* d'abord le départ de Palmer pour l'Amérique ; il fut consterné de trouver Thérèse partie aussi sans recevoir ses adieux. Il n'avait reçu d'elle que trois lignes : « Vous avez été le seul confident en France de mon mariage projeté avec Palmer. Ce mariage est rompu. Gardez-nous-en le secret. Je pars. »

En écrivant ce peu de mots glacés à Laurent, Thérèse éprouvait une sorte d'amertume contre lui. Ce fatal enfant n'était-il pas la cause de tous les malheurs et de tous les chagrins de sa vie ?

Elle sentit pourtant bientôt que cette fois son dépit était injuste. Laurent s'était admirablement conduit avec Palmer et avec elle durant ces malheureux huit jours qui avaient tout perdu. Après la première émotion, il avait accepté la situation avec une grande candeur, et il avait fait tout son possible pour ne pas porter ombrage à Palmer. Il n'avait pas cherché* une seule fois à tirer parti auprès de Thérèse des injustices de son fiancé. Il n'avait cessé de parler de lui avec respect et amitié. Par un bizarre concours de circonstances morales, c'est lui qui cette fois avait eu le beau rôle. Et puis Thérèse ne pouvait s'empêcher de reconnaître que si Laurent était parfois insensé jusqu'à en être atroce, rien de petit et de bas ne pouvait approcher de sa pensée.

Durant les trois mois qui suivirent le départ de Palmer, Laurent continua à se montrer digne de l'amitié de Thérèse. Il avait su découvrir sa retraite, et il ne fit rien pour l'y troubler. Il lui écrivit pour se plaindre doucement de la froideur de son adieu, pour lui reprocher de n'avoir pas eu confiance en lui dans ses chagrins, de ne l'avoir pas traité comme son frère ; « n'était-il pas créé et mis au monde pour la servir, la consoler, la venger au besoin ? » Puis venaient des questions auxquelles Thérèse était bien forcée de répondre. Palmer l'avait-il outragée ? Fallait-il aller lui en demander raison ?

« Ai-je fait quelque imprudence qui l'ait blessée ? as-tu quelque chose à me reprocher ? Je ne le croyais pas, mon Dieu ! Si je suis la cause de ta douleur, gronde-moi, et si je n'y suis pour rien, dis-moi que tu me permets de pleurer avec toi. »

Thérèse justifia Richard sans vouloir rien expliquer. Elle défendit à Laurent de lui parler de Palmer. Dans sa généreuse résolution de ne pas laisser une tache sur le souvenir de son fiancé, elle laissa croire que la rupture venait d'elle seule. C'était peut-être rendre à Laurent des espérances qu'elle n'avait jamais voulu lui laisser ; mais il est des situations où, quoi qu'on fasse, on commet des maladresses, et où l'on court fatalement à sa perte.

Les lettres de Laurent furent d'une douceur et d'une tendresse infinies. Laurent écrivait* sans art, sans prétention, et souvent sans goût et sans correction. Il était tantôt emphatique de bonne foi et tantôt trivial sans pruderie. Avec tous leurs défauts, ses lettres étaient dictées par une conviction qui les rendait irrésistiblement persuasives, et on y sentait à chaque mot le feu de la jeunesse et la sève bouillante d'un artiste de génie.

En outre, Laurent se remit à travailler avec ardeur[183], avec la résolution de ne jamais retomber dans le désordre. Son cœur saignait des privations que Thérèse avait souffertes pour lui donner le mouvement, le bon air et la santé du voyage en Suisse. Il était résolu à s'acquitter au plus vite.

Thérèse sentit bientôt que l'affection de son *pauvre enfant*, comme il s'intitulait toujours, lui était douce, et que, si elle pouvait continuer ainsi, elle serait le plus pur et le meilleur sentiment de sa vie.

Elle l'encouragea par des réponses toutes maternelles à persévérer dans la voie de travail où il se disait rentré pour toujours. Ces lettres furent douces, résignées et d'une tendresse chaste ; mais Laurent y vit percer une tristesse mortelle. Thérèse avouait être un peu malade, et il lui venait des idées de mort dont elle riait avec une mélancolie navrante[184]. Elle était réellement malade. Sans amour et sans travail, l'ennui la dévorait. Elle avait emporté une petite somme qui était le reste de ce qu'elle avait gagné à Gênes, et elle l'économisait strictement pour rester à la campagne le plus longtemps possible. Elle avait pris Paris en horreur. Et puis peut-être avait-elle senti peu à peu quelque désir et en même temps quelque frayeur de revoir Laurent changé, soumis et amendé de toute façon, comme il se montrait dans ses lettres.

Elle espérait qu'il se marierait ; puisqu'il en avait eu une fois la velléité, cette bonne pensée pouvait revenir. Elle l'y encourageait. Il disait tantôt oui et tantôt non. Thérèse attendait toujours qu'aucune trace de l'ancien amour ne reparût dans les lettres de Laurent : il revenait bien toujours un peu, mais c'était avec une délicatesse exquise désormais, et ce qui dominait ces retours à un sentiment mal étouffé, c'était une tendresse suave, une sensibilité expansive, une sorte de piété filiale enthousiaste.

Quand l'hiver fut venu, Thérèse se voyant au bout de ses ressources, fut forcée de revenir à Paris, où étaient sa clientèle et ses devoirs vis-à-vis d'elle-même. Elle cacha son retour à Laurent, ne voulant pas le revoir trop vite ; mais, par je ne sais quelle divination, il passa dans la rue peu fréquentée où était la petite maison. Il vit les contrevents ouverts et entra, ivre de joie. C'était une joie naïve et presque enfantine, qui eût rendu ridicule et *bégueule* toute attitude de méfiance et de réserve. Il laissa dîner Thérèse, en la suppliant de venir le soir chez lui pour voir un tableau qu'il venait de finir et sur lequel il voulait absolument son avis avant de le livrer. C'était vendu et payé ; mais si elle lui faisait quelque critique, il y travaillerait encore quelques jours. Ce n'était plus le temps déplorable où Thérèse « ne s'y connaissait pas, où elle avait le jugement étroit et réaliste des peintres de portrait, où elle était incapable de comprendre une œuvre d'imagination », etc. Elle était maintenant « sa muse et sa puissance inspiratrice. Sans le secours de son divin souffle, il ne pouvait rien. Avec ses conseils et ses encouragements, son talent, à lui, tiendrait toutes ses promesses. »

Thérèse oublia le passé, et, sans être trop enivrée du présent, elle ne crut pas devoir refuser ce qu'un artiste ne refuse jamais à un confrère. Elle prit une voiture après son dîner et alla chez Laurent.

Elle trouva l'atelier illuminé et le tableau magnifiquement éclairé. C'était une belle et bonne chose que ce tableau. Cet étrange génie avait la faculté de faire, en se reposant, des progrès rapides que ne

159

font pas toujours ceux qui travaillent avec persévérance. Il y avait eu, par suite de ses voyages et de sa maladie, une lacune d'un an dans son travail, et, il semblait que, par la seule réflexion, il se fût débarrassé des défauts de sa première exubérance. En même temps il avait acquis des qualités nouvelles qu'on n'eût pas cru appartenir à sa nature, la correction du dessin, la suavité des types, le charme de l'exécution, tout ce qui devait plaire désormais au public sans démériter auprès des artistes.

Thérèse fut attendrie et ravie. Elle lui exprima vivement son admiration. Elle lui dit tout ce qu'elle jugea propre à faire dominer chez lui le noble orgueil du talent sur tous les mauvais entraînements du passé. Elle ne trouva aucune critique à faire et lui défendit même de rien retoucher.

Laurent, modeste en ses manières et en son langage, avait plus d'orgueil que Thérèse ne voulait lui en donner. Il était, au fond du cœur, enivré de ses éloges. Il sentait bien que, de toutes les personnes capables de l'apprécier, elle était la plus ingénieuse et la plus attentive*. Il sentait aussi revenir impérieusement ce besoin qu'il avait d'elle pour partager* ses tourments et ses joies d'artiste, et cet espoir de devenir* un maître, c'est-à-dire un homme, qu'elle seule pouvait lui rendre dans ses défaillances.

Quand Thérèse eut longtemps contemplé le tableau, elle se retourna pour voir une figure que Laurent la priait de regarder, en lui disant qu'elle en serait encore plus contente ; mais, au lieu d'une toile, Thérèse vit sa mère debout et souriante sur le seuil de la chambre de Laurent.

Mme C... était venue à Paris, ne sachant pas au juste le jour où Thérèse y reviendrait. Cette fois elle y était attirée par des affaires sérieuses : son fils se mariait*, et M. C... était lui-même à Paris depuis quelque temps. La mère de Thérèse, sachant par elle qu'elle avait renoué sa correspondance avec Laurent et craignant l'avenir, était venue le surprendre pour lui dire tout ce qu'une mère peut dire à un homme pour l'empêcher de faire le malheur de sa fille.

Laurent était doué de l'éloquence du cœur. Il avait rassuré cette pauvre mère, et il l'avait retenue en lui disant : « Thérèse va venir, c'est à vos pieds que je veux lui jurer d'être toujours pour elle ce qu'elle voudra, son frère ou son mari, mais dans tous les cas son esclave. »

Ce fut une bien douce surprise pour Thérèse de trouver là sa mère, qu'elle ne s'attendait pas à voir sitôt. Elles s'embrassèrent en pleurant de joie. Laurent les conduisit dans un petit salon rempli de fleurs, où le thé était servi avec luxe. Laurent était riche, il venait de gagner dix mille francs. Il était heureux et fier de pouvoir restituer à Thérèse tout ce qu'elle avait dépensé pour lui. Il fut adorable dans cette soirée ; il gagna le cœur* de la fille et la confiance de la mère, et il eut pourtant la délicatesse de ne pas dire un mot d'amour à Thérèse. Loin de là, en baisant les mains unies ensemble de ces deux femmes, il s'écria avec sincérité que c'était là le plus beau jour de sa vie, et que jamais, en tête-à-tête avec Thérèse, il ne s'était senti si heureux et si content de lui-même.

Ce fut Mme C... la première qui, au bout de quelques jours, parla de mariage* à Thérèse. Cette pauvre femme, qui avait tout sacrifié à la considération extérieure, qui, malgré ses chagrins domestiques, croyait avoir bien fait, ne pouvait supporter l'idée de voir sa fille délaissée par Palmer, et elle pensait que désormais Thérèse devait avoir raison du monde en faisant un autre choix. Laurent était tout à fait célèbre et en vogue. Jamais mariage n'avait paru mieux assorti. Le jeune et grand artiste était corrigé de ses travers. Thérèse avait sur lui une influence qui avait dominé les plus grandes crises de sa pénible transformation. Il avait pour elle un attachement invincible. C'était devenu un devoir pour tous deux de renouer pour toujours une chaîne qui n'avait jamais été complètement brisée, et qui, quelque effort qu'ils fissent désormais, ne pouvait jamais l'être.

Laurent excusait ses torts dans le passé par un raisonnement très spécieux. Thérèse, disait-il, l'avait gâté dans le principe par trop de douceur et de résignation. Si, dès sa première ingratitude, elle se fût montrée offensée, elle l'eût corrigé de la mauvaise habitude, contractée avec les mauvaises femmes, de céder à ses emportements et à ses caprices[185]. Elle lui eût enseigné le respect que l'on doit à la femme qui s'est donnée par amour.

Et puis une autre considération que faisait encore valoir Laurent pour se disculper, et qui semblait plus sérieuse, était celle-ci, que déjà il avait fait entrevoir dans ses lettres : « Probablement, lui disait-il, j'étais malade sans le savoir quand, pour la première fois, j'ai été coupable envers toi. Une fièvre cérébrale, cela semble tomber sur vous comme la foudre, et pourtant il n'est pas possible de croire que, chez un homme jeune et fort, il ne se soit pas opéré, peut-être longtemps à l'avance, une crise terrible où sa raison ait été déjà troublée, et contre laquelle sa volonté n'ait pas pu réagir. N'est-ce pas ce qui s'est passé en moi, ma pauvre Thérèse, à l'approche de cette maladie où j'ai failli succomber ? Ni toi ni moi ne pouvions nous en rendre compte, et, quant à moi, il m'arrivait souvent de m'éveiller le matin et de songer à tes douleurs de la veille sans pouvoir distinguer la réalité* de mes rêves de la nuit. Tu sais bien que je ne pouvais pas travailler, que le lieu où nous étions m'inspirait une aversion maladive, que déjà dans la forêt de ★★★, j'avais eu une hallucination extraordinaire ; enfin que, quand tu me reprochais doucement certains mots cruels et certaines accusations injustes, je t'écoutais d'un air hébété, croyant que c'était toi-même qui avais rêvé tout cela. Pauvre femme ! c'est moi qui t'accusais d'être folle ! Tu vois bien que j'étais fou, et ne peux-tu pardonner des torts involontaires* ? Compare ma conduite après ma maladie avec ce qu'elle était auparavant ! N'était-ce pas comme un réveil de mon âme ? Ne m'as-tu pas trouvé tout à coup aussi confiant, aussi soumis, aussi dévoué que j'étais sceptique, irascible, égoïste, avant cette crise qui me rendait à moi-même ? Et depuis ce moment as-tu quelque chose à me reprocher ? N'avais-je pas accepté ton mariage avec Palmer comme un châtiment qui m'était bien dû ? Tu m'as vu mourir de douleur à l'idée de te perdre pour toujours : t'ai-je dit un mot contre ton fiancé ? Si tu m'eusses ordonné de courir après lui et même de me brûler la cervelle pour te le ramener, je l'eusse fait, tant mon âme et ma vie t'appartiennent ! Est-ce là ce que tu veux encore ? Dis un mot, et si mon existence te gêne et te perd, je suis prêt à la supprimer. Dis un mot, Thérèse, et tu n'entendras plus jamais parler de ce malheureux qui n'a rien à faire au monde que de vivre ou de mourir pour toi. »

Le caractère de Thérèse s'était affaibli dans ce double amour, qui en somme n'avait été que deux actes du même drame*. Sans cet amour froissé et brisé, jamais Palmer n'eût songé à l'épouser*, et l'effort qu'elle avait fait pour s'engager à lui n'était peut-être qu'une réaction du désespoir. Laurent n'avait jamais disparu de sa vie*, puisque le thème de persuasion que Palmer avait dû employer pour la convaincre était un retour perpétuel sur cette funeste liaison qu'il voulait lui faire oublier, et qu'il était fatalement entraîné à lui rappeler sans cesse.

Et puis le retour à l'amitié après la rupture avait été pour Laurent un véritable retour à la passion, tandis que pour Thérèse ç'avait été une nouvelle phase de dévouement plus délicat* et plus tendre que l'amour même. Elle avait souffert de l'abandon de Palmer, mais sans lâcheté. Elle avait encore de la force contre l'injustice, et l'on peut même dire que toute sa force était là. Elle n'était pas la femme éternellement souffrante et plaintive des inutiles regrets et des incurables désirs. Il se faisait en elle de puissantes réactions, et son intelligence, qui était assez développée, l'y aidait naturellement. Elle se faisait une haute idée de la liberté morale, et quand l'amour et la foi d'autrui lui faisaient banqueroute, elle avait le juste orgueil de ne pas disputer lambeau par lambeau le pacte déchiré. Elle se plaisait même alors à l'idée de rendre généreusement et sans reproche l'indépendance et le repos à qui les réclamait.

Mais elle était devenue beaucoup moins forte que dans sa première jeunesse, en ce sens qu'elle avait recouvré le besoin d'aimer et de croire, longtemps assoupi en elle par un désastre exceptionnel. Elle s'était longtemps imaginé qu'elle vivrait ainsi, et que l'art serait son unique passion. Elle s'était trompée, et elle ne pouvait plus se faire d'illusions sur l'avenir. Il lui fallait aimer, et son plus grand malheur, c'est qu'il lui fallait aimer avec douceur, avec abnégation, et satisfaire à tout prix cet élan maternel qui était comme une fatalité de sa nature et de sa vie. Elle avait pris l'habitude de souffrir pour quelqu'un, elle avait besoin de souffrir encore[186], et si ce besoin étrange, mais bien caractérisé chez certaines femmes et même chez certains hommes, ne l'avait pas rendue aussi miséricordieuse* envers Palmer qu'envers Laurent, c'est parce que Palmer lui avait semblé trop fort pour avoir besoin lui-même de son dévouement. Palmer s'était donc trompé en lui offrant un appui et une consolation. Il avait manqué à Thérèse de se croire nécessaire à cet homme, qui voulait qu'elle ne songeât qu'à elle-même.

Laurent, plus naïf, avait ce charme particulier dont elle était fatalement éprise*, la faiblesse ! Il ne s'en cachait pas, il proclamait cette touchante infirmité de son génie avec des transports de sincérité et des attendrissements inépuisables. Hélas ! il se trompait aussi. Il n'était pas plus réellement faible que Palmer n'était réellement fort. Il avait ses heures, il parlait toujours comme un enfant du ciel, et, dès que sa faiblesse avait vaincu, il reprenait sa force pour faire souffrir, comme font tous les enfants que l'on adore.

Laurent était voué à une fatalité inexorable. Il le disait lui-même dans ses moments de lucidité. Il semblait que, né du commerce de deux anges, il eût sucé le lait d'une furie, et qu'il lui en fût resté dans le sang un levain de rage et de désespoir. Il était de ces natures plus répandues qu'on ne pense dans l'espèce humaine et dans les deux sexes, qui, avec toutes les sublimités de l'idée et tous les élans du cœur, ne peuvent arriver à l'apogée de leurs facultés sans tomber aussitôt dans une sorte d'épilepsie intellectuelle.

Et puis, tout aussi bien que Palmer, il voulait entreprendre l'impossible, qui est de prétendre greffer le bonheur sur le désespoir et de goûter les joies célestes de la foi conjugale et de l'amitié sainte sur les ruines d'un passé fraîchement dévasté*. Il eût fallu du repos à ces deux âmes saignantes des blessures qu'elles avaient reçues* : Thérèse en demandait avec l'angoisse d'un affreux pressentiment ; mais Laurent croyait avoir vécu dix siècles* durant les dix mois de leur séparation, et il devenait malade de l'excès d'un désir de l'âme*, qui eût dû effrayer Thérèse plus qu'un désir des sens.

C'est par la nature de ce désir que malheureusement elle se laissa rassurer. Laurent semblait être régénéré au point d'avoir réintégré l'amour moral à la place qu'il doit occuper en première ligne, et il se retrouvait seul avec Thérèse, sans l'inquiéter comme autrefois de ses transports. Il savait, durant des heures entières, lui parler avec l'affection la plus sublime, lui qui s'était cru longtemps muet, disait-il, et qui sentait enfin son génie se dilater et prendre son vol dans une région supérieure ! Il s'imposait à l'avenir de Thérèse en lui montrant sans cesse qu'elle avait à remplir envers lui une tâche sacrée, celle de le soustraire aux entraînements de la jeunesse*, aux mauvaises ambitions de l'âge mûr et à l'égoïsme dépravé de la vieillesse. Il lui parlait de lui-même et toujours de lui-même ; pourquoi non ? Il en parlait si bien ! Par elle, il serait un grand artiste, un grand cœur, un grand homme ; elle lui devait cela, parce qu'elle lui avait sauvé la vie ! Et Thérèse, avec la fatale simplicité* des cœurs aimants, arrivait à trouver ce raisonnement irréfutable, et à se faire un devoir de ce qui avait été d'abord imploré comme un pardon.

Thérèse arriva donc à renouer cette fatale chaîne ; elle eut seulement l'heureuse inspiration d'ajourner le mariage, voulant éprouver la résolution de Laurent sur ce point, et craignant pour lui seul l'engagement irrévocable. S'il ne se fût agi que d'elle, l'imprudente se fût liée sans retour.

Le premier bonheur de Thérèse n'avait pas duré *toute une semaine*, comme dit tristement une chanson gaie ; le second ne dura pas vingt-quatre heures. Les réactions de Laurent étaient soudaines et violentes, en raison de la vivacité de ses joies. Nous disons ses réactions, Thérèse disait ses *rétractations*, et c'était le mot véritable. Il obéissait à cet inexorable besoin que certains adolescents éprouvent de tuer ou de détruire ce qui leur plaît jusqu'à la passion. On a remarqué ces cruels instincts chez des hommes de caractères très différents, et l'histoire les a qualifiés d'instincts pervers : il serait plus juste de les qualifier d'instincts pervertis soit par une maladie du cerveau contractée dans le milieu où ces hommes sont nés, soit par l'impunité, mortelle à la raison, que certaines situations leur ont assurée dès leurs premiers pas dans la vie. On a vu de jeunes rois égorger des biches qu'ils semblaient chérir, pour le seul plaisir de voir palpiter leurs entrailles. Les hommes de génie sont aussi des rois dans le milieu où ils se développent ; ce sont même des rois très absolus, et que leur pouvoir enivre. Il en est que la soif de dominer torture, et que la joie d'une domination assurée exalte* jusqu'à la fureur.

Tel était Laurent, en qui certes deux hommes bien distincts se combattaient. L'on eût dit que deux âmes, s'étant disputé le soin d'animer son corps, se livraient une lutte acharnée pour se chasser l'une l'autre. Au milieu de ces souffles contraires, l'infortuné perdait son libre arbitre, et tombait épuisé chaque jour sur la victoire de l'ange ou du démon qui se l'arrachaient.

Et quand il s'analysait lui-même, il semblait parfois lire dans un livre de magie, et donner avec une effrayante et magnifique lucidité la clé de ces mystérieuses conjurations dont il était la proie. « Oui, disait-il à Thérèse, je subis le phénomène que les thaumaturges appelaient la *possession*. Deux esprits se sont emparés de moi. Y en a-t-il réellement un bon et un mauvais ? Non, je ne le crois pas : celui qui t'effraye, le sceptique, le violent, le terrible, ne fait le mal que parce qu'il n'est pas le maître de faire le bien comme il l'entendrait. Il voudrait être calme, philosophe, enjoué, tolérant* ; *l'autre* ne veut pas qu'il en soit ainsi. Il veut faire son état de bon ange : il veut être ardent, enthousiaste, exclusif, dévoué, et comme son contraire le raille, le nie et le blesse, il devient sombre et cruel à son tour, si bien que deux anges qui sont en moi arrivent à enfanter un démon. »

Et Laurent disait et écrivait à Thérèse sur ce bizarre sujet des choses aussi belles qu'effrayantes, qui paraissaient être vraies et ajouter de nouveaux droits à l'impunité qu'il semblait s'être réservée vis-à-vis d'elle[187].

Tout ce que Thérèse avait craint de souffrir à cause de Laurent, en devenant la femme de Palmer, elle eut à le souffrir à cause de

Palmer en redevenant la compagne de Laurent. L'horrible jalousie rétrospective, la pire de toutes, parce qu'elle se prend à tout sans pouvoir s'assurer de rien, rongea le cœur et brisa le cerveau du malheureux artiste[188]. Le souvenir de Palmer devint pour lui un spectre, un vampire. Sa pensée s'acharna à vouloir que Thérèse lui rendît compte de tous les détails de sa vie à Gênes et à Porto-Venere, et, comme elle s'y refusait*, il l'accusa d'avoir cherché dès lors à *le tromper*. Oubliant qu'à cette époque Thérèse lui avait écrit : *J'aime Palmer*, et qu'un peu plus tard elle lui avait écrit : *Je l'épouse*, il lui reprochait d'avoir toujours tenu d'une main sûre et perfide la chaîne d'espoir et de désir qui l'attachait à elle. Thérèse lui remit sous les yeux toute leur correspondance, et il reconnut qu'elle lui avait dit en temps et lieu tout ce que la loyauté lui prescrivait de dire pour le détacher d'elle. Il s'apaisa et convint qu'elle avait ménagé sa passion mal éteinte avec une excessive délicatesse, lui disant peu à peu toute la vérité à mesure qu'il se montrait disposé à la recevoir sans douleur, et aussi à mesure qu'elle-même avait pu prendre confiance dans l'avenir où Palmer l'entraînait. Il reconnut qu'elle ne lui avait jamais fait l'ombre d'un mensonge, même lorsqu'elle avait refusé de s'expliquer, et qu'au lendemain de sa maladie, lorsqu'il se faisait encore illusion sur une réconciliation impossible, elle lui avait dit : « Tout est fini entre nous. Ce que j'ai résolu et accepté pour moi-même est mon secret, et tu n'as pas le droit de m'interroger. »

« Oui, oui, tu as raison, s'écria Laurent. J'étais injuste, et ma fatale curiosité est une torture que je suis vraiment criminel de vouloir te faire partager. Oui, pauvre Thérèse, je te fais subir d'humiliants interrogatoires, à toi qui ne me devais que l'oubli, et qui m'accordes un pardon généreux* ! Je change les rôles : j'instruis ton procès, et j'oublie que c'est moi le coupable et le condamné ! Je cherche d'une main impie à arracher les voiles de pudeur dont ton âme a le droit et sans doute aussi le devoir de s'envelopper pour tout ce qui tient à tes relations avec Palmer. Eh bien ! je te remercie de ton fier silence. Je t'en estime d'autant plus. Il me prouve que jamais tu n'as laissé Palmer t'interroger sur les mystères de nos douleurs et de nos joies. Et je le comprends maintenant : non seulement une femme ne doit pas ces confidences intimes à son amant, mais encore elle se doit de les lui refuser. L'homme qui les demande avilit celle qu'il aime. Il exige d'elle une lâcheté, en même temps qu'il la souille dans sa pensée, en associant son image à celle de tous les fantômes qui l'obsèdent. Oui, Thérèse, tu as raison : il faut travailler soi-même à entretenir la pureté de son idéal, et moi, je m'évertue sans cesse à le profaner et à l'arracher du temple que je lui avais bâti ! »

Il semblait qu'après de telles explications, et lorsque Laurent se disait prêt à les signer* de son sang et de ses larmes, le calme dût renaître et le bonheur commencer. Il n'en était pas ainsi. Laurent, dévoré d'une secrète rage, revenait le lendemain à ses questions, à ses outrages, à ses sarcasmes. Des nuits entières se passaient en discussions déplorables, où il semblait qu'il eût absolument besoin de travailler son propre génie à coups de fouet, de le blesser, de le torturer pour le rendre fécond en malédictions d'une effroyable éloquence, et pour faire atteindre à Thérèse et à lui les dernières limites du désespoir[189]. Après ces orages, il semblait qu'il n'y eût plus qu'à se tuer ensemble[190]. Thérèse s'y attendait toujours et se tenait prête, car elle prenait la vie en horreur ; mais Laurent n'avait pas encore cette pensée*. Accablé de lassitude, il s'endormait, et son bon ange semblait revenir pour bercer son sommeil et mettre sur ses traits le divin sourire des visions célestes[191].

Règle invariable*, inouïe, mais absolue dans cette étrange organisation : le sommeil changeait toutes ses résolutions. S'il s'endormait le cœur plein de tendresse, il s'éveillait l'esprit avide de combat et de meurtre, et réciproquement, s'il était parti la veille en maudissant, il accourait le lendemain pour bénir.

Trois fois Thérèse le quitta et s'enfuit loin de Paris. Trois fois il courut après elle et la força de pardonner à son désespoir, car aussitôt qu'il l'avait perdue, il l'adorait et recommençait à l'implorer avec toutes les larmes d'un repentir exalté[192].

Thérèse fut à la fois misérable et sublime dans cet enfer où elle s'était replongée en fermant les yeux et en faisant le sacrifice de sa vie. Elle poussa le dévouement jusqu'à des immolations* qui faisaient frémir ses amis, et qui lui valurent quelquefois le blâme, presque le mépris des gens fiers et sages, qui ne savent pas ce que c'est que d'aimer.

Et d'ailleurs cet amour de Thérèse pour Laurent était incompréhensible pour elle-même. Elle n'y était pas entraînée par les sens, car Laurent, souillé par la débauche* où il se replongeait pour tuer un amour qu'il ne pouvait éteindre par sa volonté, lui était devenu un objet de dégoût pire qu'un cadavre. Elle n'avait plus de caresses pour lui, et il n'osait plus lui en demander. Elle n'était plus vaincue et dominée par le charme de son éloquence et par les grâces enfantines de ses repentirs. Elle ne pouvait plus croire au lendemain* ; et les attendrissements splendides qui les avaient tant de fois réconciliés n'étaient plus pour elle que les effrayants symptômes de la tempête et du naufrage.

Ce qui l'attachait à lui, c'était cette immense pitié dont on contracte l'impérieuse habitude avec les êtres à qui l'on a beaucoup pardonné. Il semble que le pardon engendre le pardon jusqu'à la satiété, jusqu'à la faiblesse imbécile. Quand une mère s'est dit que son enfant est incorrigible, et qu'il faut qu'il meure ou qu'il tue, elle n'a plus rien à faire qu'à l'abandonner ou à tout accepter. Thérèse s'était trompée toutes les fois qu'elle avait cru guérir Laurent par l'abandon. Il est bien vrai qu'alors il redevenait meilleur, mais c'était à la condition d'espérer son pardon. Quand il ne l'espérait plus, il se jetait à corps perdu dans la paresse et le désordre*. Elle revenait alors pour l'en tirer, et elle réussissait à le faire travailler pendant quelques jours. Mais combien elle payait cher ce peu de bien qu'elle parvenait à lui faire ! Quand il revenait au dégoût d'une vie normale, il n'avait pas assez d'invectives pour lui reprocher de vouloir faire de lui « ce que *sa patronne Thérèse Levasseur* avait fait de Jean-Jacques[193] », c'est-à-dire, selon lui, « un idiot et un maniaque ».

Et pourtant, dans cette pitié* de Thérèse qu'il implorait si ardemment pour s'en offenser aussitôt qu'elle lui était rendue, il y avait un respect enthousiaste et peut-être même un peu fanatique pour le génie de l'artiste. Cette femme, qu'il accusait d'être bourgeoise et inintelligente quand il la voyait travailler à son bien-être à lui avec candeur et persévérance, elle était grandement artiste, au moins dans son amour, puisqu'elle acceptait la tyrannie de Laurent comme étant de droit divin, et lui sacrifiait sa propre fierté, son propre travail, et ce qu'une autre moins dévouée eût peut-être appelé sa propre gloire*.

Et lui, l'infortuné, il voyait et comprenait ce dévouement, et lorsqu'il s'apercevait de son ingratitude, il était dévoré de remords qui le brisaient. Il lui eût fallu une maîtresse insouciante et robuste qui se fût moquée de ses colères comme de ses repentirs, qui n'eût souffert de rien, pourvu qu'elle le dominât. Telle n'était pas Thérèse. Elle se mourait de fatigue et de chagrin, et, en la voyant dépérir, Laurent cherchait dans le suicide de son intelligence, dans le poison de l'ivresse, l'oubli momentané de ses propres larmes*[194].

XIII* 195

Un soir, il lui fit une si longue et si incompréhensible querelle, qu'elle ne l'entendit plus et s'assoupit sur son fauteuil. Au bout de quelques instants, un léger frôlement lui fit ouvrir les yeux. Laurent jeta convulsivement par terre quelque chose de brillant : c'était un poignard. Thérèse sourit et referma les yeux. Elle comprenait faiblement, et comme à travers le voile d'un rêve, qu'il avait songé à la tuer 196. En ce moment, tout était indifférent à Thérèse. Se reposer de vivre et de penser, que ce fût sommeil ou mort, elle laissait le choix à la destinée.

C'était la mort qu'elle méprisait. Laurent crut que c'était lui, et, se méprisant lui-même, il la quitta enfin.

Trois jours après, Thérèse, décidée à faire un emprunt qui lui permît un voyage sérieux, une absence réelle (cette vie de déchirements et de bourrasques tuait son travail et ruinait son existence), alla au quai aux Fleurs et acheta un rosier blanc, qu'elle envoya à Laurent sans donner son nom au porteur. C'était son adieu. En rentrant chez elle, elle y trouva un rosier blanc anonyme : c'était aussi l'adieu de Laurent. Tous deux partaient, tous deux restèrent. La coïncidence de ces rosiers blancs émut Laurent jusqu'aux larmes. Il courut chez Thérèse, et la trouva achevant ses paquets. Sa place était retenue dans le courrier pour six heures du soir. Celle de Laurent l'était aussi dans la même voiture. Tous deux avaient pensé revoir l'Italie l'un sans l'autre.

« Eh bien ! partons ensemble ! s'écria-t-il.

— Non, je ne pars plus, répondit-elle.

— Thérèse, lui dit-il, nous aurons beau vouloir ! ce lien atroce qui nous unit ne se rompra jamais. C'est folie d'y songer encore. Mon amour a résisté à tout ce qui peut briser un sentiment, à tout ce qui peut tuer une âme. Il faut que tu m'aimes comme je suis, ou que nous mourrions ensemble. Veux-tu m'aimer ?

— Je le voudrais en vain, je ne peux plus, dit Thérèse. Je sens mon cœur épuisé : je crois qu'il est mort.

— Eh bien ! veux-tu mourir ?

— Il m'est indifférent de mourir, tu le sais ; mais je ne veux ni de ta vie ni de ta mort avec moi.

— Ah ! oui, tu crois à l'éternité du *moi* ! Tu ne veux pas me retrouver dans l'autre vie ! Pauvre martyre, je comprends cela !

— Nous ne nous retrouverons pas, Laurent, j'en ai la certitude. Chaque âme va vers son foyer d'attraction. Le repos m'appelle, et toi tu seras toujours et partout attiré par la tempête.

— C'est-à-dire que tu n'as pas mérité l'enfer, toi !

— Tu ne l'as pas mérité non plus. Tu auras un autre ciel, voilà tout !

— Et en ce monde qu'est-ce qui m'attend, si tu me quittes ?

— La gloire quand tu ne chercheras plus l'amour. »

Laurent devint pensif. Il répéta machinalement plusieurs fois : « La gloire ! » puis il s'agenouilla devant la cheminée en tisonnant, comme il avait coutume de faire quand il voulait être seul avec lui-même. Thérèse sortit pour décommander son départ. Elle savait bien que Laurent l'eût suivie.

Quand elle rentra, elle le trouva très calme et très enjoué.

« Ce monde, lui dit-il, n'est qu'une plate comédie ; mais pourquoi vouloir s'élever au-dessus de lui, puisque nous ne savons pas ce qu'il y a plus haut, et même s'il y a quelque chose ? La gloire dont tu ris intérieurement, je le sais fort bien...

— Je ne ris pas de celle des autres...

— Qui, les autres ?

— Ceux qui y croient et qui l'aiment.

— Dieu sait si j'y crois, Thérèse, et si je ne m'en moque pas comme d'une farce ! Mais on peut bien aimer une chose dont on sait le peu de valeur. On aime un cheval quinteux qui vous casse le cou, le tabac qui vous empoisonne, une mauvaise pièce qui vous fait rire, et la gloire qui n'est qu'une mascarade ! La gloire ! qu'est-ce pour un artiste vivant ? Des articles de journaux qui vous éreintent et qui font parler de vous, et puis des éloges que personne ne lit, car le public ne s'amuse que des critiques acerbes, et quand on porte son idole aux nues, il ne s'en soucie plus du tout. Et puis des groupes qui se pressent et se succèdent devant une toile peinte, et puis des commandes monumentales qui vous transportent de joie et d'ambition, et qui vous laissent moitié mort de fatigue sans avoir réalisé votre idée... Et puis... l'Institut... une réunion de gens qui vous détestent, et qui eux-mêmes... »

Ici Laurent se livra aux plus amers sarcasmes[197], et termina son dithyrambe en disant :

« N'importe ! voilà la gloire de ce monde ! On crache dessus, mais on ne peut s'en passer, puisqu'il n'y a rien de mieux ! »

Leur entretien se prolongea ainsi jusqu'au soir, railleur, philoso-phique, et peu à peu tout à fait impersonnel. On eût dit à les entendre et à les voir, deux paisibles amis qui ne s'étaient jamais brouillés. Cette situation étrange s'était répétée plusieurs fois au beau milieu de leur grande crise* : c'est que, quand leurs cœurs se taisaient, leurs intelligences se convenaient et s'entendaient encore.

Laurent eut faim et demanda à dîner avec Thérèse.

« Et votre départ ? lui dit-elle ; voici l'heure qui approche.

— Puisque vous ne partez plus, vous !

— Je partirai si vous restez.

— Eh bien ! je partirai, Thérèse. Adieu ! »

Il sortit brusquement et revint au bout d'une heure.

« J'ai manqué le courrier, dit-il, ce sera pour demain. Vous n'avez donc pas encore dîné ? »

Thérèse, préoccupée, avait oublié son repas sur la table.

« Ma chère Thérèse, lui dit-il, accordez-moi une dernière grâce ; venez dîner avec moi quelque part, et allons ce soir ensemble à quelque spectacle. Je veux redevenir votre ami, rien que votre ami. Ce sera ma guérison et notre salut à tous les deux. Éprouvez-moi. Je ne serai plus ni jaloux, ni exigeant, ni même amoureux. Tenez, sachez-le, j'ai une autre maîtresse, une jolie petite femme du monde, menue comme une fauvette, blanche et fine comme un brin de muguet. C'est une femme mariée. Je suis l'ami de son amant, que je trompe. J'ai deux rivaux, deux dangers de mort à braver chaque fois que j'obtiens un tête-à-tête. C'est fort piquant et c'est là tout le secret de mon amour. Donc mes sens et mon imagination sont satisfaits de ce côté-là ; c'est mon cœur tout seul et l'échange de mes idées avec les vôtres que je vous offre.

— Je les refuse, dit Thérèse.

— Comment ! vous aurez la vanité d'être jalouse d'un être que vous n'aimez plus ?

— Certes, non ! Je n'ai plus ma vie à donner, et je ne comprends pas une amitié comme celle que vous me demandez sans un dévouement exclusif. Venez me voir comme mes autres amis, je le veux bien ; mais ne me demandez plus d'intimité particulière, même apparente.

— Je comprends, Thérèse ; vous avez un autre amant ! »

Thérèse leva les épaules et ne répondit rien. Il mourait d'envie qu'elle se vantât d'un caprice, comme il venait de le faire vis-à-vis d'elle. Sa force abattue se ranimait et avait besoin d'un combat. Il attendait avec anxiété qu'elle répondît à son défi pour l'accabler de reproches et de dédains, et lui déclarer peut-être qu'il venait d'inventer cette maîtresse pour la forcer à se trahir elle-même. Il ne comprenait plus la force d'inertie de Thérèse. Il aimait mieux se croire haï et trompé qu'importun ou indifférent.

Elle le lassa par son mutisme.

« Bonsoir, lui dit-il. Je vais dîner, et de là au bal de l'Opéra, si je ne suis pas trop gris. »

Thérèse, restée seule, creusa, pour la millième fois en elle-même, l'abîme de cette mystérieuse destinée. Que lui manquait-il donc pour être une des plus belles destinées humaines ? La raison.

Mais qu'est-ce donc que la raison ? se demandait Thérèse, et comment le génie peut-il exister sans elle ? Est-ce parce qu'il est une si grande force qu'il peut la tuer et lui survivre ? Ou bien la raison n'est-elle qu'une faculté isolée dont l'union avec le reste des facultés n'est pas toujours nécessaire ?

Elle tomba dans une sorte de rêverie métaphysique. Il lui avait toujours semblé que la raison était un ensemble d'idées et non pas un détail, que toutes les facultés d'un être bien organisé lui empruntaient et lui fournissaient tour à tour quelque chose, qu'elle était à la fois le moyen et le but, qu'aucun chef-d'œuvre ne pouvait s'affranchir de sa loi, et qu'aucun homme ne pouvait avoir de valeur réelle après l'avoir résolument foulée aux pieds.

Elle repassait dans sa mémoire la vie des grands artistes, et regardait aussi celle des artistes contemporains. Elle voyait partout la règle du vrai associée au rêve du beau, et partout cependant des exceptions, des anomalies effrayantes, des figures rayonnantes et foudroyées comme celle de Laurent. L'aspiration au sublime était même une maladie du temps et du milieu où se trouvait Thérèse. C'était quelque chose de fiévreux qui s'emparait de la jeunesse et qui lui faisait mépriser les conditions du bonheur normal en même temps que les devoirs de la vie ordinaire. Par la force des choses, Thérèse elle-même se trouvait jetée, sans l'avoir désiré ni prévu, dans ce cercle fatal de l'enfer humain. Elle était devenue la compagne, la moitié intellectuelle d'un de ces fous sublimes, d'un de ces génies extravagants ; elle assistait à la perpétuelle agonie de Prométhée, aux renaissantes fureurs d'Oreste ; elle subissait le contrecoup de ces inexprimables douleurs sans en comprendre la cause, sans en pouvoir trouver le remède.

Dieu était encore dans ces âmes rebelles et torturées cependant, puisqu'à certaines heures Laurent redevenait enthousiaste et bon, puisque la source pure de l'inspiration sacrée n'était pas tarie ; ce n'était point là un talent épuisé, c'était peut-être encore un homme de beaucoup d'avenir. Fallait-il l'abandonner à l'envahissement du délire et à l'hébétement de la fatigue ? [197 bis].

Thérèse avait, disons-nous, trop côtoyé cet abîme pour n'en point partager quelquefois le vertige. Son propre talent comme son propre caractère avait failli s'engager à son insu dans cette voie désespérée. Elle avait eu cette exaltation de la souffrance qui fait voir en grand les misères de la vie, et qui flotte entre les limites du réel et de l'imaginaire ; mais par une réaction naturelle, son esprit aspirait désormais au *vrai*, qui n'est ni l'un ni l'autre, ni l'idéal sans frein, ni le fait sans poésie. Elle sentait que c'était là le beau, et qu'il fallait chercher la vie matérielle simple et digne pour rentrer dans la vie logique de l'âme. Elle se faisait de graves reproches de s'être manqué si longtemps à elle-même, puis un instant après elle se reprochait également de se trop préoccuper de son propre sort en présence du péril extrême où celui de Laurent restait engagé.

Par toutes ses voix, par celle de l'amitié comme par celle de l'opinion, le monde lui criait de se relever et de se reprendre. C'était là le devoir en effet selon le monde, dont le nom en pareil cas équivaut à celui d'ordre général, d'intérêt de la société : « Suivez le bon chemin, laissez périr ceux qui s'en écartent. » Et la religion officielle ajoutait : « Les sages et les bons pour l'éternel bonheur, les aveugles et les rebelles pour l'enfer ! » Donc peu importe au sage que l'insensé périsse ?

Thérèse se révolta contre cette conclusion. « Le jour où je me croirai l'être le plus parfait, le plus précieux et le plus excellent de la terre, se dit-elle, j'admettrai l'arrêt de mort de tous les autres ; mais si ce jour-là m'arrive, ne serai-je pas plus folle que tous les autres fous ? Arrière la folie de la vanité, mère de l'égoïsme ! Souffrons encore pour un autre que moi ! »

Il était près de minuit lorsqu'elle se leva du fauteuil où elle s'était laissée tomber inerte et brisée quatre heures auparavant. On venait de sonner. Un commissionnaire apportait un carton et un billet. Le carton contenait un domino et un masque de satin noir. Le billet contenait ce peu de mots de la main de Laurent : *Senza veder, senza parlar*[198].

Sans se voir et sans se parler... Que signifiait cette énigme ? Voulait-il qu'elle vînt au bal masqué l'intriguer par une aventure banale ? voulait-il essayer de l'aimer sans la reconnaître ? Était-ce fantaisie de poète ou insulte de libertin ?

Thérèse renvoya le carton et retomba dans son fauteuil ; mais l'inquiétude ne l'y laissa plus réfléchir. Ne devait-elle pas tout tenter pour arracher cette victime à l'égarement infernal ?

« J'irai, dit-elle, je le suivrai pas à pas. Je verrai, j'entendrai sa vie en dehors de moi, je saurai ce qu'il y a de vrai dans les turpitudes qu'il me raconte, à quel point il aime le mal naïvement ou avec affectation, s'il a vraiment des goûts dépravés, ou s'il ne cherche qu'à s'étourdir. Sachant tout ce que j'ai voulu ignorer de lui et de ce mauvais monde, tout ce que j'éloignais avec dégoût de ses souvenirs et de mon imagination, je découvrirai peut-être un joint, un biais, pour l'arracher à ce vertige. »

Elle se rappela le domino que Laurent venait de lui envoyer, et sur lequel elle avait pourtant à peine jeté les yeux. Il était en satin. Elle en envoya chercher un en gros de Naples, mit un masque, cacha ses cheveux avec soin, se munit de nœuds de rubans de diverses couleurs, afin de changer l'aspect de sa personne, dans le cas où Laurent viendrait à la soupçonner sous ce costume, et, demandant une voiture, elle se rendit toute seule et résolument au bal de l'Opéra.

Elle n'y avait jamais mis les pieds. Le masque lui semblait une chose insupportable, étouffante. Elle n'avait jamais essayé de contrefaire sa voix, et ne voulait être devinée de personne. Elle se glissa muette dans les corridors, cherchant les coins isolés quand elle était lasse de marcher, ne s'y arrêtant pas quand elle voyait quelqu'un approcher d'elle, ayant toujours l'air de passer, et réussissant plus facilement qu'elle ne l'avait espéré à être complètement seule et libre dans cette foule agitée.

C'était l'époque où l'on ne dansait pas au bal de l'Opéra, et où le seul déguisement admis était le domino noir. C'était donc une cohue sombre et grave en apparence, occupée peut-être d'intrigues aussi peu morales que les bacchanales des autres réunions de ce genre, mais d'un aspect imposant, vu de haut, dans son ensemble[199]. Puis tout à coup, d'heure en heure, un bruyant orchestre jouait des quadrilles effrénés, comme si l'administration, luttant contre la police, eût voulu entraîner la foule à enfreindre sa défense ; mais personne ne paraissait y songer[200]. La noire fourmilière continuait à marcher lentement et à chuchoter au milieu de ce vacarme, qui se terminait par un coup de pistolet, finale étrange, fantastique, qui semblait impuissant à dissiper la vision de cette fête lugubre[201].

Pendant quelques instants, Thérèse fut frappée de ce spectacle au point d'oublier où elle était et de se croire dans le monde des rêves tristes. Elle cherchait Laurent, et ne le trouvait pas.

Elle se hasarda dans le foyer, où se tenaient, sans masque et sans déguisement, les hommes connus de tout Paris, et quand elle en eut fait le tour, elle allait se retirer, lorsqu'elle entendit prononcer son nom dans un coin. Elle se retourna, et vit l'homme qu'elle avait tant aimé assis entre deux filles masquées, dont la voix et l'accent avaient ce je ne sais quoi de mou et d'aigre tout ensemble qui révèle la fatigue des sens et l'amertume de l'esprit.

« Eh bien ! disait l'une d'elles, tu l'as donc enfin abandonnée, ta fameuse Thérèse ? Il paraît qu'elle t'a trompé là-bas, en Italie, et que tu ne voulais pas le croire ?

— Il a commencé à s'en douter, reprit l'autre, le jour où il a réussi à chasser le rival heureux. »

Thérèse fut mortellement blessée de voir le douloureux roman de sa vie livré à de pareilles interprétations, mais plus encore de voir Laurent sourire, répondre à ces filles qu'elles ne savaient ce qu'elles disaient, et leur parler d'autre chose, sans indignation et comme sans mémoire ou sans souci de ce qu'il venait d'entendre[202]. Thérèse n'eût jamais cru qu'il n'était pas même son ami. Elle en était sûre maintenant ! Elle resta, elle écouta encore ; elle sentait une sueur glacée coller son masque à sa figure.

Cependant Laurent ne disait à ces filles rien qui ne pût être entendu de tout le monde. Il babillait, s'amusait de leur caquet, et y répondait en homme de bonne compagnie. Elles n'avaient aucun esprit, et deux ou trois fois il bâilla en se cachant un peu. Néanmoins il restait là, se souciant peu d'être vu de tous en cette compagnie, se laissant faire la cour, bâillant de fatigue et non d'ennui réel, doux, distrait, mais aimable, et parlant à ces compagnes de rencontre comme si elles eussent été des femmes du meilleur monde, presque de bonnes et sérieuses amies, mêlées à des souvenirs agréables de plaisirs que l'on peut avouer.

Cela dura bien un quart d'heure. Thérèse restait toujours. Laurent lui tournait le dos. La banquette où il était assis se trouvait placée dans l'embrasure d'une porte de glace sans tain, fermée en face de lui. Lorsque des groupes errant dans les couloirs extérieurs s'arrêtaient contre cette porte, les habits et les dominos faisaient un fond opaque, et la vitre devenait une glace noire où l'image de Thérèse se répétait sans qu'elle s'en aperçût. Laurent la vit à divers intervalles sans songer à elle ; mais peu à peu l'immobilité de cette figure masquée l'inquiéta, et il dit à ses compagnes en la leur montrant dans le sombre miroir :

« Est-ce que vous ne trouvez pas ça effrayant, le masque ?

— Nous te faisons donc peur ?

— Non, pas vous : je sais comment vous avez le nez fait sous ce morceau de satin ; mais une figure qu'on ne devine pas, que l'on ne connaît pas, et qui vous fixe avec cette prunelle ardente ; je m'en vais d'ici, moi, j'en ai assez.

— C'est-à-dire, reprirent-elles, que tu as assez de nous ?

— Non, dit-il, j'ai assez du bal. On y étouffe. Voulez-vous venir voir tomber la neige ? Je vais au bois de Boulogne.

— Mais il y a de quoi mourir ?

— Ah bien oui ! Est-ce qu'on meurt ? Venez-vous ?

— Ma foi non !

— Qui veut venir en domino au bois de Boulogne avec moi ? » dit-en en élevant la voix.

Un groupe de figures noires s'abattit comme une volée de chauves-souris autour de lui.

« Combien cela vaut-il ? disait l'une.

— Me feras-tu mon portrait ? disait l'autre.

— Est-ce à pied ou à cheval ? disait une troisième.

— Cent francs par tête, répondit-il, rien que pour se promener les pieds dans la neige au clair de la lune. Je vous suivrai de loin. C'est pour voir l'effet... Combien êtes-vous ? ajouta-t-il au bout de quelques instants. Dix ! ce n'est guère. N'importe, marchons ! »

Trois restèrent en disant :

« Il n'a pas le sou. Il nous fera attraper une fluxion de poitrine, et ce sera tout.

— Vous restez ? reprit-il ; reste sept ! Bravo, nombre cabalistique, les sept péchés capitaux ! Vive Dieu ! je craignais de m'ennuyer, mais voilà une invention qui me sauve.

— Allons, dit Thérèse, une fantaisie d'artiste !... Il se souvient qu'il est peintre. Rien n'est perdu. »

Elle suivit cette étrange compagnie jusqu'au péristyle, pour s'assurer qu'en effet l'idée fantasque était mise à exécution ; mais le froid fit reculer les plus déterminées, et Laurent se laissa persuader d'y renoncer. On voulait qu'il changeât la partie en un souper général.

« Ma foi non ! dit-il, vous n'êtes que des peureuses et des

égoïstes, absolument comme les femmes honnêtes. Je vais dans la bonne compagnie. Tant pis pour vous. »

Mais elles le remmenèrent dans le foyer, et il s'y établit entre lui, d'autres jeunes gens de ses amis, et une troupe d'effrontées, une causerie si vive, avec de si beaux projets, que Thérèse, vaincue par le dégoût, se retira en se disant qu'il était trop tard. Laurent aimait le vice : elle ne pouvait plus rien pour lui.

Laurent aimait-il le vice, en effet ? Non, l'esclave n'aime pas le joug et le fouet ; mais quand il est esclave par sa faute, quand il s'est laissé prendre sa liberté, faute d'un jour de courage ou de prudence, il s'habitue au servage et à toutes ses douleurs : il justifie ce mot profond de l'antiquité, que quand Jupiter réduit un homme en cet état, il lui ôte la moitié de son âme.

Quand l'esclavage du corps était le fruit terrible de la victoire, le ciel agissait ainsi par pitié pour le vaincu ; mais quand c'est l'âme qui subit l'étreinte funeste de la débauche, le châtiment est là tout entier. Désormais Laurent le méritait, ce châtiment. Il avait pu se racheter, Thérèse y avait risqué, elle aussi, la moitié de son âme : il n'en avait pas profité.

Comme elle remontait en voiture pour rentrer chez elle, un homme éperdu s'élança à ses côtés. C'était Laurent. Il l'avait reconnue au moment où elle quittait le foyer, à un geste d'horreur involontaire dont elle n'avait pas eu conscience.

« Thérèse, lui dit-il, rentrons dans ce bal. Je veux dire à tous ces hommes : "Vous êtes des brutes !" à toutes ces femmes : "Vous êtes des infâmes !" Je veux crier ton nom, ton nom sacré à cette foule imbécile, me rouler à tes pieds, et mordre la poussière en appelant sur moi tous les mépris, toutes les insultes, toutes les hontes ! Je veux faire ma confession à haute voix dans cette mascarade immense, comme les premiers chrétiens la faisaient dans les temples païens, purifiés tout à coup par les larmes de la pénitence et lavés par le sang des martyrs[203]... »

Cette exaltation dura jusqu'à ce que Thérèse l'eût ramené à sa porte. Elle ne comprenait plus du tout pourquoi et comment cet homme si peu enivré, si maître de lui-même, si agréablement discoureur au milieu des filles du bal masqué, redevenait passionné jusqu'à l'extravagance aussitôt qu'elle lui apparaissait.

« C'est moi qui vous rends fou, lui dit-elle. Tout à l'heure on vous parlait de moi comme d'une misérable, et cela même ne vous réveillait pas. Je suis devenue pour vous comme un spectre vengeur. Ce n'était pas là ce que je voulais. Quittons-nous donc, puisque je ne peux plus vous faire que du mal. »

XIV

Ils se revirent pourtant le lendemain. Il la supplia de lui donner une dernière journée de causerie fraternelle et de promenade *bourgeoise*, amicale, tranquille. Ils allèrent ensemble au Jardin des Plantes[204], s'assirent sous le grand cèdre, et montèrent au labyrinthe. Il faisait doux ; plus de traces de neige. Un soleil pâle perçait à travers des nuages lilas. Les bourgeons des plantes étaient déjà gonflés de sève. Laurent était poète, rien que poète et artiste contemplatif ce jour-là : un calme profond, inouï, pas de remords, pas de désirs ni d'espérances ; de la gaieté ingénue encore par moments. Pour Thérèse, qui l'observait avec étonnement, c'était à ne pas croire que tout fût brisé entre eux.

L'orage revint effroyable le lendemain, sans cause, sans prétexte, et absolument comme il se forme dans le ciel d'été, par la seule raison qu'il a fait beau la veille.

Puis, de jour en jour, tout s'obscurcit, et ce fut comme une fin du monde, comme de continuels éclats de foudre au sein des ténèbres.

Une nuit, il entra chez elle fort tard, dans un état d'égarement complet, et, sans savoir où il était, sans lui dire un mot, il se laissa tomber endormi sur le sofa du salon.

Thérèse passa dans son atelier, et pria Dieu avec ardeur et désespoir de la soustraire à ce supplice. Elle était découragée ; la mesure était comble. Elle pleura et pria toute la nuit.

Le jour paraissait lorsqu'elle entendit sonner à sa porte. Catherine dormait, et Thérèse crut que quelque passant attardé* se trompait de domicile. On sonna encore ; on sonna trois fois. Thérèse alla regarder par la lucarne de l'escalier qui donnait au-dessus de la porte d'entrée. Elle vit un enfant de dix à douze ans, dont les vêtements annonçaient l'aisance, dont la figure levée vers elle lui parut angélique.

« Qu'est-ce donc, mon petit ami ? lui dit-elle ; êtes-vous égaré dans le quartier ?

— Non, répondit-il, on m'a amené ici ; je cherche une dame qui s'appelle Mlle Jacques. »

Thérèse descendit, ouvrit à l'enfant, et le regarda avec une émotion extraordinaire. Il lui semblait qu'elle l'avait déjà vu, ou qu'il ressemblait à quelqu'un qu'elle connaissait et dont elle ne pouvait retrouver le nom. L'enfant aussi paraissait troublé et indécis.

Elle l'emmena dans le jardin pour le questionner ; mais, au lieu de répondre :

« C'est donc vous, lui dit-il tout tremblant, qui êtes Mademoiselle Thérèse ?

— C'est moi, mon enfant ; que me voulez-vous ? que puis-je faire pour vous ?

— Il faut me prendre avec vous et me garder si vous voulez de moi !

— Qui êtes-vous donc ?

— Je suis le fils du comte de ★ ★ ★. »

Thérèse retint un cri, et son premier mouvement fut de repousser l'enfant ; mais tout à coup elle fut frappée de sa ressemblance avec une figure qu'elle avait peinte dernièrement en la regardant dans une glace pour l'envoyer à sa mère, et cette figure, c'était la sienne propre.

« Attends ! s'écria-t-elle en saisissant le jeune garçon dans ses bras avec un mouvement convulsif. Comment t'appelles-tu ?

— Manoël[205].

— Oh ! mon Dieu ! qui donc est ta mère ?

— C'est... on m'a bien recommandé de ne pas vous le dire tout de suite ! Ma mère... c'était d'abord la comtesse de ★ ★ ★ qui est là-bas, à La Havane ; elle ne m'aimait pas et elle me disait bien souvent : "Tu n'es pas mon fils*, je ne suis pas obligée de t'aimer." Mais mon père m'aimait, et il me disait souvent : "Tu n'es qu'à moi, tu n'as pas de mère." Et puis il est mort il y a dix-huit mois, et la comtesse a dit : "Tu es à moi* et tu vas rester avec moi." C'est parce que mon père lui avait laissé de l'argent, à la condition que je passerais pour leur fils à tous les deux. Cependant elle continuait à ne pas m'aimer, et je m'ennuyais beaucoup avec elle, quand un monsieur des États-Unis, qui s'appelle M. Richard Palmer, est venu tout d'un coup me demander. La comtesse a dit : "Non, je ne veux pas." Alors M. Palmer m'a dit : "Veux-tu que je te reconduise à ta vraie mère, qui croit que tu es mort, et qui sera bien contente de te revoir ?" J'ai dit oui, bien sûr ! Alors M. Palmer est venu la nuit, dans une barque*, parce que nous demeurions au bord de la mer ; et moi, je me suis levé bien doucement, bien doucement, et nous avons navigué tous les deux jusqu'à un grand navire, et puis nous avons traversé toute la grande mer, et nous voilà.

— Vous voilà ! dit Thérèse, qui tenait l'enfant pressé contre sa poitrine, et qui, agitée d'un tremblement d'ivresse, le couvait et l'enveloppait d'un seul et ardent baiser pendant qu'il parlait ; où est-il, Palmer ?

— Je ne sais pas, dit l'enfant. Il m'a amené à la porte, il m'a dit *sonne*, et puis je ne l'ai plus vu.

— Cherchons-le, dit Thérèse en se levant ; il ne peut pas être loin ! »

Et, courant avec l'enfant, elle rejoignit Palmer, qui se tenait à quelque distance, attendant de pouvoir s'assurer que l'enfant était reconnu par sa mère.

« Richard ! Richard ! s'écria Thérèse en se jetant à ses pieds au milieu de la rue encore déserte, comme elle l'eût fait quand même elle eût été pleine de monde. Vous êtes *Dieu* pour moi !... » Elle n'en put dire davantage ; suffoquée par les larmes de la joie, elle devenait folle.

Palmer l'emmena sous les arbres des Champs-Élysées et la fit asseoir. Il lui fallut au moins une heure pour se calmer et se reconnaître, et pour réussir à caresser son fils sans risquer de l'étouffer.

« A présent, lui dit Palmer, j'ai payé ma dette. Vous m'avez donné des jours d'espoir et de bonheur, je ne voulais pas rester insolvable. Je vous rends* une vie entière de tendresse et de consolation, car cet enfant est un ange, et il m'en coûte de me séparer de lui. Je l'ai privé d'un héritage et je lui en dois un en échange. Vous n'avez pas le droit de vous y opposer ; mes mesures sont prises et tous ses intérêts sont réglés. Il a dans sa poche un portefeuille qui lui assure le présent et l'avenir. Adieu, Thérèse ! Comptez que je suis votre ami à la vie et à la mort. »

Palmer s'en alla heureux ; il avait fait une bonne action. Thérèse ne voulut pas remettre les pieds dans la maison où Laurent dormait*. Elle prit un fiacre, après avoir envoyé un commissionnaire à Catherine avec ses instructions, qu'elle écrivit d'un petit café où elle déjeuna avec son fils. Ils passèrent la journée à courir Paris ensemble, afin de s'équiper pour un long voyage. Le soir, Catherine vint les rejoindre avec les paquets qu'elle avait faits dans la journée[206], et Thérèse alla cacher son enfant, son bonheur, son repos, son travail, sa joie, sa vie, au fond de l'Allemagne[207]. Elle eut le bonheur égoïste : elle ne pensa plus à ce que Laurent deviendrait sans elle*. Elle était mère, et la mère avait irrévocablement tué l'amante.

Laurent dormit tout le jour et s'éveilla dans la solitude. Il se leva*, maudissant Thérèse d'avoir été à la promenade sans songer à lui faire faire à souper. Il s'étonna de ne pas trouver Catherine, donna la maison au diable, et sortit.

Ce ne fut qu'au bout de quelques jours qu'il comprit ce qui lui arrivait. Quand il vit la maison de Thérèse sous-louée, les meubles emballés ou vendus, et qu'il attendit des semaines et des mois sans recevoir un mot d'elle, il n'eut plus d'espoir et ne songea plus qu'à s'étourdir*[208].

Ce n'est qu'au bout d'un an qu'il sut le moyen de faire parvenir une lettre à Thérèse. Il s'accusait de tout son malheur et demandait le retour de l'ancienne amitié ; puis, revenant à la passion, il finissait ainsi :

« Je sais bien que de toi je ne mérite pas même cela, car je t'ai maudite, et, dans mon désespoir de t'avoir perdue, j'ai fait pour me guérir des efforts de désespéré. Oui, je me suis efforcé de dénaturer ton caractère et ta conduite à mes propres yeux ; j'ai dit du mal de toi avec ceux qui te haïssent, et j'ai pris plaisir à en entendre dire à ceux qui ne te connaissent pas. Je t'ai traitée absente comme je te traitais quand tu étais là ! Et pourquoi n'es-tu plus là ? C'est ta faute si je deviens fou ; il ne fallait pas m'abandonner... Oh ! malheureux que je suis, je sens que je te hais en même temps que je t'adore. Je sens que toute ma vie se passera à t'aimer et à te maudire... Et je vois bien que tu me hais ! Et je voudrais te tuer ! Et si tu étais là, je tomberais à tes pieds !... Thérèse, Thérèse, tu es donc devenue un monstre, que tu ne connais plus la pitié ? Oh ! l'affreux châtiment que celui de cet incurable amour* avec cette colère inassouvie ! Qu'ai-je donc fait, mon Dieu, pour en être réduit à perdre tout, jusqu'à la liberté d'aimer ou de haïr ! »

Thérèse lui répondit :

« Adieu pour toujours ! Mais sache que tu n'as rien fait contre moi que je n'aie pardonné, et que tu ne pourras rien faire que je ne puisse pardonner encore. Dieu condamne certains hommes de génie à errer dans la tempête et à créer dans la douleur*[209]. Je t'ai assez étudié dans tes ombres et dans ta lumière, dans ta grandeur et dans ta faiblesse, pour savoir que tu es la victime d'une destinée, et que tu ne dois pas être pesé dans la même balance que la plupart des autres hommes. Ta souffrance et ton doute, ce que tu appelles ton châtiment, c'est peut-être la condition de ta gloire. Apprends donc à le subir. Tu as aspiré de toutes tes forces à l'idéal du bonheur, et tu ne l'as saisi que dans tes rêves. Eh bien ! tes rêves, mon enfant, c'est ta réalité, à toi, c'est ton talent, c'est ta vie : n'es-tu pas artiste ?

« Sois tranquille, va, Dieu te pardonnera de n'avoir pu aimer ! Il t'avait condamné à cette insatiable aspiration pour que ta jeunesse ne fût pas absorbée par une femme. Les femmes de l'avenir, celles qui contempleront ton œuvre de siècle en siècle, voilà tes sœurs et tes amantes*[210]. »

FIN

Abréviations

Pour simplifier l'annotation, nous avons eu recours aux abréviations suivantes (on se reportera à la Bibliographie pour plus de détails) :

Agenda : Agenda de G. Sand pour l'année 1855.

Confession : *La Confession d'un enfant du siècle*, in Musset, *Œuvres complètes en prose* (Pléiade).

Corr. M : Alfred de Musset, *Correspondance*, tome I (Presses Universitaires de France).

Corr. S : George Sand, *Correspondance*, éd. par Georges Lubin.

Évrard : G. Sand et A. de Musset, *Correspondance,* éd. par Louis Évrard.

Histoire de ma vie : George Sand, *Œuvres autobiographiques* (Pléiade).

Journal intime : idem, tome II.

Lettres d'un voyageur : idem, tome II.

Mariéton : Paul Mariéton, *Une histoire d'amour.*

Poésies : Musset, *Poésies complètes* (Pléiade).

Séché : Léon Séché, *Alfred de Musset* (Mercure de France, 1907).

Notes

[1] Thérèse Jacques : George Sand a donné à son héroïne le prénom de la femme de Jean-Jacques Rousseau, Thérèse Levasseur ; on sait quelle admiration Sand portait à Rousseau (cf. *Présence de George Sand*, n° 8). Quelques années après *Elle et Lui*, en 1863, elle commencera à écrire un roman sur un « fils de Jean-Jacques » (cf. G. Lubin, « George Sand et *Le fils de Jean-Jacques* », *Présence de G. Sand*, n° 8) ; peut-être y songeait-elle déjà en nommant Thérèse Jacques cette enfant naturelle qu'est son héroïne. *Jacques* est également le titre d'un roman de Sand, écrit justement à Venise après le départ de Musset, et à propos duquel Pagello écrit dans son journal : « elle me fit le protagoniste, exagérant mon caractère moral » (cité par P. Mariéton, p. 137).

[2] « Notre ami Bernard ». On retrouvera un peu plus loin « notre classique Bernard » usant d'une périphrase mythologique. S'agit-il d'une allusion moqueuse aux poèmes souvent très rhétoriques de Latouche, ou aux mauvais vers de Charles Didier ?

[3] Musset s'était diverti à imiter le « patois » anglais dans le poème *L'Anglaise en diligence* (*Poésies*, p. 509).

[4] Il ne convient peut-être pas de faire un sort à cette expression toute faite, mais on peut cependant rappeler que la déclaration d'amour de Sand à Pagello porte le titre mystérieux *En Morée* (*Corr. S*, t. II, p. 501-503) ; Pagello avait peut-être « un type grec ».

[5] Welche ou Velche est le nom que les Allemands donnent par mépris à ce qui est étranger ; par extension, il désigne les ignorants ou les béotiens. Littré cite Voltaire :

« son cousin Antoine pensait que les Velches étaient les ennemis de la raison et du mérite, les fanatiques, les sots, les intolérants, les persécuteurs et les calomniateurs ».

6 Allusion aux attaques violentes dont a été victime Delacroix au début de sa carrière. Lui-même écrivait à son ami Soulier le 26 avril 1828 : « Les plus favorables pour moi s'accordent à me considérer comme un fou intéressant, mais qu'il serait dangereux d'encourager dans ses écarts et sa bizarrerie ».

7 Aurore Dudevant dessinait des portraits : « je saisissais très bien la ressemblance » (*Histoire de ma vie*, t. II, p. 105).

8 Cf. la lettre de Musset à G. Sand après la lecture de *Lélia*, [24 (?) juillet 1833]... « au lieu d'aller ces jours-là chez Madame une telle, faisant des livres, j'aurai affaire à mon cher Monsieur George Sand, qui est désormais pour moi, un homme de génie » (*Corr. M*, p. 69).

9 Musset à Sand, [28 juillet 1833] : « J'ai pleuré comme un veau pour faire ma digestion [...] et j'ai mangé un fromage à la crème qui était tout aigre. » (*Corr. M*, p. 74).

10 Ce « spleen », Musset l'a exprimé bien des fois, particulièrement dans le personnage de Fantasio... « Ma tête est comme une vieille cheminée sans feu : il n'y a que du vent et des cendres. [...] Que cela m'ennuie que tout le monde s'amuse ! » (*Fantasio*, acte I, sc. 2) ; et dans *La Nuit de Décembre* :
   « Partout où le boiteux Ennui,
   Traînant ma fatigue après lui,
   M'a promené sur une claie... »

11 Sur le manuscrit, G. Sand avait d'abord écrit « cette petite chambre ». La mansarde du quai Malaquais était bleue. Il semble (voir note 26) qu'il y ait eu des lilas sur les Champs-Élysées où Sand situe la maison de Thérèse. Notons cependant que dans une lettre de Musset « l'odeur des lilas » précède de quelques lignes une visite au quai Malaquais (30 avril 1834, *Corr. M*, p. 91) ; et le 12 mai, Sand y fait écho : « l'odeur des lilas entre dans ta chambre par bouffées et fait bondir ton cœur d'amour et de jeunesse » (*Corr. S*, t. II, p. 587).

12 Les premières lettres de Musset à Sand sont signées : « votre bien dévoué serviteur ».

13 Le manuscrit révèle que G. Sand avait d'abord voulu situer son roman dans les années 1840, mais aussi que la date primitive était 11 juin, ce qui correspond à l'époque où Musset et Sand ont fait connaissance ; la première lettre de Musset à Sand est du 17 (?) juin 1833 (cf. *Corr. M*, p. 63).

14 Le choix du prénom de Laurent n'est pas innocent ; dans Lorenzo, le héros de *Lorenzaccio*, Musset a mis beaucoup de lui-même, et George Sand, dont le rôle a été capital dans la genèse de la pièce, le savait bien. Quant au nom de Fauvel, il convient de se demander si G. Sand connaissait l'existence du *Roman de Fauvel*, roman en vers du début du XIVe siècle, où Fauvel incarne les vices humains résumés dans les initiales de son nom : Flatterie, Avarice, Vanité, Vilenie, Envie, Lâcheté.

15 Allusion malicieuse à *La Confession d'un enfant du siècle*, où Musset avait fait de Pagello un Anglais, Henri Smith ?

16 Musset en effet était joueur ; ses amis s'en désespéraient. Voir par exemple la lettre d'Alfred Tattet à Arvers du 21 octobre 1831 : « Que devient Musset ? [...] Travaille-t-il ou joue-t-il ? Est-il enfin décidé à se perdre et ne devons-nous plus compter sur son avenir qui promettait d'être si beau ? C'est vraiment un bien grand malheur ! » (citée par Léon Séché, t. I, p. 196). A propos des dettes, voir la lettre de Sand à Buloz du 4 février 1834 : « Alfred se tourmentait beaucoup [...] de ce que vous n'aviez pas payé cette dette de 360 francs. C'était une dette de jeu envers des gens assez grossiers et qu'il connaît peu, cela peut l'exposer à de mauvais propos de leur part et même plus tard à se battre » (*Corr. S*, t. II, p. 492).

17 G. Sand parlait dans une de ses premières lettres à Musset de la « gravité » de son intérieur, qu'elle comparait à « la cellule d'une recluse » (*Corr. S*, t. II, p. 341).

18 On trouvera la liste des camarades viveurs de Musset dans le livre de Léon Séché, t. I, p. 128-129. Parmi eux, le comte d'Alton-Shée, le prince Belgiojoso, le prince d'Eckmühl.

19 *Mémoires* de d'Alton-Shée à propos de Musset : « sa vanité au sujet de ses bonnes fortunes allait jusqu'à la manie » (cité par L. Séché, t. I, p. 45).

20 George Sand a eu deux domestiques qui ont pu fournir des traits à Catherine : Sophie Cramer, ancienne femme de chambre de Mme Dupin de Francueil, au service de G. Sand de 1834 à 1839 ; Mme Lacouture, chantée par Musset dans ses *Stances burlesques à George Sand* :

> « La mère Lacouture,
> Accroupie au foyer,
> Renverse la friture
> Et casse un saladier »
>   (*Poésies*, p. 520).

21 Le nom de Mercourt évoque celui d'Eugène de Mirecourt (1812-1880), homme de lettres, auteur d'une interminable série de petits volumes, *Les Contemporains, Portraits et silhouettes au XIX*ᵉ *siècle*, où sous prétexte de biographie il ramasse le plus souvent des ragots et des calomnies, assortis de commentaires venimeux ; George Sand a été en 1854 une de ses victimes, et a répliqué avec dignité, notamment à propos de Musset. Le plus piquant, c'est que ce M. Jacquot (il avait usurpé la particule et pris le nom de sa ville natale pour pseudonyme) avait envoyé à George Sand en 1840 de délirantes déclarations d'amour et d'allégeance littéraire, signées « Eugène de Mirecourt », retrouvées et publiées par le vicomte Spoelberch de Lovenjoul, (*La Véritable Histoire d'« Elle et Lui »*, p. 149-157). Notons également l'existence d'un René de Maricourt, ami de Paul de Musset ; tous deux firent en 1843 un voyage en Sicile qu'Alfred de Musset s'amusa à illustrer dans une suite de 16 dessins (n° 155 du catalogue de l'exposition *Dessins d'écrivains français du XIX*ᵉ *siècle*, Maison de Balzac, 1983-1984).

22 L'ami de Musset, Alfred Tattet, avait une maison de campagne dans la vallée de Montmorency, à Bury, où Musset alla souvent avec ses camarades de la jeunesse dorée ; on y menait joyeuse vie (cf. L. Séché, t. I, p. 98).

23 Cette camaraderie inspirée par George Sand aux gens qui la fréquentaient est assez remarquable ; cf. Balzac : « Je causais avec un camarade » (*Lettres à Mme Hanska*, t. I, p. 585).

24 La première partie du portrait ne ressemble guère à George Sand ; l'air de sphinx est assez sensible sur le portrait qu'a fait d'elle Calamatta ; quant aux mains et aux pieds, c'est tout à fait elle : « pieds et mains très petits » (témoignage cité par nous dans *Journée George Sand, Hommage à Georges Lubin*, Université de Paris-Sorbonne, 14 décembre 1985, p. 43).

25 Faut-il rappeler que George Sand était mariée, et baronne Dudevant ?

26 Un ami de Musset, Ulric Guttinguer, avait un pied-à-terre parisien, « rue de Courcelles, n° 10 bis, aux Champs-Élysées, un pavillon qu'il baptisa *les Lilas*, tant il y en avait » (L. Séché, t. I, p. 136).

27 Dans *La Confession d'un enfant du siècle*, il y a trois scènes où Octave vient épier Brigitte la nuit (p. 109, 170 et 207).

28 « Je ne comprenais pas par quelle raison une femme qui n'est forcée ni par le devoir ni par l'intérêt, peut mentir à un homme lorsqu'elle en aime un autre. [...] Je ne concevais pas qu'on pût mentir en amour ; j'étais un enfant alors, et j'avoue qu'à présent je ne le comprends pas encore » (*Confession*, p. 83).

29 « Je connaissais madame Pierson depuis quatre mois, mais je ne savais rien de sa vie passée, et ne lui en avais rien demandé » (*Confession*, p. 83).

30 Musset avait vingt-trois ans lorsqu'il rencontra George Sand.

31 Voir dans *La Confession d'un enfant du siècle* l'épisode du duel (p. 81-83).

32 C'est tout le personnage de Rolla :

> « A lui, qui, débauché jusques à la folie,
> Et dans les cabarets vivant au jour le jour,
> Aussi facilement qu'il méprisait la vie
> Faisait gloire et métier de mépriser l'amour ! »...
>   (*Rolla, Poésies*, p. 288).

33 ... « je suis accouché par le forceps de cinq vers et une *[sic]* hémistiche »... (*Corr. M*, p. 74 ; 28 juillet 1833).

34 Allusion claire à Alfred Tattet, et à son écurie dans sa maison de la rue Grange-Batelière.

[35] M. de Musset-Pathay mourut le 8 avril 1832 lors de l'épidémie de choléra. Selon Paul de Musset (*Biographie d'Alfred de Musset*, p. 107), Alfred aurait réagi de toute autre façon que Laurent : « Sans l'aisance, point de loisirs, et, sans loisirs, point de poésie. Il ne s'agit plus de faire l'enfant gâté ni de caresser une vocation qui n'est pas une carrière. Il est temps d'agir et de penser en homme [...] je tenterai un dernier essai en écrivant un second volume de vers »...

Musset avait en effet appris la peinture : « j'avais appris à peindre » (*Confession*, p. 89 ; cf. également *Le Poète déchu*, p. 309).

[36] ... « un enfant qui se confesse »... L'allusion à Musset et à sa *Confession* est on ne peut plus claire ; cf. également les paroles de Brigitte : « lorsque vous me faites souffrir, je ne vois plus en vous mon amant ; vous n'êtes plus qu'un enfant malade »... (*Confession*, p. 212).

[37] Dans *La Confession d'un enfant du siècle*, il y a une scène très frappante d'ivresse triste, où Octave s'enivre dans un cabaret et pleure abondamment (p. 110-111).

[38] Écho direct et littéral d'une lettre de Musset à Sand : « Plaignez ma triste nature qui s'est habituée à vivre dans un cercueil scellé [...] Voilà un mur de prison, disiez-vous hier, tout viendrait s'y briser. — Oui, George, voilà un mur ; vous n'avez oublié qu'une chose, c'est qu'il y a derrière un prisonnier. Voilà mon histoire tout entière, ma vie passée, ma vie future. Je serai bien avancé. Je serai bien avancé, bien heureux, quand j'aurai barbouillé de mauvaises rimes les murs de mon cachot ! » (27 [?] juillet 1833, *Corr. M*, p. 71-72).

[39] Souvenir direct (l'expression est répétée et soulignée page 66) d'une lettre de Musset : « Vous me connaissez assez pour être sûre à présent que jamais le mot ridicule de — voulez-vous ? ou ne voulez-vous pas ? — ne sortira de mes lèvres avec vous — Il y a la mer Baltique entre vous et moi sous ce rapport — vous ne pouvez donner que l'amour moral — et je ne puis le rendre à personne (en admettant que vous ne commenciez pas tout bonnement par m'envoyer paître — si je m'avisais de vous le demander) »... (24 [?] juillet 1833, *Corr. M*, p. 69).

[40] Musset voulait être pour Sand « une espèce de camarade sans conséquence et sans droits » (*Corr. M*, p. 69). Rappelons l'*ex-dono* inscrit par George Sand sur le carnet de voyage donné à Musset à Venise : « A son bon camarade frère et ami Alfred » (*Corr. S*, p. 51 n.).

[41] Allusion à *La Confession d'un enfant du siècle* : « Parler d'amour, dit-on, c'est faire l'amour. Nous en parlions rarement. Toutes les fois qu'il m'arrivait de toucher ce sujet en passant, madame Pierson répondait à peine et parlait d'autre chose » (p. 169).

[42] Sous une forme très romanesque, George Sand a transposé ici ses propres difficultés conjugales et sa séparation d'avec son mari, Casimir Dudevant.

[43] ... « Aimez ceux qui savent aimer, je ne sais que souffrir. Il y a des jours où je me tuerais... » (*Corr. M*, p. 72 ; 27 [?] juillet 1833).

[44] « Je m'étais fait un grand magasin de ruines, jusqu'à ce qu'enfin, n'ayant plus soif à force de boire la nouveauté de l'inconnu, je m'étais trouvé une ruine moi-même. Cependant sur cette ruine il y avait quelque chose de bien jeune encore ; c'était l'espérance de mon cœur, qui n'était qu'un enfant » (*Confession*, p. 89).

[45] On sait le goût de George Sand pour la tapisserie ou la broderie (c'est le mot qui a été rayé dans le manuscrit). Quant à Musset, il écrivait à Sand dans une de ses premières lettres qu'il voulait être « une espèce de camarade [...] capable de fumer votre tabac » (*Corr. M*, p. 69).

[46] George Sand aussi vivait en pantoufles... « Elle avait de jolies pantoufles jaunes ornées d'effilés » remarque Balzac lorsqu'il lui rend visite (*Lettres à Madame Hanska*, t. I, p. 584).

[47] Littré recense (en citant Vauvenargues) l'emploi de remise au masculin : « un remise, une voiture de remise ».

[48] Souvenir probable de promenades nocturnes de George et Alfred qui voulait être un camarade « capable [...] d'attraper des rhumes de cerveau en philosophant avec vous sous tous les marronniers de l'Europe moderne » (*Corr. M*, p. 69).

[49] Cette lettre de Laurent n'est que la reprise de la conclusion de la lettre d'Alfred du 27 [?] juillet 1833 : « Aimez ceux qui savent aimer, je ne sais que souffrir. [...] Adieu, George, je vous aime comme un enfant » (*Corr. M*, p. 72).

[50] De même le débauché Rolla : « C'était un noble cœur, naïf comme l'enfance, / Bon comme la pitié, grand comme l'espérance » (*Poésies*, p. 277).

[51] « Elle sentait la lutte qui se faisait en moi ; [...] ma pâleur réveillait en elle son instinct de sœur de charité. [...] N'en doutez pas, lui disais-je, c'est la Providence qui m'a mené à vous. Si je ne vous avais pas connue, peut-être, à l'heure qu'il est, serais-je retombé dans mes désordres. Dieu vous a envoyée comme un ange de lumière pour me retirer de l'abîme. C'est une mission sainte qui vous est confiée ; qui sait, si je vous perdais, où pourraient me conduire le chagrin qui me dévorerait, l'expérience funeste que j'ai à mon âge, et le combat terrible de ma jeunesse avec mon ennui ? » (*Confession*, p. 178).

[52] ... « ne me fais pas souvenir que je ne suis que l'enfant prodigue »... (*Confession*, p. 202).

[53] On remarquera le passage au tutoiement.

[54] On se reportera à la lettre du 25 août 1833 où Sand avoue à Sainte-Beuve son amour pour Musset... « C'est un amour de jeune homme et une amitié de camarade. C'est quelque chose dont je n'avais pas l'idée, que je ne croyais rencontrer nulle part et surtout là. Je l'ai niée, cette affection, je l'ai repoussée, je l'ai refusée d'abord, et puis je me suis rendue et je suis heureuse de l'avoir fait. Je m'y suis rendue par amitié plus que par amour, et l'amour que je ne connaissais pas s'est révélé à moi sans aucune des douleurs que je croyais accepter » (*Corr. S*, t. II, p. 408). On consultera la variante de ce passage qui donne un développement rayé sur le manuscrit et qui est très proche d'une lettre de Sand à Musset des 15 et 17 avril 1834... « nous sommes nés pour nous connaître et pour nous aimer [...]. Sans ta jeunesse et la faiblesse que tes larmes m'ont causée, nous serions restés frère et sœur » (*Corr. S*, t. II, p. 563).

[55] Sand parle à Musset d'une « affection sainte » (*Corr. S*, t. II, p. 563).

[56] « Eh bien ! avons-nous un seul souvenir de ces étreintes, qui ne soit chaste et saint ? » (*Corr. S*, t. II, p. 563).

[57] Voir la lettre de Sand à Sainte-Beuve du 19 septembre 1833 : « je suis heureuse, très heureuse, mon ami, chaque jour je m'attache davantage à lui, chaque jour je vois s'effacer en lui les petites choses qui me faisaient souffrir, chaque jour je vois luire et briller les belles choses que j'admirais. Et puis encore, par-dessus tout ce qu'il est, il est *bon enfant*, et son intimité m'est aussi douce que sa préférence m'a été précieuse » (*Corr. S*, t. II, p. 422).

[58] Selon Georges Lubin (*Corr. S*, t. II, p. 396 n. 1), l'indication du départ pour Fontainebleau au septième jour de la liaison, le 4 août 1833, est exacte : « Si nous partons du 29 juillet : 29, 30, 31, 1er, 2, 3, 4 font bien sept jours. »
   G. Lubin émet l'hypothèse d'un second séjour à Fontainebleau en octobre, où aurait eu lieu l'hallucination de Musset (cf. *Corr. S*, t. II, p. 432 n. 1 et 496 n. 2).

[59] Sand et Musset étaient descendus à l'Hôtel Britannique, rue de France à Fontainebleau, vers le carrefour de la Fourche (cf. la note de G. Lubin, *Corr. S*, t. II, p. 397 n. 3). A propos du séjour à Fontainebleau, voir la version de Musset dans *La Confession d'un enfant du siècle* (p. 208-209), et les notes de G. Lubin dans *Corr. S*, t. II, p. 396-398.

[60] « Nous allions nous asseoir sur une roche qui dominait une gorge déserte ; [...] la lune se levait [...] la clarté de l'astre se dégageait des taillis épais et se répandait dans le ciel [...] Nous nous renversâmes sur la pierre. Tout se taisait autour de nous ; au-dessus de nos têtes se déployait le ciel resplendissant d'étoiles » (*Confession*, p. 210-213).

[61] « Elle marchait devant moi dans le sable, d'un pas déterminé »... (*Confession*, p. 208).

[62] On retrouve une situation semblable dans *La Confession d'un enfant du siècle* : « Étions-nous à table : "Allons, ma chère, mon ancienne maîtresse chantait sa chanson au dessert ; il convient que vous l'imitiez". » (p. 221). Et, lors de la promenade en forêt, Brigitte laisse échapper cette réflexion proche de l'état d'esprit de Thérèse : « Tu te souviens d'elles près de moi ! Ah ! mon enfant, c'est là le plus cruel » (p. 210).

[63] C'est précisément lors de la promenade dans les bois que, dans *La Confession d'un enfant du siècle*, Brigitte avoue à Octave l'histoire fatale de son premier amour (p. 211).

[64] Dans la lettre du 5 [?] février 1834 à Pagello, Sand décrit la crise hallucinatoire de Musset : « Une fois, il y a trois mois de cela, il a été comme fou, toute une nuit, à la suite d'une grande inquiétude. Il voyait comme des fantômes autour de lui, et criait de peur et d'horreur » (*Corr. S*, t. II, p. 496). On lira la description par Musset lui-même d'une crise dans *La Confession...* (p. 81) ; et plus loin : « J'avais, au milieu de mes folies, de véritables accès de fièvre qui me frappaient comme des coups de foudre ; je m'éveillais tremblant de tous mes membres et couvert d'une sueur froide » (p. 223).

[65] Molière, *Dom Juan ou le Festin de Pierre*, acte III, scène 5 : « Allons, sortons d'ici ». Cette citation du *Dom Juan* (à moins que ce soit du *Don Giovanni* de Mozart ; voir à ce sujet Thérèse Marix-Spire, *Les Romantiques et la musique...*, p. 316) peut sembler incongrue ; elle s'explique à la lecture de *La Confession d'un enfant du siècle* : « Il y a une pièce espagnole [...] dans laquelle une statue de pierre vient souper chez un débauché, envoyé par la justice céleste. [...] la statue lui demande la main, et, dès qu'il la lui a donnée, l'homme se sent pris d'un froid mortel et tombe en convulsion. » Musset compare la découverte de la tromperie « à la poignée de main de la statue [...] ; c'est le toucher de l'homme de pierre. Hélas ! l'affreux convive a frappé plus d'une fois à ma porte ; plus d'une fois nous avons soupé ensemble » (p. 82).

[66] Musset était sujet à de telles crises d'autoscopie : « Et quelquefois la nuit mon spectre m'apparaît », dit Frank dans *La Coupe et les lèvres* (*Poésies*, p. 174) ; c'est tout le sujet de *La Nuit de décembre* où apparaît sans cesse un « homme vêtu de noir, / Qui me ressemblait comme un frère » (p. 310-315).

[67] ... « Pour boire un toast en un festin,
Un jour je soulevai mon verre.
En face de moi vint s'asseoir
Un convive vêtu de noir,
Qui me ressemblait comme un frère. »
(*La Nuit de décembre, Poésies*, p. 311)

[68] Musset écrit dans *La Confession...* qu'ils s'égaraient « continuellement » dans la forêt (p. 209).

[69] Ce dessin — s'il a existé — a disparu ; de nombreux dessins-charges de Musset ont été cependant conservés, notamment dans l'album E 956 de la Bibliothèque Spoelberch de Lovenjoul. Musset s'y révèle un excellent dessinateur ; certaines légendes sont dans le même esprit que celle citée dans le roman : « Le Conseiller aulique Gerondif de Pimprenelle errant dans ses jardins », « Le Baron Pretextat de Clair de Lune », « Don Juan allant emprunter dix sous pour payer son idéale et enfoncer Biron », « L'écuyer Tourterelle s'élançant dans la nuit orageuse sur l'ordre de la princesse Purpurine ».

[70] Brigitte dit à Octave dans *La Confession d'un enfant du siècle* : « Tu m'as dit, dans tes bons moments, que la Providence m'a chargée de veiller sur toi comme une mère. [...] Oui, lorsque vous me faites souffrir, je ne vois plus en vous mon amant ; vous n'êtes plus qu'un enfant malade, défiant ou mutin, que je veux soigner ou guérir pour retrouver celui que j'aime et que je veux toujours aimer » (p. 212).

[71] Un seul exemple tiré du journal de Charles Didier à la date du 27 août 1833 : « L[erminier] me parle des bruits sur Madame Dudevant ; Musset passe pour son amant second [...] Je sens une grande pitié pour cette femme, qui va dispersant ses belles facultés, et dégradant son sublime génie » (cité par Évrard, p. 38). On lira attentivement les variantes du manuscrit pour le passage qui suit, où Sand fait allusion clairement à sa vie privée et à sa position difficile de femme « seule et indépendante ».

[72] « Alfred continue à être plongé dans les filles ; il y laissera son génie et sa santé », écrivait Tattet à Guttinguer (cité par L. Séché, t. I, p. 118). On peut citer Musset lui-même dans le *Songe du reviewer* (1833) : « Dans les filles de joie/Musset s'est abruti »... (*Poésies*, p. 524).

[73] Une situation assez semblable avait déjà été décrite par George Sand dans son roman *Horace* : Marthe doit satisfaire les caprices d'Horace, alors qu'ils sont à peu près sans le sou (*Horace*, Éditions de l'Aurore, p. 168-169). On lira dans les variantes un important passage du manuscrit où Sand développait les problèmes d'argent de Thérèse et Laurent, et la tension qui en résultait entre les deux amants. Ce long développement a été supprimé à la demande de Buloz, qui ne voulait pas que Sand abordât ces questions délicates : « il y a peut-être aussi des choses qu'il ne faut pas toucher quand

il s'agit d'une personne qu'on a aimée : je veux dire le côté pécuniaire » (*Corr. S*, t. XIV, p. 25 n.).

[74] « Ah ! mon cher enfant, disait-elle, que je te plains ! Tu ne m'aimes pas » (*Confession*, p. 208).

[75] George Sand aussi : « je désirai voir l'Italie, dont j'avais soif comme tous les artistes » (*Histoire de ma vie*, t. II, p. 203).

[76] G. Lubin précise qu'en novembre 1833, Sand « a besoin d'une grosse somme pour partir en voyage : elle vend deux volumes composés du *Secrétaire intime*, de *Métella* et d'une nouvelle à écrire, pour 5 000 f, plus, pour le même prix, un roman en projet, qui s'appellera *Jacques*, et sur lequel Buloz ne verse que 4 000 f » (*Corr. S*, t. II, p. 443 n. 1).

[77] Alfred et George partirent le 12 décembre 1833 pour Lyon par diligence, firent le trajet sur le Rhône de Lyon à Marseille par bateau à vapeur, s'embarquèrent le 20 décembre à Marseille pour Gênes. Sand parlera du « froid rigoureux du trajet sur le Rhône » (*Histoire de ma vie*, t. II, p. 206).

[78] Alfred et George ne restèrent pas si longtemps à Gênes ; leur bateau, arrivé le 21 décembre, repartit pour Livourne le 22. Paul de Musset précise qu'une lettre d'Alfred, « datée de Gênes, contenait quelques détails sur les mœurs, les costumes des femmes, les galeries de tableaux de cette grande ville, plus le récit d'une promenade dans les jardins de la Villa Pallavicini, où Alfred s'était reposé dans un lieu de délices, au bord d'une fontaine aimée des touristes » (*Biographie d'Alfred de Musset*, p. 130). En mai 1839, Sand revit Gênes avec Chopin : « nous arrivons de Gênes, battus en mer par une tempête affreuse. Nous avons fait dans cette belle ville un séjour assez agréable, nous y avons vu de magnifiques peintures, une nature admirable, des jardins et des palais échafaudés les uns sur les autres avec une grâce toute particulière. Enfin Gênes n'a rien perdu à nos yeux de ce qu'elle était dans mes souvenirs » (*Corr. S*, t. IV, p. 653). Sur le séjour à Gênes, voir A. Poli, *L'Italie dans la vie et l'œuvre de George Sand*, p. 54-56.

[79] Dans l'Agenda de 1855, en visitant Gênes, Sand note : « 4 van dycks, de superbes Veronese » (16 mars) ; repassant par Gênes le 11 mai, elle visite le palais Pallavicini où elle voit « un superbe Van Dyck » ; elle écrit dans *La Daniella* : « Ah, mon ami, que j'ai vu de beaux Van Dyck et de beaux Véronèse ! Mais les étranges intérieurs que ceux de ces nobles Génois ! [...] Quelles croûtes de portraits modernes, quels mesquins petits meubles, quelles plaisantes acquisitions de la veille au milieu de ces chefs-d'œuvre »... (éd. p.p. A. Poli, p. 118-119).

Nous pensons pouvoir identifier le tableau que peint Thérèse avec le très beau portrait de Paolina Adorno Brignole Sale par Van Dyck, conservé au Palazzo Rosso à Gênes (Inv. P.R. 51, salle 14). Lors de la visite de G. Sand à Gênes en 1855, le palais appartenait à Maria Brignole Sale, duchesse de Galliera, qui le donnera en 1874 à la ville de Gênes. G. Sand a visité des palais de nobles génois, et le Palazzo Rosso renferme au moins deux œuvres de Véronèse, *la Crèche* et l'admirable *Judith*. Les indications données un peu plus loin font irrésistiblement penser au tableau de Van Dyck : une « belle comtesse en robe noir et or » (la robe est en fait d'un bleu très foncé, comme l'a fait apparaître le nettoyage du tableau ; elle est décorée d'une broderie dorée, avec un haut galon en or à la jupe, et une chaîne en or), « ses doux yeux », « cette beauté qui semble respirer et sourire avec un calme triomphant », « son mystérieux sourire » qui a « un peu du sphinx » (voir illustration).

[80] Musset a écrit une nouvelle, *Le Fils du Titien*, parue le 15 mai 1838 dans la *Revue des Deux Mondes*.

[81] « La fièvre me prit à Gênes, circonstance que j'attribuai au froid rigoureux du trajet sur le Rhône, [...] je retrouvai cette fièvre à Gênes par le beau temps [...]. Je poursuivis mon voyage quand même, [...] abrutie par les frissons, les défaillances et la somnolence [...]. A ma fièvre succéda un grand malaise et d'atroces douleurs de tête »... (*Histoire de ma vie*, t. II, p. 205-207). Le 4 février 1834, Sand écrit à Boucoiran qu'elle « travaille en grelottant la fièvre ! » (*Corr. S*, t. II, p. 487).

[82] « Ainsi le souvenir des turpitudes que tu avais contemplées vint empoisonner, de doutes cruels et d'amères pensées, les pures jouissances de ton âme encore craintive et méfiante » (*Lettres d'un voyageur*, p. 663).

83 G. Sand écrivait à Pagello en février 1834 : « je suis orgueilleuse et dure » (*Corr. S,* t. II, p. 509) ; à Sainte-Beuve en avril 1835 : « mon tort et mon mal sont là, dans l'orgueil avide qui m'a perdue » (*Corr. S,* t. II, p. 861).

84 Lettre de Sand à Musset, [fin octobre 1834]... « En sommes-nous déjà là, mon Dieu ! Eh bien, n'allons pas plus loin, laisse-moi partir » (*Corr. S,* t. II, p. 729).

85 Dans *La Confession d'un enfant du siècle*, Musset parle d'une « gaieté cruelle, une légèreté affectée qui outrageait en plaisantant ce que j'avais de plus cher » ; Brigitte « tombait peu à peu dans une tristesse qui dévastait notre vie entière [...]. J'étais jeune et j'aimais le plaisir ; ce tête-à-tête de tous les jours avec une femme plus âgée que moi, qui souffrait et languissait, ce visage de plus en plus sérieux que j'avais toujours devant moi, tout cela révoltait ma jeunesse et m'inspirait des regrets amers pour ma liberté d'autrefois » (p. 208). Dans sa lettre à Musset des 15-17 avril 1834, Sand écrit : « Pourquoi, moi qui aurais donné tout mon sang pour te donner une nuit de repos et de calme, suis-je devenue pour toi, un tourment, un fléau, un spectre ? » (*Corr. S,* t. II, p. 562).

86 « Se mettait-elle au piano : « Ah ! de grâce, jouez-moi donc la valse qui était de mode l'hiver passé ; cela me rappelle le bon temps » (*Confession*, p. 221).

87 « Nous étions tristes. Je te disais : *partons* » (Sand, lettre à Musset, fin octobre 1834, *Corr. S,* t. II, p. 730).

88 A Venise, dans son délire, Musset criait : « Je suis fou, je deviens fou ! » (*Corr. S,* t. II, p. 538).

89 ... « toi qui m'appelais l'ennui personnifié, la rêveuse, la bête, la religieuse, que sais-je ? » (*Corr. S,* t. II, p. 731).

90 « Je te disais : *partons*, [...] tu répondais : oui, c'est le mieux, mais je voudrais travailler un peu ici, puisque nous y sommes » (*Corr. S,* t. II, p. 730).

91 ... « tu t'ennuyais, je ne sais ce que tu devenais le soir »... (*Corr. S,* t. II, p. 730). Le développement qui suit sur les bateaux qu'emprunte Laurent se comprend mieux si l'on songe que c'est à Venise que Musset a repris ses habitudes d'ivrogne, et qu'il se déplaçait alors en gondole... « Il faut savoir du gondolier s'il n'a pas bu du vin de Chypre dans la gondole, hier. [...] Il éprouvait un insurmontable besoin de relever ses forces par des excitants et deux ou trois fois, malgré toutes les précautions il réussit à boire, en s'échappant sous prétexte de promenade en gondole. Chaque fois, il eut des crises épouvantables »... (*Corr. S,* t. II, p. 540).

92 ... « ce mot affreux a été prononcé un certain soir que je n'oublierai jamais, dans le casino Danieli : "George, je m'étais trompé, je t'en demande pardon, mais je *ne t'aime pas*". [...] Tu m'avais blessée et offensée et je te l'avais dit aussi : *Nous ne nous aimons plus, nous ne nous sommes pas aimés* » (*Corr. S,* t. II, p. 730-731).

93 A propos de l'alcoolisme de Musset, Sand confiait : « Ce n'est pas parce qu'Alfred a été délaissé par moi qu'il s'y est adonné ; mais c'est bien au contraire parce que j'ai vu qu'il s'y adonnait, que j'ai rompu avec lui. Je ne m'en suis aperçue que pendant notre voyage en Italie [...] J'avais supporté déjà, sans en comprendre la cause, tant de caprices inexplicables ! [...] Pendant que nous étions tous deux à Gênes, il alla dans un souper à la suite duquel il fut l'amant d'une danseuse ; or, je lui aurais pardonné ce coup de canif dans notre contrat, mais je ne pouvais lui pardonner un vice qui avait déjà causé la rupture de mon mariage. Je pris le prétexte qui m'était offert par lui-même, pour rompre une liaison où l'amour était détruit complètement, chez moi, par la répulsion, par le dégoût, auquel a succédé une immense pitié... L'ivrognerie est plutôt une maladie qu'un vice, je le crois, surtout pour Alfred de Musset » (conversation avec Mme Arnould-Plessy, citée par Évrard, p. 260).

94 « La porte de nos chambres fut fermée entre nous, et nous avons essayé là de reprendre notre vie de bons camarades comme autrefois »... (*Corr. S,* t. II, p. 730).

95 La déclaration de Palmer rappelle celle de Pagello telle que Sand l'a rapportée dans le *Journal intime* : « Vous êtes abandonnée, méprisée, chassée, foulée aux pieds. [...] je vois votre douleur et je vous plains, et je vous aime. Je me dévoue à vous seule pour toute ma vie, consolez-vous, vivez. Je veux vous sauver » (p. 956).

96 Sand et Musset prirent le *Sully* à Gênes le 22 décembre 1833 ; après une traversée contrariée par un grand vent, ils arrivèrent le lendemain 23 à Livourne, et le soir ils

étaient à Florence (cf. Annarosa Poli, *L'Italie dans la vie et dans l'œuvre de George Sand*, p. 56).

[97] G. Sand parle à Buloz « d'une fièvre nerveuse et inflammatoire qui a fait des progrès rapides » (*Corr. S*, t. II, p. 490 ; 4 février 1834). A Boucoiran, elle écrit le 8 février : « Les nerfs du cerveau sont tellement entrepris que le délire est affreux et continuel. [...] la nuit dernière a été horrible. Six heures d'une frénésie, telle que malgré deux hommes robustes, il courait nu dans la chambre » (*Corr. S*, t. II, p. 497).

[98] « Tu te levas sur ton lit en criant : — Où suis-je, ô mes amis ? pourquoi m'avez-vous descendu vivant dans le tombeau ? [...] Tu as souffert ce qu'on souffre pour mourir ; tu as vu la fosse ouverte pour te recevoir ; tu as senti le froid du cercueil, et tu as crié : Tirez-moi, tirez-moi de cette terre humide ! » (*Lettres d'un voyageur*, p. 663-664). Voir aussi la note dictée par Musset en décembre 1852 : « A l'idée qu'on pouvait me croire mort et m'enterrer avec ce reste de vie réfugié dans mon cerveau, j'eus peur » (cité par Paul Mariéton, p. 104-105).

[99] « Il a failli m'étrangler en m'embrassant. Les deux hommes ne pouvaient lui faire lâcher le collet de ma robe » (*Corr. S*, t. II, p. 498).

[100] Sand écrivait à Buloz, le 13 février 1834 : « Il demande des soins continuels le jour et la nuit. [...] Il y a huit nuits que je ne me suis déshabillée, je dors sur un sofa, et à toutes les heures il faut que je sois sur pied. [...] Je passe ici de bien tristes jours, seule auprès de ce lit où le moindre mouvement, le moindre bruit est pour moi un sujet d'effroi perpétuel » (*Corr. S*, t. II, p. 505).

[101] G. Sand écrivait à Buloz, le 4 février 1834 : « Alfred se tourmentait beaucoup hier pendant sa fièvre de ce que vous n'aviez pas payé cette dette de 360 francs. C'était une dette de jeu envers des gens assez grossiers et qu'il connaît peu, cela peut l'exposer à de mauvais propos de leur part et même plus tard à se battre » (*Corr. S*, t. II, p. 492).

[102] « Une dévorante inquiétude te pressait de ses aiguillons ; tu repoussais l'étreinte de ton ami [...] Quelles visions ont passé dans le vague de ton délire ? » (*Lettres d'un voyageur*, p. 663-664). « Il était alors tourmenté de visions et de soupçons jaloux. Elle le veillait toujours, bien qu'il fût en convalescence » (*Corr. S*, t. II, p. 539 n. 1).

[103] Voir la note dictée par Musset à son frère Paul en décembre 1852... « En face de moi je voyais une femme assise sur les genoux d'un homme. [...] Je vis les deux personnes s'embrasser » (cité par Paul Mariéton, p. 105). Voir également la note de Buloz notant des confidences de Musset : « A. de M. eut bien à souffrir pendant cette maladie ; souvent il surprenait des caresses dérobées, de tendres attouchemens entre les nouveaux amans » (Évrard, p. 146).

[104] « Je passai dix-sept jours à son chevet sans prendre plus d'une heure de repos sur vingt-quatre. Sa convalescence dura à peu près autant » (*Histoire de ma vie*, t. II, p. 208).

[105] ... « je regrette cette horrible nuit où sa tête pâle était appuyée sur votre épaule, et sa main froide dans la mienne. Il était là entre nous deux » (*Lettres d'un voyageur*, p. 670).

[106] « Je le verrai longtemps, mon George, ce visage pâli par les veilles qui s'est penché dix-huit nuits sur mon chevet, je te verrai longtemps dans cette chambre funeste où tant de larmes ont coulé » (Musset à Sand, 4 avril 1834, *Corr. M*, p. 84).

[107] Souvenir de l'épisode de la tasse de thé : Musset aurait découvert que Pagello et Sand avaient bu le thé dans la même tasse, et aurait alors compris qu'ils étaient amants. Il y a trois versions de cet épisode : les confidences de Musset à Buloz (Évrard, p. 146), le récit dicté par Musset à son frère (Mariéton, p. 106), et *La Confession d'un enfant du siècle* (p. 249) où le récit s'achève ainsi : « Je tenais cependant la tasse et j'allais et venais par la chambre. Je ne pus m'empêcher d'éclater de rire, et je la lançai sur le carreau. Elle s'y brisa en mille pièces, que j'écrasai à coups de talon. »

[108] Cette réponse de Thérèse est très proche d'une lettre de George à Alfred, de la fin d'octobre 1834 (*Corr. S*, t. II, p. 729-732)... « je ne te reconnais pas le droit de me questionner. Je m'avilirais en me laissant confesser comme une femme qui t'aurait trompé »...

[109] « Je sens toujours pour lui je vous l'avouerai bien, une profonde tendresse de mère au fond du cœur » (G. Sand à Marie d'Agoult, 25 mai 1836, *Corr. S*, t. III, p. 399).

[110] A la lecture de *La Confession d'un enfant du siècle*, G. Sand avait écrit à Marie d'Agoult : « Les moindres détails d'une intimité malheureuse y sont si fidèlement, si minutieusement rapportés depuis la première heure jusqu'à la dernière, depuis *la sœur de charité* jusqu'à *l'orgueilleuse insensée* que je me suis mise à pleurer comme une bête » (25 mai 1836, *Corr. S*, t. III, p. 398-399).

[111] « Nous nous sommes quittés, peut-être pour quelques mois, peut-être pour toujours » (Sand à Boucoiran, 6 avril 1834, *Corr. S*, t. II, p. 554).

[112] Sand écrit à Boucoiran, après le départ de Musset de Venise : « Il était encore bien délicat pour entreprendre ce long voyage [...]. Mais il lui était plus nuisible de rester que de partir, et chaque jour consacré à attendre le retour de sa santé, le retardait au lieu de l'accélérer » (*Corr. S*, t. II, p. 554).

[113] « Il m'a été doux de voir cet homme si frivole [...] devenir bon, affectueux et loyal de jour en jour. [...] il y a en lui un fonds de tendresse, de bonté, de sincérité »... (*Corr. S*, t. II, p. 554).

[114] *Le Cascine* (les fermes) est un vaste parc aménagé au XVIIIᵉ siècle à l'emplacement des anciennes fermes des ducs de Toscane, le long de l'Arno, alors à l'extérieur de Florence. C'est le lieu de promenade favori des Florentins. Lors de son voyage en Italie de 1855, G. Sand a séjourné à Florence du 28 avril au 2 mai ; elle note dans l'Agenda : « nous allons aux *Cascine*. Il fait très froid, il y a pourtant beaucoup de voitures. L'endroit est charmant » (29 avril).

[115] Musset, venant de Venise, est bien évidemment passé par Milan, avant de gagner la Suisse par le col du Simplon.

[116] Avec son fils Maurice et avec Manceau, George Sand a séjourné à La Spezia du 3 au 10 mai 1855 ; les pages qui suivent seront nourries des souvenirs de ce séjour consignés sur l'Agenda.

[117] « Nous allons Manceau et moi voir le petit vapeur qui est bien petit et bien sale » (Agenda, 4 mai 1855).

[118] « J'ai horreur de ma vie passée, mais je n'ai pas peur de ma vie à venir. » (*Corr. M*, p. 97 ; 10 mai 1834).

[119] ... « mon cœur se dilate malgré mes larmes ; j'emporte avec moi deux étranges compagnes : une tristesse et une joie sans fin » (*Corr. M*, p. 84 ; 4 avril 1834).

[120] Musset à Sand à propos de Pagello : « je l'aime, ce garçon, presque autant que toi ; [...] il est cause que j'ai perdu toute la richesse de ma vie, et je l'aime comme s'il me l'avait donnée. Je ne voudrais pas vous voir ensemble, et je suis heureux de penser que vous êtes ensemble » (30 avril 1834 ; *Corr. M*, p. 92).

[121] Musset à Sand : « souviens-toi de ce triste soir à Venise où tu m'as dit que tu avais un secret » (19 août 1834 ; *Corr. M*, p. 116).

[122] On relève dans l'Agenda de 1855 le souvenir des promenades autour de La Spezia : « le pays est admirable. complet. sauf les grands arbres. Mais il est littéralement couvert de verdure. [...] nous faisons un tour en barque Manceau et moi dans le golfe tranquille » (4 mai)... « en face de nous les ruines, les rochers et la montagne à pic, tout d'un grand caractère » (5 mai)... « nous reprenons la promenade d'avant hier, le long de la couche de roches sablonneuses couvertes de pins [...] nous rapportons de beaux orchys à langue rouge. Il y a partout des myrtes, des cystes blancs, des genêts d'espagne, des cytises, et une grande feuille gluante qui embaume » (6 mai)... « Temps très chaud. [...] On part à 10 h. en barque. Nous allons sur la rive méridionale du golfe [...] Cette rive est très chaude et sablonneuse ; de grands marécages en partie cultivés s'étendent entre La Spezia et les rochers couverts de pins qui viennent ensuite prendre pied dans la mer. A l'endroit où nous débarquons il y a une quantité de plantes aromatiques, lavande en fleurs et baumes de toutes sortes. [...] Nous retrouvons la route de Sarzana, nous la traversons pour monter dans un bien joli bois de pins » (8 mai). Voir également la lettre de Sand à sa fille Solange : « Je suis assise par terre sur un sable chaud tout rempli de fleurs ; encore des bruyères blanches, des orchys superbes, des romarins et une foule de plantes superbes » (*Corr. S*, t. XIII, p. 133).

[123] « Le jour où j'ai quitté Venise, tu m'as donné une journée entière. » (*Corr. M*, p. 114 ; 18 août 1834).

[124] Le bateau à vapeur que Sand et ses compagnons prirent pour faire la traversée de

La Spezia à Gênes le 10 mai 1855 à 9 heures du soir (ils débarquèrent à Gênes à 9 heures le 11 au matin) s'appelait aussi le *Ferruccio*.

125 « Nous faisons un tour en barque [...] avec Moscovia, un très gentil batelier avec qui je cause de toutes choses du pays » (Agenda, 4 mai 1855).

126 « Nous passons en face à l'île Palmaria, nous déjeunons de grand appétit dans les blocs de la carrière de marbre. En face de nous les ruines, les rochers et la montagne à pic, tout d'un grand caractère ». (Agenda, 5 mai 1855)... « Nous arrivons à 10 h. 1/2 à l'île Palmaria. [...] Nous nous promenons en face de Porto Venere. Je grimpe en haut. Le rocher à pic est assez effrayant, mais bien superbe ». (7 mai).

127 Le domestique qui accompagna Musset après Venise s'appelait Antonino. Sand écrit à Boucoiran que Musset est parti « sous la garde d'un domestique très soigneux et très dévoué ». (*Corr. S*, t. II, p. 554).

128 G. Sand a donné de l'argent à Musset avant son départ. Même si elle est gênée et a besoin d'argent à Venise, elle ne veut pas entendre parler de remboursement « avant trois ans » (*Corr. S*, t. II, p. 574).

129 Souvenir olfactif lié à la séparation d'avec Musset ? Quand en mars 1835, George Sand s'enfuit de Paris et arrive à Nohant, « il y a tant de violettes qu'on marche dessus » (*Corr. S*, t. II, p. 822).

130 « Les trois baisers que je t'ai donnés, un sur le front et un sur chaque joue en te quittant »... (*Corr. S*, t. II, p. 693).

131 Cette discussion avec Vérac peut être rapprochée des confidences de Musset à Hetzel : « C'est une blague [dit Hetzel], George ne t'a jamais aimé ! A Venise, elle t'a lâché tout de suite — Je te dis qu'elle m'a aimé, s'écrie-t-il [...] mais c'est sa tête qui aimait ma tête, tu comprends. — Elle t'a aimé aussi avec son cœur, malheureux. — Avec sa tête, avec son cœur, ce n'est pas ça ! la griserie, elle ne voulait pas me la donner, la griserie, tu comprends, celle qu'on trouve chez toutes les filles. Je l'injuriais, je l'accusais de ne pas vouloir, etc. » (cité par Juliette Adam, *Mes premières armes littéraires et politiques*, Lemerre 1904, pp. 292-293).

132 Le manuscrit conserve la trace d'une première rédaction de la conclusion de ce chapitre, qui montre un Laurent plus sincère, et donne un peu plus de consistance psychologique à Vérac, réduit ici au simple rôle d'interlocuteur ; cf. variantes.

133 C'est en effet à l'hôtel *Croce di Malta* à La Spezia que descendirent G. Sand et Manceau en mai 1855. « Nouvel Hôtel de la Croix de Malte à même du golfe, des frères Lenzi à La Spezia », note Sand dans son carnet ; cet hôtel est maintenant siège du Comptoir de Naples (cf. A. Poli, *L'Italie dans la vie et dans l'œuvre de George Sand*, p. 293). « La Croix de Malte est un bel hôtel. Nous nous casons dans de petites chambres assez propres. Le dîner ne vaut rien », note Sand dans l'Agenda (3 mai 1855).

134 Sand recevait de l'argent, notamment de Buloz, par l'intermédiaire du banquier vénitien Papadopoli (cf. *Corr. S*, t. II, p. 488 et n., 553, 604, etc.).

135 George Sand était en effet arrivée à Porto-Venere sous la pluie, le 5 mai 1855 ; elle note dans l'Agenda : « la pluie arrive, il faut se sauver, nous débarquons déjà tout mouillés à Porto-Venere, la rue étroite, montueuse pavée en dalles, les gouttières tombant presqu'au milieu de la rue comme un torrent. Tous les vases et terrines recueillant l'eau de pluie devant les portes ».

136 « Auberge singulière, on nous vend de la dentelle. Je trempe la soupe de la famille », note Sand dans son Agenda lors de sa visite à Porto-Venere (5 mai 1855).

137 Sand à Musset : « L'amour est un temple que bâtit celui qui aime à un objet plus ou moins digne de son culte, et ce qu'il y a de plus beau dans cela, ce n'est pas tant Dieu que l'autel » (*Corr. S*, t. II, p. 624 ; 15 juin 1834).

138 Sand à Musset à propos de Pagello : « Je l'aimais comme un père, et tu étais notre enfant à tous deux. » (*Corr. S*, t. II, p. 693).

139 Le gondolier de G. Sand à Venise était « ivre tous les soirs » (*Histoire de ma vie*, t. II, p. 209). On ne s'étonnera pas de trouver ici mention du vin de Chypre, qui a joué son rôle dans la liaison Musset-Sand. Lors d'une des crises de Musset à Venise, Sand écrit à Pagello : « Il faut savoir du gondolier s'il n'a pas bu du vin de Chypre dans la gondole, hier » (*Corr. S*, t. II, p. 539). Dans *La Confession d'un enfant du siècle*, Musset parle « du vin de Chypre, de ce vin sucré d'Orient que j'ai trouvé si

amer plus tard sur la grève déserte du Lido » (p. 143) ; et on attribue à Musset le poème *Inno ebrioso*, qui commence ainsi : « Que le Chypre embrasé circule dans mes veines ! » (*Poésies*, p. 584).

[140] Voilà une surprenante intervention d'auteur, qui précède de peu l'arrivée non moins surprenante (le hasard peut rendre bien des services) du capitaine Lawson, dont la vue doit être bien perçante pour reconnaître de loin son ami Palmer ! Le lecteur peut n'être pas convaincu.

[141] La présence d'une frégate américaine dans le golfe de La Spezia est attestée par l'Agenda de 1855 : « J'écoute la musique et je regarde la manœuvre du vaisseau américain. Scène de Cooper dans un cadre magnifique » (7 mai).

[142] C'est le 7 mai 1855 que le navire américain a quitté le golfe de La Spezia.

[143] A Porto-Venere, G. Sand avait acheté de la dentelle (Agenda, 5 mai 1855).

[144] « J'ai une espèce de siège à soutenir contre tous les curieux qui s'attroupent déjà autour de ma cellule », écrit Sand à Musset, le 15 avril 1834 (*Corr. S*, t. II, p. 566). Cette apparition de Thérèse au balcon rappelle la première que Pagello eut de G. Sand, telle qu'il la rapporta dans son journal : « En passant sous les fenêtres de l'*Albergo Danieli* (ou Hôtel Royal), je vis à un balcon du premier étage une jeune femme assise, d'une physionomie mélancolique »... (cité par P. Mariéton, p. 82).

[145] On lira dans les variantes une intéressante première version, plus étendue, de ces retrouvailles, rayée sur le manuscrit.

[146] George Sand se souvient ici des fureurs et des scandales de l'ancienne maîtresse de Pagello, Arpalice Fanna, sœur de Daniele Manin ; on lira le récit qu'en fait Sand dans ses lettres à Musset (*Corr. S*, t. II, p. 565 et p. 571).

[147] A Venise, Sand habitait la même maison que les deux frères Pagello et Giulia Puppati : « On dit dans la maison Mezzani que c'est la maîtresse des deux Pagello, et qu'elle et moi nous sommes les deux amantes du docteur » (*Corr. S*, t. II, p. 571).

[148] Au début de *La Confession d'un enfant du siècle*, Musset déclare avoir « été atteint, jeune encore, d'une maladie morale abominable » (p. 65).

[149] Allusion aux poèmes des *Nuits* de Musset, où le Poète dialogue avec la Muse ?

[150] Félix Arvers avait, en novembre 1832, durement reproché à Musset sa conduite dans un poème cité par Séché (t. I, p. 202) :
« Je ne suis pas de ceux qui vont dans les orgies
S'inspirer aux lueurs des blafardes bougies,
Qui, dans l'air obscurci par les vapeurs du vin,
Tentent de ranimer leur muse exténuée,
Comme un vieillard flétri qu'une prostituée
Sous ses baisers impurs veut réchauffer en vain. »

[151] La première lettre de Musset après la rupture est bien différente. Elle est écrite de Genève le 4 avril 1834 ; on la lira dans Évrard (p. 69-71), et dans *Corr. M*, p. 83-84. On retrouve cependant quelques expressions assez proches... « Je t'aime encore d'amour, Georges [...] Je suis tranquille ; ce n'est pas un enfant épuisé de fatigue qui te parle ainsi ; [...] le ciel nous avait fait l'un pour l'autre ; nos intelligences, dans leur sphère élevée, se sont reconnues comme deux oiseaux des montagnes, elles ont volé l'une vers l'autre ». Il convient également de rappeler une lettre plus tardive, [après le 26 octobre 1834] : « Mon enfant, mon enfant, que je suis coupable envers toi ! [...] Ô ma vie, ma bien aimée, que je suis malheureux, que je suis stupide, ingrat, brutal ! Tu es triste chère ange [...] je t'aime comme on n'a jamais aimé » (*Corr. M*, p. 137).

[152] La deuxième partie de cette lettre reprend exactement certains détails de la lettre de Genève de Musset : « Ce matin, je courais les rues de Genève, en regardant les boutiques ; un gilet neuf, une belle édition d'un livre anglais, voilà ce qui attirait mon attention. Je me suis aperçu dans une glace, j'ai reconnu l'enfant d'autrefois » (*Corr. M*, p. 83).

[153] Dans la lettre de Genève, Musset écrit : « les larmes coulent abondamment sur mes mains tandis que je t'écris » (*Corr. M*, p. 83).

[154] Sand à Musset, 29 avril 1834 : « Ménage cette vie que je t'ai conservée, peut-être, par mes veilles et mes soins. Ne m'appartient-elle pas un peu à cause de cela ? » (*Corr. S*, t. II, p. 569).

[155] Musset à Sand, 1er mai 1834 : « maintenant les arbres se couvrent de verdure, et

l'odeur des lilas entre ici par bouffées, tout renaît et le cœur me bondit malgré moi. Je suis encore jeune, la première femme que j'aurai sera jeune aussi, je ne pourrais avoir aucune confiance dans une femme faite. De ce que je t'ai trouvée, c'est une raison pour ne plus vouloir chercher » (*Corr. M*, p. 91). Le 10 mai 1834 : « ce sont ces fleurs et toute cette verdure qui m'appellent à la vie ; je les sens qui m'attirent, et où m'attirent-elles ? Ah il y a six mois, les chaleurs du printemps me faisaient le même effet que le vin de champagne » (*Corr. M*, p. 96). Voir également les trois premières strophes de la Muse dans *La Nuit de Mai* (*Poésies*, p. 304-305).

156 Allusion à la liaison de Musset avec Rachel.

157 Musset à Sand, 30 avril 1834... « j'ai encore une permission à te demander, c'est de te faire quelquefois des rapsodies de sonnets, comme si tu étais encore ma maîtresse — et ne l'es-tu donc plus, mon amour chéri ? Tu la seras toujours, quand tu serais au bout du monde. Je te défie de m'empêcher de t'aimer »... (*Corr. M*, p. 92).

158 Musset à Sand, 19 avril 1834 : « Dis-moi plutôt, mon enfant, que tu t'es donnée à l'homme que tu aimes, parle-moi de vos joies. Non, ne me dis pas cela ; dis-moi simplement que tu aimes et que tu es aimée ; alors je me sens plein de courage »... (*Corr. M*, p. 86).

159 Allusion à la fameuse « nuit de la lettre », où Musset avait surpris Sand écrivant à Pagello, et à la violente dispute qui avait suivi... « Je me souviens bien de cette nuit de la lettre. Mais dis moi, quand tous mes soupçons seraient vrais, en quoi me trompais-tu, me disais-tu que tu m'aimais ? n'étais-je pas averti ? avais-je aucun droit ? ô mon enfant chéri, lorsque tu m'aimais, m'as-tu jamais trompé ? » (*Corr. M*, p. 90).

160 Musset à Sand, 30 avril 1834 : « Dis à Pagello que je le remercie de t'aimer et de veiller sur toi comme il le fait. N'est-ce pas la chose la plus ridicule du monde que ce sentiment-là ? je l'aime, ce garçon, presque autant que toi ; [...] il est cause que j'ai perdu toute la richesse de ma vie, et je l'aime comme s'il me l'avait donnée. Je ne voudrais pas vous voir ensemble, et je suis heureux de penser que vous êtes ensemble » (*Corr. M*, p. 92).

161 Musset à Sand, 30 avril 1834 : « lorsque j'ai vu ce brave Pagello, j'y ai reconnu la bonne partie de moi-même, mais pure, et exempte des souillures irréparables qui l'ont empoisonnée en moi. C'est pourquoi j'ai compris qu'il fallait partir »... (*Corr. M*, p. 90). Le 15 juin 1834 : « Certes, l'homme que tu as choisi, ne peut avoir changé ta vie qu'en bien ; c'est une noble créature, bonne et sincère [...] Il t'aime, et comme tu dois être aimée. Je n'ai jamais douté de lui, et cette confiance que rien ne détruira jamais a été ma force pour quitter Venise »... (*Corr. M*, p. 108).

162 Musset avait songé à se battre en duel avec Pagello (cf. *Corr. S*, t. II, p. 548 n. 2, et t. IV, p. 477).

163 « Aujourd'hui nous voilà à travers champs, passant les ravins et grimpant partout à pied sec. Je suis assise par terre sur un sable chaud tout rempli de fleurs ; encore des bruyères blanches » (G. Sand à sa fille Solange, La Spezia 4 mai 1855, *Corr. S*, t. XIII, p. 133).

164 « Une grande chaîne neigeuse, le monte Sante Pellegrino couronne le tableau. Il fait partie des Apennins et n'a repris sa neige que dernièrement, le froid ayant été tardif cette année »... (Agenda, 4 mai 1855).

165 « Il y a partout des myrtes, des cystes blancs, des genêts d'espagne, des cytises »... (Agenda, 6 mai 1855).

166 Musset à Sand, 1er mai 1834 : « Ce n'est donc pas un rêve, mon frère chéri ; — cette amitié qui survit à l'amour... » (*Corr. M*, p. 89).

167 Musset à Sand, 10 mai 1834 : « Si je vais voir un ami, il me propose d'aller au bordel ; [...] Et quand tout cela m'a bien bourdonné aux oreilles, quand je me sens bien venir la nausée, je retourne vers la solitude »... (*Corr. M*, p. 95).

168 Sand à Musset, 15-17 avril 1834 : « Eh bien ! avons-nous un seul souvenir de ces étreintes, qui ne soit chaste et saint ? Tu m'as reproché dans un jour de fièvre et de délire de n'avoir jamais su te donner les plaisirs de l'amour » (*Corr. S*, t. II, p. 563).

169 Musset à Sand, 19 avril 1834 : « j'avais arrangé avant hier une partie quarrée avec Dalton ; on m'avait mis, à côté de moi, une pauvre fille d'opéra qui s'est trouvée bien sotte, mais moins sotte que moi ; je n'ai pu lui dire un mot et suis allé me coucher à 8 heures » (*Corr. M*, p. 86).

[170] Sand à Musset, 24 mai 1834 : « J'ai besoin de nourrir cette maternelle sollicitude qui s'est habituée à veiller sur un être souffrant et fatigué » (*Corr. S*, t. II, p. 597).

[171] Sand à Musset, 24 mai 1834 : « Eh bien moi, j'ai besoin de souffrir pour quelqu'un, j'ai besoin d'employer ce trop d'énergie et de sensibilité qui sont en moi » (*Corr. S*, t. II, p. 597).

[172] Voir la lettre de Musset à Sand du 4 juin 1834 : « Je vais et je viens, j'avance et je recule ; un instinct singulier me pousse et m'attire ; je ne sais si c'est de peur ou de plaisir que je frissonne — je vais aimer » (*Corr. M*, p. 100).

[173] G. Sand avait regardé la manœuvre du bateau américain dans le golfe de La Spezia : « en revenant nous entendons de près son salut de départ. Bruit formidable des échos de la montagne » (Agenda, 7 mai 1855).

[174] Musset a séjourné à Baden en septembre 1834. Sand et Pagello étaient arrivés à Paris le 14 août, et le 17 Sand revoyait Musset ; le 24 août, Sand partait pour Nohant et Musset pour Baden, tandis que Pagello restait à Paris. De Baden, Musset écrivit deux longues lettres à G. Sand (*Corr. M*, p. 121 et 125) ; voir également sur ce séjour le poème *Une bonne fortune* (*Poésies*, p. 293).

[175] Musset écrit à Sand le 19 avril 1834 : « Tes meubles sont couverts de grandes couvertures de laine, ton lit n'a que les matelas, et les fenêtres sont sans rideaux ; j'ai cru que j'entrais dans l'appartement d'un mort » (*Corr. M*, p. 86).

[176] Deux détails sont le rappel du mobilier de G. Sand, les vases de Chine (« le salon où elle reçoit est plein de vases chinois superbes, pleins de fleurs », Balzac, *Lettres à Mme Hanska*, t. II, p. 8), et les meubles de Boulle (Sand demande à Boucoiran de chercher le manuscrit de *Lélia* « dans une des petites armoires de Boule », *Corr. S*, t. II, p. 555) ; nous avons respecté l'orthographe de G. Sand pour Boulle.

[177] Musset à Sand, 4 juin 1834... « ma santé qui n'a jamais été meilleure (je suis gros comme un moine) » (*Corr. M*, p. 100).

[178] Fameux restaurant du Palais-Royal, au 88 de la Galerie de Beaujolais.

[179] Sand à Musset, à propos de Pagello : « lui qui comprenait tout à Venise, du moment qu'il a mis le pied en France il n'a plus rien compris, et le voilà désespéré. Tout de moi le blesse et l'irrite, [...] je suis offensée jusqu'au fond de ce qu'il m'écrit [...] il n'a plus la foi, par conséquent il n'a plus l'amour. [...] Le voilà qui redevient un être faible, soupçonneux, injuste, faisant des querelles d'allemand et vous laissant tomber sur la tête ces pierres qui brisent tout ! et moi, il ne me faut plus songer à vivre » (*Corr. S*, t. II, p. 692-693).

[180] La rature sur le manuscrit (probablement à la suite de l'édulcoration demandée par Buloz) a biffé une version plus explicite : « quand vous avez daigné m'appartenir »...

[181] Sand à Musset, sur Pagello : « il part, il est peut-être parti à l'heure qu'il est, et moi je ne le retiendrai pas parce que je suis offensée jusqu'au fond de l'âme [...] Je le verrai s'il est encore à Paris, je vais y retourner dans l'intention de le consoler, me justifier, non, le retenir, non. [...] Et pourtant je l'aimais sincèrement cet homme généreux, aussi romanesque que moi, et que je croyais plus fort que moi » (*Corr. S*, t. II, p. 692-693).

[182] Après avoir revu Musset, G. Sand partit à Nohant du 24 août au 6 octobre 1834.

[183] Ce mouvement est sensible dans *La Nuit d'octobre* (*Poésies*, p. 321) :
« Jours de travail ! seuls jours où j'ai vécu !
O trois fois chère solitude !
Dieu soit loué, j'y suis donc revenu,
A ce vieux cabinet d'étude ! »...

[184] G. Sand à Sainte-Beuve, 25 novembre 1834 : « Mais mon Dieu, conseillez-moi donc de me tuer. Il n'y a plus que cela à faire » (*Corr. S*, t. II, p. 753).

[185] Brigitte « eut à essuyer de ma part tous les dédains et toutes les injures qu'un libertin colère et cruel peut prodiguer à la fille qu'il paye » (*Confession*, p. 222).

[186] Sand à Musset, 24 mai 1834 : « Eh bien moi, j'ai besoin de souffrir pour quelqu'un, j'ai besoin d'employer ce trop d'énergie et de sensibilité qui sont en moi. J'ai besoin de nourrir cette maternelle sollicitude qui s'est habituée à veiller sur un être souffrant et fatigué » (*Corr. S*, t. II, p. 597).

[187] Ce sont les deux postulations que Musset a incarnées dans les deux héros des *Caprices de Marianne*, Octave et Coelio. Musset développe ce thème du dédoublement

de la personnalité dans *La Confession d'un enfant du siècle* : « Au sortir de ces scènes affreuses où mon esprit s'épuisait en tortures et déchirait mon propre cœur, tour à tour accusant et raillant, mais toujours avide de souffrir et de revenir au passé ; au sortir de là, un amour étrange, une exaltation poussée jusqu'à l'excès, me faisaient traiter ma maîtresse comme une idole, comme une divinité » (*Confession*, p. 222 ; cf. également p. 201 et 203).

[188] Sand à Musset, février 1835 : « Ta folle jalousie à tout propos [...] plus tu perds le droit d'être jaloux, plus tu le deviens ! » (*Corr. S*, t. II, p. 812).

[189] Sand à Musset, janvier 1835 : « Tu crois que tu peux m'aimer encore, parce que tu peux espérer encore tous les matins après avoir nié tous les soirs. [...] Où vas-tu ? Qu'espères-tu de la solitude et de l'exaltation d'une douleur déjà si poignante ? [...] Et toi, tu veux exciter et fouetter ta douleur » (*Corr. S*, t. II, p. 786).

[190] Sand à Musset, fin janvier 1835 : « Tout cela, vois-tu, c'est un jeu que nous jouons. Mais notre cœur et notre vie servent d'enjeux [...] Veux-tu que nous allions nous brûler la cervelle ensemble à Franchart ? Ce sera plus tôt fait »... (*Corr. S*, t. II, p. 796-797).

[191] ... « le matin venait, le jour paraissait ; je tombais sans force, je m'endormais, et je me réveillais le sourire aux lèvres, me moquant de tout et ne croyant à rien » (*Confession*, p. 222).

[192] Sainte-Beuve à J.-J. Ampère, 18 novembre 1834 : « les plus grands orages que je sache sont les ruptures de *Lélia* et de *Rolla*, qui ont passé tout ce dernier mois à se maudire, à se retrouver, à se déchirer, à souffrir » (*Correspondance*, t. I, p. 478).

[193] Thérèse Levasseur était la femme de Jean-Jacques Rousseau ; le père de Musset, Musset-Pathay, avait écrit une *Histoire de la vie et des ouvrages de J.-J. Rousseau* (Pélicier, 1821), et donné une édition en 20 volumes des *Œuvres* de Rousseau. On sait que George Sand admirait Rousseau, admiration qui ne semble pas avoir été entièrement partagée par Musset, dont G. Sand rapporte peut-être ici un propos. Musset écrit à Sand le 10 mai 1834 : « Je lis *Werther* et *la Nouvelle Héloïse* ; je dévore toutes ces folies sublimes dont je me suis tant moqué » (*Corr. M*, p. 97) ; le 20 juin 1836 : « Je n'ai jamais pu lire les *Confessions* de Rousseau sans dégoût » (*id.*, p. 184).

[194] Cf. la lettre de Sand à Musset du 22 ou 23 [?] février 1835... « Je ne sais pas lutter. Dieu m'a faite douce et cependant fière. Mon orgueil est brisé à présent, et mon amour n'est plus que de la pitié. [...] Ta conduite est déplorable, impossible. Mon Dieu à quelle vie vais-je te laisser ! L'ivresse du vin ! les filles, et encore, et toujours ! Mais puisque je ne peux plus rien pour t'en préserver, faut-il prolonger cette honte pour moi, et ce supplice pour toi-même ? Mes larmes t'irritent »... (*Corr. S*, t. II, p. 812).

[195] Ce chapitre XIII, ainsi que les trois premiers paragraphes du chap. XIV, a été ajouté avant la publication dans la *Revue des deux mondes*, probablement à la demande de Buloz qui trouvait le roman trop court. Il suggère de continuer le roman « en fortifiant, s'il est possible, l'œuvre par quelques développements nouveaux. Il y a dans la 1re partie une idée indiquée que vous pourriez peut-être développer par la suite, pour en faire un épisode qui serait bien vrai et fort remarquable. C'est que l'artiste ne peut être vraiment grand et complet que lorsqu'il est maître de sa vie et de sa volonté, qu'il ne dépend ni du hasard ni de ses caprices. S'il faut de la passion pour faire un poète, il ne faut cependant pas que le poète soit dominé toujours par ses passions et en soit le puéril esclave. Quelle vie n'aurait pas fournie Alfred s'il avait pu prendre le dessus » (*Corr. S*, t. XV, p. 309 n. 1).

[196] Deux scènes de *La Confession d'un enfant du siècle* montrent Octave voulant tuer Brigitte (p. 85 ; et plus longuement p. 279-282 : « pendant qu'elle dort, à quoi tient-il que je ne la tue ? [...] J'avais approché le couteau que je tenais de la poitrine de Brigitte. [...] Je reculai, frappé de crainte ; ma main s'ouvrit et l'arme tomba »). Souvenir probable d'une scène réelle, à laquelle fait allusion un billet de Musset : « ne t'effraye pas ; je ne suis de force à tuer personne ce matin » (*Corr. M*, p. 149).

[197] G. Sand écrit son roman après la mort de Musset, élu à l'Académie française en 1852. En 1857, la *Revue anecdotique* et *La Gazette de Paris* avaient publié une *Satire contre l'Académie* attribuée à Musset, ce qui provoqua une protestation de Paul de Musset (cf. *Poésies*, p. 587 et note p. 913).

[197 bis] A propos de ce passage, Buloz écrit à G. Sand le 14 février 1859 : « Ce chapitre

me paraît aller très bien. Il n'y a que le mot de Heine que vous ferez peut-être bien de retrancher, parce qu'il désigne trop le type du roman ; n'est-ce pas un inconvénient dans une œuvre de ce genre ? Je le crains. Le roman réussit parfaitement, et on le trouve dans la juste mesure, tout en faisant l'application. Je crois donc qu'il faut se tenir dans la voie où vous avez marché jusqu'ici dans cette œuvre, et peut-être le mot d'Henri Heine qui était, je crois, un *jeune homme d'un beau passé*, vous en ferait-il sortir » (*Corr. S*, t. XV, p. 330 n. 1). Le mot de Heine sur Musset est rapporté par Sand dans les *Entretiens journaliers* : « C'est un jeune homme de beaucoup de passé » (G. Sand, *Œuvres autobiographiques*, t. II, p. 1010).

[198] Il y a dans les lettres de Musset à Sand le même billet, dont le texte exact est : « Senza veder, e senza parlar, toccar la mano d'un pazzo chi partè domani », c'est-à-dire : sans regarder, et sans parler, toucher la main d'un fou qui part demain (*Corr. M*, p. 150). On se reportera au commentaire d'Évrard, p. 271-273.

[199] Dans le *Journal intime*, Sand note en revenant de l'Opéra : « Me voilà en bousingot, seul, désolé d'entrer au milieu de ces hommes noirs, et moi aussi je suis en deuil ». (p. 953). On trouvera un magistral tableau des bals de l'Opéra au début de *Splendeurs et misères des courtisanes* de Balzac (Pléiade, t. VI, p. 429-431) : « cette foule noire, lente et pressée, qui va, vient, serpente, tourne, retourne, monte, descend, et qui ne peut être comparée qu'à des fourmis sur leur tas de bois [...]. A de rares exceptions près, à Paris, les hommes ne se masquent point : un homme en domino paraît ridicule ». Musset a consacré deux articles de sa *Revue fantastique* dans *Le Temps* en 1831 à la « chute des bals de l'Opéra » et à « la semaine grasse » (*Œuvres complètes en prose*, Pléiade, p. 766-772).

[200] « Les bals masqués de l'Opéra étaient tristes comme une assemblée de famille ; tout ce que l'on essaye depuis trois ans pour les ranimer ne peut y parvenir ; les *tombola*, les châles de cachemire, les bracelets, les *jeunes filles* même mises en loterie, les danses espagnoles, les pas allemands, rien ne peut leur rendre la vie » (Madame de Girardin, *Le Vicomte de Launay, Lettres parisiennes*, Librairie nouvelle 1856, t. I, p. 49 ; 8 février 1837).

[201] Georges Lubin a retrouvé (*Corr. S*, p. 815 n. 1) l'explication de ce coup de pistolet, dans une lettre de Mérimée du 6 mars 1835 : « Le carnaval a été admirable. Une découverte qui immortalisera son auteur a été faite à cette occasion. Autrefois, on se contentait, pour marquer la mesure, d'un bâton plus ou moins gros. Aujourd'hui, on se sert de chaises qu'on casse dans les *crescendo* ; des coups de pistolet ont été aussi employés avec succès » (Mérimée, *Correspondance*, éd. Parturier, t. I, p. 405).

[202] Sand écrit dans le *Journal intime* : « Mais, ô mon Dieu ! qui donc leur dit tout cela si vite, ce n'est pas toi qui me railles devant elles... Non, ce propos chez Delphine Gay ! mais ce mépris, un rire moqueur. Toutes ces femmes qui disaient du mal de moi, et lui qui répondait : "Vous ne [vous] trompez peut-être guère !" (p. 954). Et dans *La Confession d'un enfant du siècle*, Musset-Octave s'interroge : « Qui sait ? qu'on vienne à te railler sur ces douleurs que tu crois senties ; qu'un jour, au bal, une belle femme sourie de pitié quand on lui contera que tu te souviens d'une maîtresse morte ; n'en pourrais-tu pas tirer quelque gloire et t'enorgueillir tout à coup de ce qui te navre aujourd'hui ? Quand le présent, qui te fait frissonner et que tu n'oses regarder en face, sera devenu le passé, une vieille histoire, un souvenir confus, ne pourrais-tu par hasard te renverser quelque soir sur ta chaise, dans un souper de débauchés, et raconter, le sourire sur les lèvres, ce que tu as vu les larmes aux yeux ? C'est ainsi qu'on boit toute honte, c'est ainsi qu'on marche ici-bas » (p. 276). En décembre 1836, G. Sand avait été choquée d'apprendre qu'un billet d'elle à Mme de Musset traînait dans Paris : « Je ne puis songer sans amertume que les élans les plus douloureux de mon cœur, les paroles les plus ardentes de mon cerveau, en un mot, les pages les plus animées de ma vie, resteraient dans les mains d'une personne qui me hait, pour être livrées à la risée publique » (*Corr. S*, t. III, p. 588).

[203] Musset avait écrit sa *Confession d'un enfant du siècle*.

[204] Quittant Paris en août 1834, Musset écrivait à Sand : « Écoute écoute George, si tu as du cœur, rencontrons-nous quelque part, chez moi, chez toi, au jardin des Plantes, au cimetière, [...] ouvre ton cœur, sans arrière-pensée, écoute moi te jurer de mourir avec ton amour dans le cœur un dernier baiser et adieu ! » (*Corr. M*, p. 116).

[205] Le nom de Manoël est à peu près celui, Manuel, du père et du frère de la grande amie de G. Sand, Pauline Viardot ; mais surtout il commence comme celui de son propre fils, Maurice.

[206] La fuite de Thérèse ressemble tout à fait à celle de G. Sand le 6 mars 1835, telle qu'elle l'expose dans sa lettre à Boucoiran : « Aidez-moi à partir aujourd'hui. Allez au courrier à midi et retenez-moi une place [...] j'aurai bien de la peine à tromper l'inquiétude d'Alfred [...] Je mettrai mon chapeau, je dirai que je vais revenir [...] Venez chercher mon sac de nuit dans la journée »... (*Corr. S*, t. II, p. 814-815).

[207] George Sand a pensé en avril 1835 partir pour la Suisse (cf. *Corr. S*, t. II, p. 844 et n.).

[208] On lira dans les variantes deux ébauches de conclusion que Sand raya pour achever son roman par un échange de lettres.

[209] C'est un peu ce que disait la Muse au Poète dans *La Nuit de Mai* (*Poésies*, p. 308) :
« Rien ne nous rend si grands qu'une grande douleur
Mais, pour en être atteint, ne crois pas, ô poète,
Que ta voix ici-bas doive rester muette.
Les plus désespérés sont les chants les plus beaux,
Et j'en sais d'immortels qui sont de purs sanglots. »

[210] Musset avait conclu une de ses lettres à G. Sand ainsi : « Je nous ferai, à elle et à moi, une tombe qui sera toujours verte, et peut-être les générations futures répéteront-elles quelques-unes de mes paroles, peut-être béniront-elles un jour ceux qui auront frappé avec le myrthe de l'amour aux portes de la liberté. » (*Corr. M*, p. 120 ; 23 août 1834).

Histoire du texte

Le manuscrit

Le manuscrit est conservé à Chantilly à la Bibliothèque Spoelberch de Lovenjoul, sous la cote E 790 et 791, en deux volumes in-8 reliés en demi-percaline bleue.

Le premier volume E 790 se compose de 332 feuillets (les ff. 328, 329, 331 et 332 sont blancs) foliotés à l'encre rouge (probablement lors du classement de la collection par Georges Vicaire) ; les f°s 1 et 331 ont été ajoutés par le relieur. Si George Sand n'a pas effectué une pagination continue (seulement du f° 102 au f° 213, paginés au crayon 1 à 112), elle a en revanche scrupuleusement numéroté les cahiers qui composent le manuscrit, et fait à la fin de chaque partie la récapitulation du nombre de pages (au verso du dernier feuillet de chaque partie) :

— Première partie : f°s 2-213, cahiers 1 à 22 ; au verso du f° 213, elle note : « 213 Pages//1re partie » ; [introduction et chap. I-IV].

— Deuxième partie : f°s 214-327, cahiers 23 à 34 ; au verso du f° 330, elle note : « 2de partie, 117 pages. [total, 332 pages. *rayé*] » ; [chap. V-VI].

Le second volume E 791 se compose de 322 feuillets (les ff. 321 et 322 sont blancs ; les f°s 1, 321 et 322 ont été ajoutés par le relieur). Chaque partie est ici paginée de façon continue au crayon par George Sand, qui numérote les cahiers à l'encre au verso de la dernière page de chaque cahier :

— Troisième partie : f°s 2-107, paginés 1 à 106, cahiers 35 à 45 ; au verso du f° 107, elle note : « 3me partie [[100] 90 p. *rayé*] 107 pages. [total 422. *rayé*] » ; [chap. VII-VIII].

— Quatrième partie : f°s 108-201, paginés de 1 à 93, cahiers 46 à [54] ; [chap. IX-X].

— Cinquième partie : f°s 202-320, paginés de 1 à 119, cahiers 55 à

67 ; au verso du fº 320, elle note : « 5ᵐᵉ partie//120 pages-//total 152 » ; [chap. XI-XIV].

Les cahiers, certainement formés de feuillets doubles — mais parfois aussi de feuillets simples contenus dans un ou deux feuillets doubles —, ont été en partie coupés et montés sur onglets lors de la reliure, ce qui rend à peu près impossible le repérage exact des feuillets ajoutés en addition ou remplacement d'une version primitive détruite. Il y a cependant plusieurs becquets collés ou ajoutés dans le manuscrit.

Le manuscrit a servi pour la composition, comme l'indiquent les noms des typographes inscrits au crayon ou à l'encre sur le manuscrit.

Le manuscrit est écrit au recto de chaque feuillet, à l'encre bleue, d'une écriture grosse et ronde.

Le manuscrit ne comporte pas de divisions par chapitres, et les dialogues se suivent sans alinéas, les répliques étant uniquement indiquées par un tiret. L'accentuation est souvent déficiente ou aberrante (modêle, gâgner, extâse, dôse, mirâcle, etc.), ainsi que la ponctuation ou l'usage des majuscules ; les titres de civilité sont abrégés, et les nombres (surtout les heures) notés en chiffres.

L'usage des pluriels en *ns* pour les mots se terminant par *ant* ou *ent* commence à se perdre, et bien souvent G. Sand, à côté de terminaisons en *ns*, adopte celles en *nts* (qui seront systématiquement corrigées selon l'ancien usage dans la *Revue des deux mondes*) ; de même elle écrit *tems* et *longtems*.

On trouve sur le manuscrit un certain nombre de particularités orthographiques : piés (pour *pieds*), bonhommie, imbécille, clientelle, sybille, chuchottement, s'appaisa, appaisement, roastbeaf, sphynx, assiduement, quelques fois (pour *quelquefois*), sanglottait, guères, échaffaud, obcène, rallentir, walse, walser, paroxismes, tisanne, baragoin, plutôt (pour *plus tôt*), cravatte, épylepsie, patrone, Wandyck, exalent, etc.

G. Sand emploie, selon son habitude, *je vas* pour *je vais* ; *c'était* suivi d'un substantif pluriel ; des expressions au pluriel au lieu du singulier (sous toutes sortes, de toutes sortes, toutes nations, quelques efforts que).

Contrairement aux idées reçues, les manuscrits de George Sand sont abondamment corrigés. Celui d'*Elle et Lui* ne fait pas exception, et nous avons relevé plus de huit cents ratures et corrections, parmi lesquelles nous avons dû choisir les variantes les plus intéressantes. Ces corrections, faites soit au fil de la plume soit lors d'une relecture, sont de trois types : suppressions, additions et modifications.

Les suppressions ou ratures précèdent souvent les corrections ; elles annulent des erreurs évidentes, des répétitions, une idée ou une expression venues trop tôt sous la plume et qui seront reprises un peu plus tard. Ce sont aussi des détails ou des développements plus importants qui sont rayés.

Les additions, nombreuses, sont faites en interlignes. Elles peuvent aller d'un mot (notamment des adverbes) à une ou plusieurs phrases. Parfois, pour de plus longs passages, G. Sand ajoute des feuillets au manuscrit original.

Les modifications sont nombreuses : changements de temps, changements de nombres ou de lieux, mots remplacés (nous avons signalé les variantes les plus importantes ; notons encore : *cœur* changé en *âme*, terre/monde, une fois/tantôt, bateau/barque, répondit/s'écria, table/meuble, étrangères/exotiques, bonheur/félicité, bruit/fracas, devoir/dévouement, demander/supplier, etc.). Telle expression, telle réplique, tel développement sont également rayés et modifiés.

Revue des deux mondes

La publication commence le 15 janvier 1859 (Première partie, I-IV ; t. XIX, p. 329-372) et se poursuit le 1er février (Seconde partie, V-VII ; *id.*, p. 513-548), le 15 février (Troisième partie, VII-X ; *id.*, p. 788-815) pour se terminer le 1er mars (Quatrième partie, XI-XIV ; t. XX, p. 5-39).

Pour la publication, des aménagements sont apportés : la division en chapitres d'abord, une révision de la ponctuation, et des changements dans les alinéas et la division des paragraphes.

Des fautes ou des maladresses dans la construction des phrases sont corrigées, des mots déplacés ; l'orthographe est revue et normalisée, à l'exception des pluriels en *nts* qui seront encore longtemps maintenus sous la forme *ns* à la *Revue des deux mondes* ; les nombres sont écrits en toutes lettres, et les titres de civilité uniformisés. Certains verbes changent de temps, certains noms changent de nombre. Des termes de liaison sont supprimés : *mais, et, donc, au fait*. L'usage, courant chez G. Sand, de *je vas* est systématiquement corrigé en *je vais* ; on note d'autres changements : *ça* en *cela, par ici* en *par là, dont* en *d'où, quand* en *lorsque, pas* en *point, l'une des quelles* en *dont l'une, aller* en *venir, au lieu* en *tandis*, etc. Parfois, pour plus de clarté, un pronom personnel est remplacé par le nom d'un des protagonistes : *elle* par *Thérèse, il* ou *lui* par *Laurent*.

Il y a encore quelques petites modifications dans la formulation : quelques mots ajoutés (notamment des adverbes, *naturellement, seulement*, et une petite addition p. 111), de petites nuances apportées par une modification de verbe, de substantif ou d'adjectif ; ainsi qu'une légère transformation du nom d'un personnage secondaire : *Vincentino* devenant *Vicentino*.

A la demande de Buloz en particulier, George Sand a remanié son texte de façon plus significative, en supprimant un long passage sur les questions d'argent entre Laurent et Thérèse (p. 94 ; et une petite suppression p. 110), et en ajoutant un important développement qui forme le chapitre XIII.

Édition originale

L'édition originale est enregistrée à la *Bibliographie de la France* le 14 mai 1859 sous le n° 4428 :

SAND. — Elle et lui ; par George Sand. In-18 jésus, 316 p. Paris, imp. Lahure et Cᵉ ; lib. L. Hachette et Cᵉ. 3 fr. 50 c.

Dans l'édition originale, on ne relève que des corrections mineures, ainsi que la normalisation des terminaisons au pluriel.

Une seconde édition est enregistrée le 19 novembre 1859 ; elle porte la date de 1860 ; quelques coquilles (notamment le *fait* oublié p. 91 rétabli) ont été corrigées.

M. Georges Colin, dans sa *Bibliographie des premières publications des romans de George Sand* (p. 126-127), signale une contrefaçon allemande parue la même année que l'originale : Naumbourg, G. Paetz, 1859, 2 vol. in-16 (Bibliothèque choisie, vol. 289-290). Tome I : 160 p. Tome II : 151 p. (128 p. plus l'*Histoire quasi-fantastique d'une femme blanche et d'un chat noir*, par Adrien Paul). Enregistrée à l'*Allgemeine Bibliographie für Deutschland* le 26 mai 1859 ; G. Colin signale une deuxième édition de cette contrefaçon, également à la date de 1859.

Éditions

Le 1ᵉʳ octobre 1860, Émile Aucante, mandataire de G. Sand, vend à Michel Lévy frères, libraires-éditeurs, la totalité des œuvres publiées de George Sand (cf. J.-Y. Mollier, *Michel & Calmann Lévy ou la naissance de l'édition moderne*, p. 291 ; contrat in *Corr. S*, t. XVI, p. 110). Jean-Yves Mollier a bien voulu nous préciser, d'après les registres de la maison Calmann-Lévy, qu'*Elle et Lui* a été confié à l'imprimerie Jules Claye en février 1861, et publié le 16 avril 1861, le tirage étant de 1 500 (réellement 1 646) exemplaires, dans la « Bibliothèque contemporaine » (prix 3 fr. 50 c.) ; un retirage fut effectué le 14 avril 1864 à 1 000 (soit 1 100) exemplaires.

Éditions postérieures :
— 1867 : Paris, Michel Lévy frères ; 5ᵉ édition ; in-18.
— 1869 : Paris, Michel Lévy frères ; 6ᵉ édition ; in-18.
— 1869 : Paris, Michel Lévy frères ; grand in-8°, 55 pages, couverture illustrée et vignette (bois gravé de Lix : Lui est à sa table de travail comme un poète, Elle ressemble à G. Sand et est allongée dans une méridienne) ; prix : 90 centimes (Musée littéraire contemporain).
— 1909 : Paris, Calmann-Lévy ; in-8°, 126 p., couverture illustrée et figures (Nouvelle collection illustrée, n° 28) ; rééditée en 1929.
— 1933 : Nelson.
— 1936 : Les Belles Éditions. Éditions du Vert Logis. H. Béziat.

— 1937 : Gründ.

— 1945 : Paris, Étampes, M. Gasnier ; illustrations de Van de Beuque.

— 1946 : Lyon, Éditions Optic ; Éditions de Savoie ; Paris, R. Simon (préface de L. Ville, couverture de Claudel).

— 1947 : Paris, Éditions des Arceaux (présentation par Aurore Sand, dessin de Vicente Santaolaria et 15 illustrations en couleurs de Philippe Ledoux).

— 1952 : Paris, Club du livre illustré (dessins d'A. de Musset). Paris, Éditions La Bruyère (Collection Select-Univers, série Amour).

— 1963 : Neuchâtel, Ides et Calendes (Collection du Sablier), avec une préface de Henri Guillemin (284 pages dont 129 pour la seule préface, — 129 pages haineuses sur George Sand, dont à peine une dizaine sur le roman ; et un texte bien fautif pour le roman).

— 1969 : [Paris] Éditions de l'Érable.

— 1981 : Lyon, J.-M. Laffont.

Établissement du texte

C'est l'édition originale que nous avons suivie pour l'établissement du texte publié ici. Nous avons toutefois corrigé quelques fautes évidentes : *gentihomme, trois jour, s'en* au lieu de *sans, écris* au lieu de *écrits, témoignaiten* au lieu de *témoignait en,* etc. De même, nous avons rétabli le participe *fait* oublié p. 91 (notre p. 81) dans la phrase « l'intimité avait un pas de géant », et rétabli à la seconde édition. Nous avons supprimé les traits d'union après *très* (très-bons, très-orgueilleuse, etc.), ainsi que pour *non-seulement* ; et nous avons rétabli la ponctuation dans quelques cas où elle avait été négligée. Nous avons également rétabli l'orthographe réelle de *la Spezia* (ainsi écrite sur le manuscrit, mais transformée — probablement pour approcher de la prononciation italienne — en *la Spezzia* dans l'édition).

Variantes

Nous ne présentons ici qu'un choix de variantes ; il est cependant assez abondant pour permettre de se rendre compte du travail d'écriture de G. Sand. Nous avons en outre privilégié tout ce qui se rapportait aux sentiments et à la psychologie des personnages.

Comme toujours chez G. Sand, c'est le manuscrit, avec ses ratures et ses corrections, qui offre le plus de variantes significatives. Les mots ou passages rayés sont entre crochets avec l'indication *rayé* ; les mots entre crochets à l'intérieur de ces passages sont des ratures comprises dans ces passages rayés. En règle générale, nous ne donnons que la transcription du manuscrit, dont on trouve aisément la correspondance dans le texte définitif ; dans certains cas, nous donnons d'abord la version définitive, suivie du sigle :: qui introduit la version antérieure.

Abréviations
ms : manuscrit
RDM : Revue des deux mondes
orig. : édition originale
add. : addition

39 * après vous avoir [souhaité un ciel bleu et l'espérance, à la manière des Natchez de Chateaubriand *rayé*] ennuyée *ms*
   * tant de [grâce et de modestie *rayé*] bonhomie *ms*
   * dit, [il y aurait de quoi faire un beau portrait et *rayé*] vous êtes un beau modèle *ms*

40 * à [faire accepter *rayé*] réussir *ms*
   * je deviens [Raphael *rayé*] Rubens *ms*

41 * un homme [de génie *rayé*] supérieur *ms*
   * l'ennui qui [console *rayé*] grise *ms*
   * dans [cette petite chambre *rayé*] ce petit salon lilas *ms*
   * 11 [juin 184... *rayé*] mai 183... *ms*

42 * ne pas faire [ce soir *rayé*] trop souvent *ms*
   * une existence [qui pourrait être *rayé*] si précieuse *ms*

* ne pas [jouer *rayé*] *courir le brelan ms*
* aux gens [d'esprit *rayé*] d'imagination *ms*
* ne valent pas [le diable *rayé*] deux sous *ms*
* vous coucher [trop *rayé*] tard *ms*
* *Sur ms, date rayée :* [11 juin 184...]

45 * dont [son portier *rayé*] le cocher même *ms*

46 * ce qu'elle ne croit pas, ce qu'elle fait, ce qu'elle veut *ms, RDM*
* Elle est [diablement belle ! *rayé*] faite pour cela ! *ms*

47 * les yeux d'un noir doux ; [un noir fauve ! Sapristi ! les beaux yeux qu'elle a ! et les cheveux ! quelle crinière de lionne ! et la taille magnifique ! *rayé*] des cheveux *ms*
* trouve :: rencontre *ms*

48 * malmène :: abime *ms*
* c'est superbe et s'admire tout bêtement :: c'est superbe et j'admire tout bêtement [la couleur et le sentiment *rayé*] *ms*
* Parbleu ! [farceur *rayé*] mauvais plaisant *ms*
* vous [vous êtes parfaitement gaussé de moi. Vous êtes son petit ami pour le quart d'heure ! *rayé*] avez voulu *ms*
* La preuve, c'est que je m'en vais :: A preuve que je m'en vas *ms*
* Laurent sortit, [puis renvoya sa voiture *rayé*] *ms*
* plus mystérieux et plus [intime *rayé*] champêtre *ms*
* magnifique :: superbe *ms*
* on y prenait le thé, [qu'elle y faisait servir quand la soirée était chaude *rayé*] *ms*

49 * elle n'était et ne [serait jamais à *rayé*] voulait être à personne *ms*

50 * L'américain qui, après avoir salué Thérèse, était ressorti pour prendre, dans la poche de son paltot, une lettre qu'il était chargé de lui remettre, rentra, et Thérèse parcourut *ms*
* pour [les états unis *rayé*] la Havane *ms*
* Si Thérèse avait [envie de peindre Mr Palmer pour *rayé*] des relations *ms*

51 * à une [situation *rayé*] réputation *ms*
* l'austérité enjouée [, mais irréprochable de sa conduite *rayé*] de ses manières *ms*
* avait fait connaissance [, il n'y avait pas plus de trois mois *rayé*] *ms*
* Lancé comme [fils de *rayé*] gentilhomme *ms*
* dans le désordre [, et il affichait un scepticisme qui, à beaucoup d'égards, n'était fondé que sur une comparaison fausse et impossible entre le vice qu'il connaissait trop et la droiture qu'il ne connaissait pas assez chez les autres. *rayé*] *ms*
* la considérer comme [une exception dans le milieu où elle se trouvait *rayé*] une personne *ms*
* et [complètement *rayé*] volontairement isolée *ms*
* trop [débauché *rayé*] viveur *ms*
* une femme [rigide *rayé*] sérieuse *ms*
* une amitié [noble et pure *rayé*] désintéressée *ms*

52 * s'il est [bien fidèle *rayé*] trop réel *ms*
* pour mon anniversaire *ms*
* après avoir [secoué, à l'anglaise, la *rayé*] serré, sans la baiser, la main *ms*
* à ceux qui [n'ont [rien dans le ventre] rien pour plaire aux femmes *rayé*] sont bêtes *ms*
* avec un [accent *rayé*] mélange de plaisir et de [chagrin *rayé*] dépit *ms*

53 * J'en suis [bien heureux *rayé*] très fier *ms*
   * je sens pour vous [une sollicitude *rayé*] de l'intérêt *ms*
   * C'est une mode [que portent les sots *rayé*] bien portée *ms*
   * et en [désirer *rayé*] attendre une autre *ms*

54 * et que j'appelle tout [bêtement *rayé*] bonnement mon [mal *rayé*] infirmité *ms*
   * un petit gentilhomme [ruiné *rayé*] sans avoir, et mes pareils [épousent *rayé*] *ms*
   * des chevaux de [vingt-cinq *rayé*] dix mille *ms*
   * une [vingtaine *rayé*] trentaine de mille francs *ms*

55 * j'ai pris le pinceau, j'ai [connu le succès *rayé*] été éreinté [par la critique *rayé*] *ms*
   * Si vous m'aimiez, Thérèse ? [dit il du ton dont il lui eut dit : Si vous me don-
   niez un verre d'eau ? Je me meurs de soif *rayé*] *ms*

56 * les murs de [ma prison *rayé*] mon cachot *ms*
   * Moi [je n'y ai jamais songé *rayé*], j'ai toujours traité *ms*
   * comme si elle cherchait à [voir l'âme de l'artiste à travers les *rayé*] percer les
   voiles *ms*
   * pendant sa période [d'exaltation *rayé*] de fièvre *ms*

57 * sa tranquillité sans appel [. Il cessa tout à coup de plaisanter *rayé* Il plaisantait
   en lui *rayé*], et ce qu'il venait de dire *ms*
   * et sa colère. [Ne lui avait-il pas entendu faire à un être invisible et inconnu, une
   sorte de serment d'amour exclusif [deux] trois jours auparavant. Comment,
   depuis une heure qu'il était là à causer avec Thérèse, sa curiosité s'était elle
   trouvée suspendue. [Ah oui] De ce moment, il fut amer *rayé*] Jusque là ce
   charme [magnétique *rayé*] d'amitié l'avait bercé *ms*
   * Vous ne connaissez pas [ce malheur *rayé*] cet ennemi-là *ms*
   * lui demanda Thérèse [d'un air étonné *rayé*] stupéfaite *ms*

59 * le tems [, la volonté *rayé*] et la charité de me plaindre *ms*
   * je ne connais pas l'ingratitude :: je connais la reconnaissance *ms*

60 * qu'elle [se promettait de lui signifier *rayé*] lui ordonnait *ms*
   * l'air [de ces gens trop beaux pour être *rayé*] inanimé *ms*
   * J'ai quarante [cinq trois *rayé*] ans *ms*
   * Elle avait [quinze dix *rayé*] quinze ans *ms*
   * l'âge de Thérèse ? [Et puis il avait des bouffées de joie *rayé*] C'est son histoire
   ms
   * qu'un [vieux *rayé*] ami *ms*

61 * Laurent, irrité de [sa manière d'être *rayé*] cet accueil *ms*
   * si vous me [le dites *rayé*] l'ordonnez *ms*
   * et aussi [froids *rayé*] indifférents *ms*

62 * Mon cher [Laurent *rayé*] enfant *ms*
   * me traiter en [ami *rayé*] bon camarade *ms*
   * vous ne méritiez pas [l'amitié *rayé*] l'estime *ms*
   * vous [aviez quelque mauvaise pensée *rayé*] ne me la rendiez pas *ms*

63 * [Je ne suis pas belle. *rayé*] Est-ce que je suis encore belle ? *ms*
   * Je n'en sais rien, [tout le monde dit que vous êtes très belle, très séduisante
   rayé] je ne trouvais pas *ms*
   * J'ai rendu [au vice *rayé*] à Satan *ms*
   * dans un moment [d'ivresse qui n'a eu que le ciel pour témoin *rayé*] de démence
   ms
   * je n'aime pas [vos beaux *rayé*] la couleur de vos cheveux *ms*
   * Thérèse, avec [certaines paroles que vous dites sur l'amour en général ! *rayé*]
   votre culte *ms*
   * votre excessive prudence :: votre excessive pudeur *ms*

64 * je ne [peux aimer *rayé*] veux plus aimer personne *ms*
   * Cette passion vous a donc [fait] déjà bien [souffrir *rayé*] ravagé ? *ms*

65 * il ne désirait plus [de changer leurs paisibles relations *rayé*] rien d'elle *ms*
   * comprendre que [le bonheur ou le malheur de cet artiste de génie *rayé*] la destinée d'un artiste *ms*
   * une alternative de [dépit *rayé*] rage *ms*

66 * il la méprisait pour rester fidèle :: il la méprisait de pouvoir rester fidèle *ms*
   * encore [une sorte de respect *rayé*] un vrai respect *ms*
   * une femme vraiment chaste, et qui [n'a pas l'habitude des passions, peut *rayé*] a
   vécu plus longtems de travail que de passion, peut garder [à jamais *rayé*] longtems *ms*
   * songer à [elle-même *rayé*] sa propre satisfaction *ms*
   * une habitude de gaieté railleuse [et tendre *rayé*] *ms*

67 * éblouissante de couleur et d'esprit, [originale et abondante *rayé*] comme son
   talent, [jamais prétentieuse dans l'expression *rayé*] et *ms*
   * naturellement [sérieuse *rayé*] rêveuse *ms*
   * le sien se mettait peu à peu [à l'unisson sous une apparence de tranquillité et
   avec une forme [sérieuse] candide qui le rendaient d'autant plus [piquant] plaisant. Dans le monde, où elle n'allait pas, elle eut été distraite [et ennuyée] ou
   timide, et eut peut-être passé pour une bête auprès des gens prétentieux qui
   aiment à faire assaut de mots et d'idées. Mais, dans l'intimité, la douce gaité de
   Thérèse avait son grand charme ; et, dans le tête à tête, lorsqu'elle s'intéressait
   à son interlocuteur, elle était véritablement aimable, sympathique et amusante.
   rayé] de la partie *ms*
   * Son langage [peu correct en français *rayé*] en français *ms*

69 * la faire partir [pour l'Amérique *rayé*] *ms*
   * pour la dire en français [; fumez, et ne me regardez pas *rayé*]. *ms*

70 * mariée [deux *rayé*] cinq ans plus tard *ms*
   * Son père [se chargeait de lui et il tint parole. Thérèse fut confiée à des personnes pauvres et distinguées, pour qui elle fut une fortune, et qui l'élevèrent
   rayé] s'était chargé d'elle. *ms*
   * il emmena sa femme [à l'autre bout de la France *rayé*] en Belgique *ms*
   * étouffer ses larmes :: rentrer ses larmes *ms*
   * un châtiment mérité de sa [tromperie dont elle a été victime. *rayé*] faute *ms*

71 * Thérèse avait [dix ans *rayé*] quinze ans *ms*
   * d'esprit, de générosité et de distinction. *ms*
   * Elle était belle [comme un ange *rayé*] *ms*
   * à cette époque [, et je le lui confiai franchement *rayé*] *ms*
   * des renseignements [sur un de mes compatriotes qui venait chez lui, qui paraissait riche et qui *rayé*] sur un jeune Portugais *ms*
   * l'audace inouïe [de conduire Thérèse à l'autel *rayé*] de demander *ms*

72 * un courage [surhumain *rayé*] peu ordinaire *ms*
   * pour [les colonies *rayé*] La Havane *ms*
   * la passion [romanesque *rayé*] de la solitude *ms*
   * si elle voulait jamais [recouvrer *rayé*] user de sa liberté *ms*
   * ce malheureux [brigand *rayé*] *ms*
   * reconduit sa femme [aux Antilles *rayé*] à La Havane *ms*
   * Son âme [était devenue aussi forte que son caractère. *rayé*] s'était affermie *ms*

73 * elle ne voulait pas [qu'il fut élevé par un tel père *rayé*] qu'un tel homme *ms*
   * elle le repoussa [et s'enferma chez elle avec son enfant refusant *rayé*] sans reproche *ms*
   * d'un moyen exécrable [pour forcer Thérèse à le suivre *rayé*] *ms*
   * Le comte était repassé [aux Indes orientales *rayé*] en Amérique. L'enfant y était mort [dans la traversée *rayé*] de fatigue *ms*
   * porter à cette malheureuse [la lettre [du consul français de Manille qui attestait] d'un ami qui avait vu de ses yeux l'enfant mort et le père désespéré *rayé*] l'épouvantable nouvelle *ms*
   * du calme qu'elle [paraissait avoir *rayé*] montra *ms*
   * se fixer où elle était. [C'était en Angleterre *rayé*] *ms*
   * lui rendre sa [beauté *rayé*] santé *ms*
   * retrouvée [seule, *rayé*] digne *ms*

74 * Ces hommes qui [font souffrir *rayé*] font le désespoir *ms*
   * Ce récit [tragique *rayé*] l'avait bouleversé. *ms*
   * je ne sais quoi [de fantastique *rayé*] d'étrange et de terrible *ms*
   * vouée à un malheur exceptionnel ? Combien devait l'être son caractère, et quelles tristes notions *ms*
   * de l'amour et de la [société *rayé*] vie *ms*
   * je vous aime [avec passion *rayé*] éperdument *ms*
   * ce mot [de passion *rayé*]-là *ms*

75 * qu'il me faut. [ah ! Thérèse, Thérèse, je vous aime comme un enfant ! *rayé*] *ms. Ces mots rayés deviendront la lettre de la page 87.*

77 * Je n'ai pas été assez [femme *rayé*] de mon sexe dans le sens de la [vanité *rayé*] présomption *ms*
   * fouillant [en elle *rayé*] dans ses souvenirs *ms*

78 * elle l'aimait [sans le savoir *rayé*] plus que tout autre *ms*
   * comme [un pressentiment *rayé*] un chant de mort *ms*
   * que ce fût non, et [craignait d'avoir à *rayé*] ne tenait pas *ms*
   * cette [fierté chatouilleuse *rayé*] rudesse ombrageuse des femmes *ms*
   * On voudrait [[l'ensevelir] le conserver dans un mausolée précieux et pouvoir le regarder *rayé*] l'embaumer *ms*

79 * croquis ou [de la broderie *rayé*] quelque ouvrage de femme *ms*
   * à [l'étrangeté *rayé*] l'excentricité *ms*
   * ses mains [humides *rayé*] agitées *ms*
   * Mon fils savait déjà dire *adieu* ! [quand on me l'a arraché *rayé*] *ms*

80 * lui dit-elle [entrez ! *rayé*] *ms*
   * ma maîtresse pleure [et ne mange pas *rayé*] *ms*
   * le ramener à sa véritable nature [quand il la voyait émue ou triste *rayé*] *ms*

81 * Vous aurez [travaillé pour guérir *rayé*] essayé de guérir *ms*
   * mais qui [lui parle *rayé*] s'efforce *ms*
   * Je ne quitterai pas vos [pieds *rayé*] genoux *ms*
   * cette effusion comme [une promesse sincère et [bonne] généreuse *rayé*] sérieuse *ms*
   * un aveu de la [faiblesse *rayé*] tendresse trop vive *ms*
   * Aussi se montra-t-elle brave, et peut-être le fut-elle :: Elle se montra donc brave, et [sans hypocrisie *rayé*] même elle le fut *ms*
   * sur l'avenir :: sur ses conséquences dans l'avenir *ms*
   * Qu'est-ce que je deviendrais [si vous tombiez malade ? je serais fou d'inquiétude. *rayé*] donc *ms*

82 * l'indique. [Rompre le pain et [accepter] partager le sel c'est l'antique consécra-
   tion de l'hospitalité fraternelle. *rayé*] *ms*
   * naturellement *add. RDM*
   * il avait dévoré en égoïste, [et ce fut Catherine qui, en secouant la tête, lui fit
   observer *rayé*] *ms*

83 * où l'on [est convenu de ne vouloir pas l'un de l'autre *rayé*] s'est promis *ms*
   * des impressions plus [vives *rayé*] fiévreuses *ms*
   * dans le sein de sa [paisible *rayé*] famille *ms*
   * « [Une chose triste ! *rayé*] Tu sais *ms*

84 * ne sont pas les seuls [à plaindre *rayé*] imprudents *ms*

85 * [Je cède parce que *rayé*] Je veux *ms*
   * en restant [ton amie *rayé*] ta compagne *ms*
   * au prix de mon [bonheur *rayé*] repos *ms*
   * avant d'être ta [femme *rayé*] maîtresse, j'ai été ton ami. [Je crois, je n'ose pas
   dire je sais, que nous ne serons pas heureux comme nous eussions pu l'être, si
   nous avions pu vaincre la nature et rester frère et sœur comme nous le sommes
   depuis six mois, tu me l'avais promis encore *rayé*] *ms*
   * mais ce [tems la ne peut pas revenir, car tu ne crois *rayé*] bonheur-là ne pouvait
   pas durer *ms*
   * Je te demande seulement, si tu viens à te lasser de mon amour :: Tout ce que je
   te demande, c'est, si tu viens à te lasser de [l'amour *rayé*] mon amour *ms*
   * et [toute une jeunesse de triste solitude ne me donne pas le *rayé*] ne m'arroge
   pas le droit *ms*
   * Si je dois souffrir de [tes inégalités et de tes souffrances *rayé*] ton caractère ou
   de ton passé *ms*
   * du suicide [de ton intelligence et de ton corps *rayé*] que tu étais en train
   d'accomplir *ms*

86 * naïvement. [Dans ces premiers jours *rayé*] Elle s'abandonna *ms*
   * rajeunie de [[quinze] douze *rayé*] dix ans *ms*
   * des forces de la jeunesse :: des forces de la vie *ms*
   * incapables de goûter [un bonheur *rayé*] la douceur *ms*
   * Le [délire *rayé*] vertige les a saisis *ms*
   * cette [courte *rayé*] éternité de joies *ms*
   * voir Thérèse, [sa mère ne lui avait pas écrit, Palmer avait quitté Paris ; *rayé*]
   elle n'avait pas *ms*

87 * il fit à Thérèse la proposition :: Il proposa à Thérèse *ms*
   * les ennuya bientôt par [ses prétentions ornées de cuir *rayé*] son baragouin prétentieux *ms*
   * [C'est l'étoile de la lyre, elle s'appelle Véga *rayé*] C'est Véga *ms*
   * de marcher dans [les chemins [tracés] marqués par *rayé*] le caprice *ms*
   * [Flatteuse ! *rayé*] Moqueuse ! tu sais bien que [, sous tous les rapports, *rayé*] tu
   es plus forte *ms*

88 * une de ses [folles maîtresses *rayé*] mauvaises connaissances *ms*
   * le nom quelconque de la [créature *rayé*] vierge folle *ms*
   * [Un autre jour *rayé*] Je ne pourrais pas *ms*
   * ce ravin était plus [profond qu'il *rayé*] creux qu'il ne le paraissait [dans l'obscurité des fonds du paysage *rayé*], et que Laurent ne se le rappelait. Quand il en
   eut descendu la moitié et qu'il vit *ms*

89 * encore [consoler ? *rayé*] persuader *ms*
   * qu'il ne s'était [repris, *rayé*] appartenu *ms*

* et de se sentir seul et [libre *rayé*] indompté *ms*
* cet homme [exquis dans l'amour qu'il avait conçu pour elle ! *rayé*] d'une éducation exquise ! *ms*
* l'ombre épaisse [qu'il projetait à sa base *rayé*] du ravin *ms*
* comme une flèche [sur le talus escarpé *rayé*] dans la direction *ms*
* sur la mousse [calcinée par le soleil *rayé*] *ms*
* j'y serais mort ! [partons, partons vite ! *rayé*] *ms*

90 * Il l'entraîna [au hasard *rayé*] sur le chemin *ms*
* au hasard des [jeunes pins *rayé*] genevriers *ms*
* faire sentir [le prix *rayé*] l'intensité de la vie *ms*
* poursuivi par des [assassins *rayé*] voleurs, et même j'ai cherché ma [cravache à tête de plomb *rayé*] canne *ms*
* avec [dix *rayé*] vingt ans de plus *ms*

91 * ce que je serai dans [dix ans *rayé*] mon âge mûr *ms*
* joindre :: rejoindre *ms, RDM*
* mais, pendant je ne sais combien de minutes ou de siècles, je tournais sur moi-même, sans pouvoir avancer, quand enfin tu es venue. *ms*
* Elle se sentait brisée [de fatigue *rayé*] d'émotion *ms*
* elle le [voyait *rayé*] sentait malade *ms*
* et ne [se reconnurent *rayé*] rentrèrent qu'au point du jour *ms*

92 * de remarquer par la suite *ms, RDM*
* sa robe déchirée et sa démarche épuisée de fatigue *ms*
* *perdu dans* [l'esprit de Thérèse pour s'être perdu dans la forêt *rayé*] *la forêt ms*
* [*le cœur et la robe déchirée rayé*] *le cœur ms*
* et il l'exhalait en caprices amers et bizarres *add. ms. en interligne*

93 * elle le retrouvait le lendemain *ms, RDM*
* dîner ensemble [au cabaret *rayé*] chez un restaurateur *ms*
* sa réputation [d'âme triste *rayé*] *ms*
* d'autre amant que Laurent [; une femme qui vit seule et indépendante ne peut jamais être à l'abri du soupçon. *rayé*] *ms*
* marié en [Portugal *rayé*] Amérique *ms*

94 * le malheureux qu'elle avait aimé. Mais, si elle ne passait pas pour une vierge, et si on lui attribuait [, à tort, *rayé*] quelques relations intimes avec d'autres hommes, on s'accordait *ms*
* disait-on. [Personne n'avait le droit de veiller à sa porte pour savoir qui entrait ou sortait *rayé*] Il n'y avait jamais eu de rivalités *ms*
* un caprice effronté *ms*
* L'imprévu qui charmait Laurent amena la gêne. Il prodigua d'abord, pour leurs communes distractions, la somme qu'elle lui avait fait promettre d'épargner. Dégagé de sa soumission filiale, il se crut dégagé de ses promesses, et elle le vit, avec chagrin, gaspiller en caprices [l'argent *rayé*] le fruit de son travail. Il appelait cela *manger du Palmer*. Bientôt elle découvrit qu'il avait des dettes dont il ne se doutait même pas. Elle les paya à son insu, sachant bien que le jour où on les lui réclamerait, il perdrait la tête et voudrait se tuer.

  [Elle eut tort peutêtre dans cette abnégation. *rayé*] Elle eut cependant tort dans ce dévouement. Le jour où il en fut instruit malgré elle, Laurent en fut mortellement blessé et prétendit qu'en agissant ainsi, elle avait voulu l'acheter et le deshonorer.

  Il eut, après ces amertumes, de grands élans de courage pour s'acquitter envers elle, et il le fit avec l'orgueil qui convient à un homme. Mais le trouble que ces choses inattendues avait apporté dans le petit ménage de l'artiste était irréparable. Thérèse n'était pas habituée à batailler pour huit jours de crédit avec ses fournisseurs. Elle n'avait jamais demandé [de paiement *rayé*] d'à compte à sa clientèle. et elle avait dû s'y décider, la rougeur au front et la mort dans l'âme. Un jour, elle fut forcée d'accepter les pauvres économies de Catherine, et, pendant une quinzaine, elle [n'avait pas respiré *rayé*] ne respira pas en songeant que si elle mourait subitement avant de s'être acquittée cette vieille, qui l'avait fidèlement servie pendant dix ans, n'aurait pas un morceau de pain et ne pourrait jamais se reposer. Ces [petites *rayé*] misères de la vie positive eussent pourtant passé presque inaperçues pour Thérèse, tant son cœur était pris, si Laurent n'en eut pas souffert. Mais lui, qui en était la cause, s'en prenait à tous et à Thérèse elle même, au lieu de s'en prendre à lui seul. Il la voulait élégante dans ses habitudes et dans ses vêtemens, ce qui est la légitime satisfaction de tout amant artiste. Mais il ne se contentait pas de la voir mise avec gout ; il voulait qu'elle le fut avec recherche, en ce sens qu'il la querellait, ou la raillait quand elle se montrait dehors plusieurs jours de suite avec la même robe. Il voulait qu'elle en eut sans cesse de nouvelles, et elle se hâtait d'en acheter, dans la crainte qu'il ne le fit lui-même. Puis, il oubliait cette exigence et quand il découvrait qu'elle manquait de choses beaucoup plus nécessaires, il l'en grondait et lui disait « Personne ne se connait donc [soi même *rayé*], pas même l'incomparable Thérèse, qui me reprochait de manquer d'ordre, et qui n'en a pas plus que moi !

Puis il s'en prenait au public dont l'ignorance ou le mauvais gout faisaient la fortune d'artistes médiocres et laissaient les vrais artistes aux prises avec une vie de soucis et de privations. Il avait de l'humeur, des idées noires, du découragement, et, pour le remonter, il fallait inventer de nouvelles distractions que l'on ne se procurait pas pour rien.

Mais [, je le répète, *rayé*] tout ceci n'était que le [vilain *rayé*] cadre d'un tableau bien plus [poignant *rayé*] sombre *ms*. *Tout ce passage a été supprimé sur épreuves pour la RDM qui donne la version définitive.*
* acquise pour [Thérèse *rayé*] tous deux *ms*

95 * un appartement [à la semaine *rayé*] meublé *ms*
* [le commerçant *rayé*] l'industriel *ms*
* propriétaires de ces chefs d'œuvre, [avec lesquels [le marchand *rayé*] son éditeur la chargeait de traiter, au besoin, du droit de reproduction *rayé*] *ms*

96 * S'il eût daigné copier un [Rembran, ou un Rubens *rayé*] Titien *ms*
* l'emploi des [trois *rayé*] six semaines *ms*
* chauffée, et [un rhume *rayé*] des volées [d'amateurs *rayé*] de badauds *ms*
* pour le trouver [triste, *rayé*] de mauvaise humeur *ms*
* vivement ému :: impressionné vivement *ms*
* un cheval [de sang piaffant à la porte *rayé*] arabe *ms*

98 * souleva un jour [le couvercle *rayé*] la pierre *ms*
* la statue est ce qu'on [élève devant soi *rayé*] édifie dans sa tête *ms*
* une douzaine de croquis [qu'il avait faits de souvenir *rayé*] de femmes *ms*

99 * Laurent [se mit à ses pieds et lui *rayé*] s'affligea de ses pleurs, et lui demanda pardon de [son aigreur et de son indélicatesse *rayé*] les avoir fait couler *ms*

100 * Je ne suis pas encore assez creux [et assez sot *rayé*] pour me faire écouter sans rien dire [, et je ne saurais rien d'ici sans que l'on m'invitât bien vite à me taire *rayé*]. Voyons *ms*
* irritèrent Laurent [pour la première fois *rayé*] plus que de coutume *ms*
* Tu deviendras fou :: Tu deviendrais fous *ms, RDM*

101 * l'expansion du bonheur. [Laurent ne se fit pas prier pour exaler son ennui en moqueries *rayé*] Cependant Laurent *ms*
* Elle n'était plus inquiète, elle se [croyait certaine *rayé*] sentait perdue *ms*

214

102 * sortir un peu pour [me distraire *rayé*] mon compte *ms*
    * [Deux ou trois *rayé*] Quelques jours se passèrent *ms*
    * Autrefois [...] *un public. addition sur ms*

103* [Une ou deux *rayé*] Deux ou trois fois, il passa toute la nuit dehors [, comme il avait fait le premier jour *rayé*] *ms*
    * toute nation. Elle n'eût, pour rien au monde, descendu à le faire suivre *ms*
    * une légère [blessure *rayé*] entaille au front *ms*

104 * la dupe de [vos artifices *rayé*] cette mouche *ms*
    * Nous nous sommes associés :: Nous nous sommes pris *ms*

105 * il parlait [dans la fièvre *rayé*] sans en avoir conscience *ms*
    * l'amour est régi par [des lois *rayé*] un code qui semble, comme les [lois sociales, pronant *rayé*] codes sociaux, basé sur cette terrible formule *ms*
    * agents aveugles de la [destinée *rayé*] loi fatale *ms*
    * l'avoir vue [calme *rayé*] résignée *ms*

106 * toujours quand vous [sentirez qu'il en est ainsi *rayé*] aurez besoin d'affection *ms*
    * elle voulait le [retenir *rayé*] ramener par l'amitié. *ms*

107 * figure ! // [Elle resta à Gênes où elle acheva son travail et où Palmer vint la voir tous les jours. *rayé*] *ms*
    * Palmer, rêveur [et fort ému *rayé*], reprit *ms*

108 * apprenez que vous êtes [veuve *rayé*] libre *ms*
    * vous ne pouvez vous passer [de bonheur et *rayé*] d'amour. [Il est trop tôt pour vous. *rayé*] Vous venez *ms*
    * Votre [austérité passée *rayé*] isolement *ms*

109 * une [grande et *rayé*] noble existence *ms*
    * exempt de [jalousie *rayé*] ces maladies de l'âme *ms*
    * Je n'ai rien de brillant pour vous [plaire *rayé*] éblouir *ms*
    * se défendre de la confiance. C'était suivant Palmer, un reste de maladie [du cœur *rayé*] morale *ms*

110 * Ah ! Palmer, [je serais moins épouvantée si vous m'offriez votre amour sans le mariage ! *rayé*] ne me pressez pas *ms*
    * un homme de cœur et [d'intelligence *rayé*] de premier mouvement *ms*
    * quand Palmer lui parlait de ses intérêts à elle. Son âme était éprise de dévouement, [surtout peut-être depuis qu'elle avait exercé si énergi *rayé*] d'autant plus qu'elle s'était dévouée à Laurent [par dévouement *rayé*] et qu'elle n'avait rien reçu en échange elle éprouvait donc plus que jamais le besoin d'aimer sans égoïsme [et d'être aimée de même *rayé*]. Elle voyait trop [bien cette générosité *rayé*] d'abnégation chez Palmer, et ne pouvait souffrir qu'il [ne lui demandat pas *rayé*] la crut capable *ms*
    * avec moins de poësie [et d'esprit *rayé*] que Laurent *ms*

111 * , tant elle était altérée. *add. RDM*
    * Elle seule a le droit de me [verser le poison *rayé*] tuer *ms*

112 * Laurent s'éveilla [paisible *rayé*] comme d'une léthargie *ms*
    * il se fit peur. [Quelques [jours] heures après il demanda Thérèse qu'il semblait avoir oubliée *rayé*] Dans les premiers jours *ms*
    * Thérèse dormit [plusieurs jours *rayé*] vingt quatre heures *ms*

113 * se disposait à [retourner *rayé*] partir, il lui dit avec [une terreur *rayé*] une surprise réelle *ms*
   * qu'il fallait se quitter pour [toujours *rayé*] quelque temps *ms*
   * ta santé [a besoin *rayé*] n'en pourrait supporter *ms*
   * avec une [naïveté *rayé*] bonne foi *ms*

114 * enfermée [auprès de mon lit *rayé*] ici *ms*
   * en lui prenant les mains [et en le forçant *rayé*] *ms*
   * de cela [deux *rayé*] quatre mois *ms*

115 * vous n'auriez pas [un mot à dire *rayé*] une objection à faire *ms*
   * malgré toi et malgré [moi-même *rayé*] tout *ms*
   * en l'appelant son [ami *rayé*] frère *ms*
   * à Paris ? [Rendez la heureuse *rayé*] Si vous *ms*

116 * qu'il voulait [retourner en France *rayé*] aller en Suisse *ms*
   * mais [elle dut modifier sa résolution en *rayé*] en le voyant si fatigué *ms*
   * de la vie de Laurent. [Soumis *rayé*] Généreux *ms*
   * s'il irait par [le Simplon ou par *rayé*] Milan *ms*

117 * en prenant par [Modène *rayé*] Pise *ms*
   * sur son costume de touriste *ms*
   * je vous rejoindrai [deux jours après *rayé*] le lendemain de son départ *ms*
   * Thérèse crut comprendre que Palmer jugeait cette épreuve nécessaire [, ou qu'il ne voulait pas qu'elle put lui reprocher d'avoir abandonné trop vite Laurent à la fatigue du voyage. Si elle devait retourner à sa perte, il aimait mieux que ce fut tout de suite que plus tard. Palmer était fataliste, et il portait jusqu'à l'héroïsme, le sentiment d'une abnégation romanesque, quand il avait dit à Thérèse, vous êtes perdue. tous deux se *rayé*] *ms*. *Le dialogue qui suit est écrit entre les lignes rayées.*

119 * *Il n'y a pas de division ou d'interruption dans le ms.* vingt-quatre heures. [Le danger ne fut pas celui que Palmer redoutait peut-être. La chaîne ne pouvait pas être renouée et elle ne le fut pas. Laurent ne redevint pas l'amant de Thérèse. Mais on verra plus tard quel nouveau lien s'établit entre eux. *rayé*] Palmer *ms*
   * il résolut de reprendre son [imagination *rayé*] estime *ms*
   * l'enfant soumis et châtié [avec justice *rayé*] *ms*
   * Pendant ces [deux *rayé*] trois jours de tête-à-tête, Thérèse [s'exalta de son côté presque autant que Laurent *rayé*] se trouva *ms*
   * puisque dans cette [voie, elle avait marché seule aux premiers jours de son affection pour le jeune artiste *rayé*] voie *ms*
   * humiliée par lui, [avilie *rayé*] brouillée *ms*
   * un entraînement [vulgaire, une fantaisie galante *rayé*] [brutal *rayé*] de pure galanterie *ms*
   * elle se réconciliait avec [elle même *rayé*] le passé *ms*

120 * partait [tous les soirs pour Gênes. Thérèse exigea [qu'il prit une heure de repos] que son malade prit un jour de repos à l'auberge et ils arrêtèrent une cabine pour le lendemain. *rayé*] pour Gênes *ms*
   * une sorte de joie [secrète *rayé*] triomphante *ms*

121 * le petit port [[consacré dans l'antiquité à Vénus] couronné des ruines d'un temple antique dédié à Vénus *rayé*] jadis consacré à Vénus *ms*
   * brisée à ces [milliers de *rayé*] petites fenêtres *ms*

122 * cette houle brutale [et implacable *rayé*] *ms*
   * qui me portait fatalement [dans le repaire de la débauche *rayé*] vers un abîme *ms*

* sa gueule [immense *rayé*] hideuse *ms*
* en voyant que [le rocher *rayé*] l'arbre auquel il se cramponnait *ms*
* [Le [navire] petit strand qui devait l'emmener, arrivait *rayé*] Le *Ferrucio* arrivait *ms*
* depuis [quatre *rayé*] trois jours *ms*

123 * *Sur ms, il sera toujours nommé* Vincentino
* les y attendait :: les attendait en haut de l'escale *ms*
* signora. [— Est-ce tout ce qu'il emporte d'argent pour son *rayé*] Mais je pense *ms*
* vide. Laurent avait [mangé presque tout son argent *rayé*] dépensé beaucoup à Florence [avant sa maladie, ou on le lui avait volé. Il ne se souvenait de rien. *rayé*] Les frais de sa maladie avaient été très [considérables. Palmer les avait soldés à son insu et l'avait trompé en se faisant rembourser par lui une somme insignifiante pour ne pas affecter sa fierté. *rayé*] considérables *ms*
* des diverses provinces. [Il avait été facile de [l'abuser] le tranquilliser sur *rayé*] *ms*
* Elle le trompait [...] lorsqu'elle avait, autrefois, payé ses dettes ; [...] elle le faisait. *add. interlinéaire sur ms.*

124 * dernière obole de Thérèse. [Si elle y songea un instant, elle s'en trouva bien dédommagée l'instant d'après : *rayé*] *ms*
* négociants [livourniens *rayé*] côtiers, [aborda *rayé*] passa auprès de Laurent *ms*
* cette [suprême *rayé*] parfaite froideur *ms*
* connaissait Thérèse pour lui [avoir fait faire son portrait *rayé*] avoir été présenté *ms*
* une vivacité un peu [provocante *rayé*] altière *ms*
* a daigné être une sœur de charité pour moi *ms*

125 * les indigènes qui [embrassaient leurs parens et ami *rayé*] s'embrassaient tumultueusement et bruyamment au son de la cloche [, signal de la séparation finale *rayé*] du départ *ms*
* en face du [vieux fort *rayé*] promontoire *ms*
* une silhouette [élégante *rayé*] *ms*
* Quand la [nuit fut venue *rayé*] la côte eut disparu *ms*
* qui est trop [célèbre *rayé*] en vue *ms*

126 * Pour une mère :: Pour une sœur de charité *ms*
* la funeste habitude [de vivre avec des filles de mauvaise vie *rayé*] de faire l'amour *ms*
* brisé :: rompu *ms*
* *Ce dernier paragraphe est écrit en interligne d'une première version rayée sur ms :* [Vérac fut frappé de l'énergie et de la sincérité avec lesquelles Laurent lui parlait. Tout le résultat des épanchemens de l'artiste fut de donner à l'homme du monde un grand désir de connaître Thérèse, et s'il eut dépendu de lui de revenir sur ses pas, il eut certainement tenté de courir les chances de bonheur et de malheur que Laurent avait eues avec elle. Les histoires d'amour quand elles ne disent rien au début, s'emparent toujours un peu de l'imagination, même la plus blasée...]

127 * *Le nom de l'hôtel* de la croix de Malte *est ajouté en interligne sur ms*
* qui l'y conduirait, [sous prétexte de manque de monnaie *rayé*] *ms*
* A cette répugnance se joignait une [plus grande encore. Celle de le revoir, le soir même, car il était fort possible qu'il fut déjà arrivé à la Spezia. Cette délicatesse s'expliquera par la suite du récit, que pour le moment, nous ne devons pas interrompre. *rayé*] inquiétude *ms*
* l'aspect [de la longue et unique rue *rayé*] de Porto-Venere *ms*

128 * ne rien perdre [de l'eau *rayé*] du bienfait *ms*
* une odeur [de poisson séché *rayé*] d'huile *ms*
* une [vieille *rayé*] pauvre femme *ms*
* d'approchant. Thérèse [avait beaucoup de facilité pour les langues. Dans le peu de tems qu'elle avait passé à Gênes, elle s'était mise un peu au courant du dialecte. Elle *rayé*] put donc s'entendre *ms*
* si elle cherchait quelqu'un ou quelque chose *ms*
* la Vénus de Milo [doublée de Ste Thérèse *rayé*] animée *ms*
* aujourd'hui [Catherine 2 et *rayé*] Sapho et demain Jeanne d'Arc *ms*

129 * J'ai [dû céder, j'ai promis *rayé*] senti *ms*
* je l'aime [de toute mon âme *rayé*] autant que désormais je puis aimer *ms*
* voisine, [et il m'a dit quelquefois *rayé*] et il ne m'a jamais dit *ms*

130 * je ne pourrais passer [une seule pensée *rayé*] l'ombre d'un soupçon *ms*
* après cette [seconde *rayé*] nouvelle erreur *ms*

131 * et [[ne voulant pas la demander il l'attendit] sachant *rayé*] apprenant *ms*
* le batelier qu'elle avait pris [et qui [lui signala] se trouvait un peu dégrisé *rayé*] le matin *ms*
* par une [demi *rayé*] bouteille *ms*
* l'île de Palmaria :: l'île Palmaria *ms*, RDM
* sans oser ou sans [pouvoir *rayé*] vouloir *ms*
* puis [l'accablement *rayé*] la fatigue *ms*
* puisque Thérèse, [le héros de force et de vertu dans le passé *rayé*] placée si haut *ms*
* par une passion [toute féminine après dix ans [de raison et de calme] de sagesse et de prudence *rayé*] déplorable *ms*
* il se trouvait [une barque élégante *rayé*] un élégant canot noir *ms*
* la frégate [à vapeur *rayé*] américaine *ms*

132 * On sait [...] du globe. *Cette phrase avait d'abord été disposée en note dans ms.*
* Palmer [espéra *rayé*] pensa *ms*
* aux filles [[des ports] de Porto-Venere *rayé*] du littoral *ms*
* la coupe de sa robe noire [, la beauté de ses mains *rayé*] et la distinction de ses traits [et de sa taille pouvaient appartenir à une princesse *rayé*] lui causaient du doute *ms*
* un teint pâle [et uni, le regard tranquille et fier *rayé*]. *ms*
* l'indifférence personnifiée. [C'est pour cela surtout qu'il en était épris. Laurent n'était pas le seul qui aimât l'impossible. *rayé*] *ms*

133 * incorruptible. [L'inconnue était sa nièce, mariée à Gênes avec un *rayé*] *ms*
* à quoi s'en tenir. *Le passage qui suit, de* Il se fit conduire *jusqu'à* quand le voiturin qui devait emmener Laurent arriva devant la porte, elle *est écrit dans les interlignes d'une première rédaction rayée :* [Le capitaine Lawson voulut être de la partie, et les trois amis prirent le canot et se rendirent à l'auberge de Porto Venere, sous prétexte de manger un certain coquillage qui se pêche dans la passe et qui est fort estimé dans le pays, malgré un gout de [savon] potasse très prononcé et très désagréable. // La fenêtre où devait se montrer l'inconnue était [fermée] masquée d'un morceau de toile à voile, en guise de tendine et Palmer dut se résigner à *consommer* dans l'auberge située à peu près en face, sans qu'il fut possible de rien appercevoir. Enfin le soleil ayant tourné un certain angle de toit, une petite main ouvrit la tendine et cette main, Palmer l'avait reconnue avant de voir la figure de Thérèse. Il se rejeta aussitot au fond de la chambre de l'auberge, afin de n'être pas surpris par Thérèse dans la société des deux officiers qui la regardaient avec hardiesse. Mais c'était une peine inutile. Thérèse ne s'apercevait de rien. Elle roulait un paquet de dentelle, après quoi elle ferma la fenêtre et se retira. // Palmer était fort embarrassé des questions du jeune

enseigne. Il avait envie de le jeter par la fenêtre pour le guérir de sa curiosité. Pourtant la crainte de compromettre Thérèse lui inspira la patience. Il prétendit n'avoir pas vu la figure de l'inconnue et parla d'autre chose, feignant de ne prendre aucun intérêt à l'aventure. Il attendit de pouvoir être seul sur la grève pour rentrer dans la ville et faire porter cérémonieusement sa carte à Thérèse, [comme il eut fait dans un] qui le fit monter aussitôt. // L'explication fut prompte, tous deux étaient trop francs pour se bouder, aussi tous deux s'avouèrent-ils qu'ils avaient eu beaucoup d'humeur l'un contre l'autre, Palmer pour n'avoir pas été averti par Thérèse du lieu de sa retraite, Thérèse pour n'avoir pas été mieux cherchée et retrouvée par lui. Et comme Thérèse refusait obstinément de quitter le pauvre gîte où elle se trouvait pour suivre Palmer à la croix de Malte, il crut voir qu'elle avait encore du dépit. — Non, non, mon ami, lui dit-elle, en lui tendant la *rayé] ms*

* J'étais dès lors, [j'ai été depuis dix ans, *rayé]* l'amant *ms*

134 * tout un [passé *rayé*] monde d'amertume *ms*
* un idéal [de confiance, *rayé*] de sincérité *ms*
* [Cet enfer *rayé*] Ces nouveaux tourments *ms*
* et je commence :: et je recommence *ms*

135 * ajouta-t-elle *add. RDM*
* vous soumettre à une [nouvelle *rayé*] épreuve *ms*
* les femmes du pays :: les femmes d'ici *ms*
* la confiance de Thérèse, et il [s'accusait de bonne foi, de *rayé*] sentait bien *ms*

137 * J'ai lassé ta [sublime *rayé*] patience, ô ma sœur, ô ma [sainte *rayé*] mère *ms*
* Celui qui tue [sa mère *rayé*] son père *ms*
* un monstre [fantastique *rayé*] de bas étage *ms*
* mes caresses [ennoblissaient *rayé*] purifiaient la grande prostituée des nations, [la luxure avec *rayé*] l'orgie *ms*

138 * un brusque [et fréquent *rayé*] changement de ton *ms*
* pleurer comme [un pauvre veau *rayé*] une gouttière *ms*

139 * ne jamais aimer une [grisette *rayé*] femme entretenue *ms*
* je t'ai questionnée avec emportement [et violence *rayé*] sur son compte *ms*
* délivré de ton amour [dont l'élévation *rayé*] qui m'accablait *ms*

140 * j'étais arrêté par cette idée : [Elle aime Palmer *rayé*] il est trop tard *ms*
* avec autant de [calme *rayé*] résolution [et de joie que de fierté *rayé*] que de joie *ms*

141 * où, tous les matins, [elle s'éveillait, selon son expression, au milieu d'un tremblement de terre *rayé*] elle s'éveillait *ms*
* C'était [une tristesse douce et *rayé*] comme un détachement *ms*
* confier des [projets de mariage *rayé*] engagemens *ms*
* au bout [d'un mois *rayé*] de quinze jours. Elle fit de la dentelle pendant [un mois *rayé*] quinze jours *ms*
* qui désolait Palmer. *Le passage suivant, depuis* Lorsqu'elle se vit *jusqu'à* et la vue continuelle de la mer, que *est écrit dans les interlignes d'un passage rayé :* [Il avait bien dit en secret à la bonne hotesse de Thérèse de ne la laisser manquer de rien et de lui procurer même à son insu toutes les aises possibles comme de son propre mouvement. Mais la brave Nicoleta avait pris Thérèse dans une si haute vénération qu'elle lui rapporta le fait et voulut même lui donner l'argent que Palmer lui avait confié pour son entretien. Thérèse prit l'argent et le rendit à Palmer. Elle fit vendre sa montre à la Spezia, paya largement son mois et

recommença à faire de la dentelle se disant que si l'argent n'arrivait pas le mois suivant, elle vendrait sa chaine d'or, et divers autres effets qu'elle avait laissés à Florence et que Palmer lui avait rapportés. *rayé] ms*

* au mois [d'aout *rayé*] de juillet *ms*
* les sites les plus étranges. [Nous aimions à nous y perdre, Palmer et moi, dans des sentiers problématiques qui ne tentent pas les baigneurs de la Spezia ; vu que les chemins *rayé*] Il y a une certaine région de terrains déchirés par je ne sais quels [antiques cataclysmes *rayé*] anciens tremblements de terre *ms*

142 * les Alpes maritimes [ou les Apennins *rayé*] *ms*
    * pour gagner [les montagnes *rayé*] la partie boisée *ms*
    * dispute aux eaux de la mer [en retraite, car le golfe tend à se rétrécir, et l'homme s'empare des terrains d'alluvion avant qu'ils soient séchés et assainis *rayé*]. *ms*

143 * ma [petite *rayé*] triste chambre sous les toits, ou plutôt sur les toits, [d'un ameublement si singulier *rayé*] *ms*
    * je crains *la fin de la phrase précédente et le début de celle-ci jusqu'à cet endroit sont écrits sur un becquet collé en haut d'une page sur un fragment d'une version primitive :* [irrévocable. Je n'aurai ni remords ni désespoir, je le sens. Il n'aura fait qu'user d'un droit que je lui réserve le plus longtems possible : celui de se donner et de se reprendre, sous l'inspiration de sentimens vrais et [légitimes] spontanés. // Et puis, ma [chère bien aimée, il y a encore cela que]] je crains *ms*
    * cette malheureuse passion, [je sens que je haïrai *rayé*] peut-être que je n'aimerai plus Palmer ! *ms*
    * avoir les nerfs [malades *rayé*] irrités *ms*
    * S'il se mettait à [éplucher *rayé*] scruter mes regards *ms*

144 * les femmes que je vois me [reprochent d'être devenu un moine *rayé*] disent que je suis bon à faire un moine *ms*
    * si tu n'es pas à Palmer, [sois à moi ! *rayé*] tu ne peux être qu'à moi ! *ms*
    * toi, [l'ange du dévouement *rayé*] la femme dévouée *ms*
    * ton tourment [bien aimé *rayé*] nécessaire *ms*
    * je ne fusse réellement là, comme tu l'as dit à Mr de Vérac, sur le *Ferruccio*, qu'une sœur de charité ? *ms*

145 * la meilleure des [femmes *rayé*] amies *ms*
    * j'étais né pour [aimer *rayé*] autre chose *ms*
    * je trouve [du bonheur *rayé*] un plaisir mystérieux *ms*

146 * ton martyre et ta couronne [, ton orgueil *rayé*]. *ms*

147 * le mariage aurait lieu [sans bruit en Italie. *rayé*] en Amérique *ms*
    * avec [cette aimable femme *rayé*] ce couple aimé *ms*
    * Elle devait y venir elle-même pour [un prétexte inattendu que le hasard avait fait naître *rayé*] des affaires de famille *ms*
    * l'avouer. [Il n'avait pas cessé d'être [jaloux] inquiet malgré lui, peutêtre à son propre insu *rayé*] Bien qu'il eût toujours admis *ms*

148 * à la dernière il [fondit en larmes. *rayé*] se tordit les mains *ms*
    * anxiétés de Palmer [depuis les trois mois passés [à Porto Venere] dans le golfe *rayé*] depuis l'explication *ms*
    * *L'Union* passe à [Bordeaux *rayé*] Brest et s'y arrête [huit jours *rayé*] quinze jours *ms*
    * à Paris *add. RDM*

* il avait appris [par hasard *rayé*] *ms*
* un logement de [dix *rayé*] six livres *ms*
* il se disait avec [raison *rayé*] vraisemblance *ms*

149 * il [sonna résolument *rayé*] dut sonner *ms*
* après vous avoir aimé, je [ne pouvais plus vous souffrir *rayé*] vous détestais *ms*
* la faire mourir ! [Laurent ne répondit rien. Il entra dans *rayé*] — Vous dites *ms*
* aucun ne manquait. Le congé de l'appartement n'avait pas été donné. Rien *ms*, *RDM*
* son invincible et [pourtant chimérique *rayé*] fatale passion *ms*

150 * posés [devant les glaces *rayé*] sur les consoles dorées *ms*
* Laurent sortit de son rêve [funèbre *rayé*] *ms*
* c'est un jour [d'hyménée peutêtre *rayé*] d'ivresse et d'oubli *ms*
* Laurent [fondit en larmes *rayé*] parlait comme dans la fièvre *ms*
* Palmer était [[resté à la diligence pour se faire délivrer les paquets, et comme Thérèse était fatiguée, il l'avait mise dans une voiture de place pour qu'elle] descendu à l'hotel Meurice. Il avait fait *rayé*] à la porte *ms*
* laisser :: donner *ms*
* elle entra dans [son salon *rayé*] la maison avec cette [précipitation *rayé*] curiosité *ms*

151 * et lui baisa les pieds [, disant que ce n'était pas assez de lui baiser les mains *rayé*] *ms*

152 * les parquets. [Il surprit ces larmes *rayé*] Il s'arrêta *ms*
* Palmer vit cette pâleur et ne se rendit pas compte de sa véritable cause. *ms*
* et [l'état violent de *rayé*] la physionomie décomposée *ms*
* répondit-elle avec [candeur *rayé*] fermeté *ms*
* Il croit apparemment que nous [ne reviendrons plus, ou que nous *rayé*] allons l'oublier. Dites-lui, Palmer, que [nous reviendrons et que *rayé*] de loin *ms*

153 * Nous allons dîner [dans quelque restaurant *rayé*] *au cabaret ms*
* Palmer ne la perdait pas de vue [une seconde *rayé*] *ms*
* d'autrefois. [Voyons, Thérèse, dit-il, je meurs d'envie d'accepter ; mais vous ne me dites rien et je ne sais que faire. // Thérèse fut touchée de sa franchise et, comme elle l'avait toujours tutoyé *rayé*] Mais quand l'esprit humain *ms*
* il avait eu [le sentiment et *rayé*] l'ambition de vouloir dominer les [accidents vulgaires *rayé*] émotions intérieures d'une situation trop délicate [et très tendue *rayé*]. Mais ses forces le trahissaient ; qui pourrait l'en blâmer sévèrement ? *ms*
* plus rien [d'égoïste *rayé*] de terrestre ; [tous trois étaient des enfans de *rayé*] mais cela n'est pas donné à l'homme [de dire comme dans la vision céleste : nous sommes bien ici. Dressons y trois tentes *rayé*], c'est déjà beaucoup pour lui [de rêver des vertus, *rayé*] de se croire *ms*

154 * huit jours [que nous pourrions résumer pour Palmer par un mot emphatique, la chute d'un ange ou par un mot vulgaire tout aussi juste *rayé*] qui firent *ms*

155 * les outrages d'un [homme *rayé*] enfant en délire *ms*
* quand vous avez daigné [m'appartenir, vous comptiez être ma femme *rayé*] vous engager à moi *ms*
* Thérèse fut révoltée d'une telle proposition [qui n'était pourtant qu'un de ces rêves exaltés propres à *rayé*]. *ms*
* [Sachez, Palmer, que vous ne me devez rien. Quand j'ai *rayé*] Ceci, Palmer, lui dit-elle, *ms*
* cas de conscience [et que vous [allez franchement et définitivement m'épouser

ou me quitter et que cette décision sera prise dans une heure.] comptez sur un refus. Eh Dick, tout est dit. Je vous remercie *rayé*]. Ne revenez jamais *ms*
* une jalousie [terrible *rayé*] profonde et qui, après avoir [laissé venir *rayé*] par deux fois provoqué ce qu'il croyait être un danger pour [la femme qu'il aimait *rayé*] elle, lui faisait un crime [des apparences *rayé*] de sa propre imprudence. *ms*

156 * depuis [cette funeste circonstance de la maladie de Laurent *rayé*] Florence *ms*
* des douleurs [et des discussions *rayé*] *ms*
* accepter mon [nom *rayé*] dévouement *ms*
* qu'elle loua, pour [le reste de l'été *rayé*] trois mois *ms*

157 * une obstination qui réagissait [sur son esprit. Il avait aimé Thérèse dès le premier jour où il l'avait vue à son couvent. A cette époque, il eut pu l'épouser, son père la lui offrait. Mais, à cette époque, il était engagé dans des liens passagers qu'il croyait devoir chercher à rendre durables, par la seule raison qu'il se l'était promis. Bientôt [trahi] désabusé, il avait retrouvé Thérèse mariée. Puis *rayé*] parfois sur son caractère *ms*
* des illusions [enthousiastes *rayé*] généreuses *ms*
* un effort [passager *rayé*] spontané de la volonté. // [Palmer partit au bout de huit jours. Laurent fut d'abord consterné du départ de Thérèse. *rayé*] Laurent ignora *ms*

158 * Il [s'était efforcé de *rayé*] n'avait pas cherché *ms*
* d'une douceur et d'une tendresse [irrésistibles *rayé*] infinies. Laurent [était un homme de génie. Il *rayé*] écrivait *ms*

160 * la plus ingénieuse et la plus [exquise *rayé*] attentive *ms*
* ce besoin qu'il avait d'elle pour [[être heureux] se sentir artiste *rayé*] partager *ms*
* cet espoir [qu'elle seule pouvait lui donner *rayé*] de devenir *ms*
* son fils [aîné *rayé*] se mariait *ms*
* il regagna le cœur *ms*

161 * parla [la première à Thérèse d'épouser Laurent *rayé*] de mariage *ms*
* sans pouvoir distinguer [le souvenir de *rayé*] la réalité *ms*
* pardonner [ce que je voudrais tant pouvoir me pardonner à moi-même ? *rayé*] des torts involontaires ? *ms*

162 * du même drame [de son affection pour Laurent. *rayé*] *ms*
* jamais Palmer n'eût songé à l'épouser, [ou du moins il n'y eut pas songé si tot *rayé*] *ms*
* Laurent n'avait jamais disparu de sa vie [que pendant un instant, ou plutot il y a *rayé*] *ms*
* dévouement [tendre et maternel *rayé*] plus délicat *ms*
* ne l'avait pas [[jetée à s'attacher à] poussée au mariage avec Palmer en dépit de leur soudaine mésintelligence *rayé*] rendue aussi miséricordieuse *ms*

163 * dont elle était [avide en ce moment là *rayé*] fatalement éprise *ms*
* les ruines d'un passé [funeste *rayé*] fraîchement dévasté *ms*
* des blessures qu'elles [s'étaient faites *rayé*] avaient reçues *ms*
* vécu [cinq *rayé*] dix siècles *ms*
* l'excès d'un désir [moral *rayé*] de l'âme *ms*
* aux entraînemens [du monde *rayé*] de la jeunesse *ms*
* avec la [sainte bêtise *rayé*] fatale simplicité *ms*

164 * [irrite *rayé*] exalte *ms*
* enjoué, [détaché de tout *rayé*] tolérant *ms*

165 * elle s'y refusait [obstinément *rayé*] *ms*
   * un pardon [sublime *rayé*] généreux *ms*
   * Laurent [signait ses lettres *rayé*] se disait prêt à les signer *ms*

166 * Laurent n'eut jamais cette pensée *ms*
   * Règle [générale *rayé*] invariable *ms*
   * jusqu'à des [sacrifices *rayé*] immolations *ms*
   * souillé par [les orgies, en rapportant chez elle toutes les puanteurs de la débauche où il se rejetait souvent pour tuer un amour qu'il n'avait plus la force de porter *rayé*] la débauche *ms*
   * Elle ne pouvait plus [en être dupe, et quand elle le voyait tendre et suppliant, ou reconnaissant de ses soins, elle se disait avec certitude que la réaction était proche. Couverte de ses larmes, elle attendait l'outrage et les coups. *rayé*] croire au lendemain *ms*
   * dans la paresse et [dans l'abrutissement *rayé*] le désordre *ms*

167 * Et pourtant, dans cette pitié... *Ce paragraphe et le suivant, ainsi que les paragraphes 4 et 5 du chap. XIV qui leur font suite dans le manuscrit, ont été ajoutés sur le ms en interligne et par adjonction d'une page supplémentaire (f° 305) en remplacement d'un passage rayé :* [Cet enfer durait depuis [deux ans] un an. [Une nuit] Un matin, Laurent, ivre et accablé, dormait sur le lit de Thérèse dont au grand dégout de cette malheureuse femme, il venait prendre possession d'un air égaré, au milieu des nuits de débauche. Elle se levait alors, le laissait dormir, et allumant sa lampe, elle allait travailler dans son atelier, pour payer des dettes dont il n'avait ni souvenir ni conscience. *rayé*] *ms*
   * sa propre gloire [, pour être à toute heure aux ordres des [sens] besoins ou des velléités intellectuelles de son amant. Si lorsqu'elle avait besoin et devoir de peindre, il désirait entendre de la musique, elle quittait la peinture pour la musique, et s'il voulait qu'elle le suivit dans le bruit et le mouvement du dehors, fut-elle brisée de fatigue et de douleur, elle l'y suivait. Elle l'eut suivi n'importe où jusqu'à ce qu'elle fut tombée morte. *rayé*]. *ms*
   * de ses propres larmes :: de ses propres terreurs *ms*

169 * *Tout le chapitre XIII et les 3 premiers paragraphes du chapitre XIV ne figurent pas sur ms et ont été ajoutés, probablement sur épreuves, pour la publication RDM*

171 * leur grande crise :: leurs plus grandes crises *ms, RDM*

177 * quelque passant attardé [et aviné comme Laurent *rayé*] *ms*

178 * [Je ne suis pas ta mère *rayé*] Tu n'es pas mon fils *ms*
   * il y a [deux ans *rayé*] dix huit mois, et la comtesse a dit : [tu n'es rien ici, tu [n'as jamais eu ni père] n'es le fils de personne va-t-en où tu voudras. Mais les amis de mon père m'ont pris chez eux, et il y a eu un procès, je ne sais pas pourquoi, mais ça a fini au *rayé*] tu es à moi *ms*
   * dans une [chaloupe *rayé*] barque *ms*

179 * Je vous [donne *rayé*] rends *ms*
   * la maison où Laurent dormait [sur son lit *rayé*] *ms*
   * elle ne pensa pas à ce que Laurent deviendrait [et ne s'enquit jamais de ce qu'il était devenu. *rayé*] sans elle *ms*
   * solitude. Il [sortit *rayé*] se leva *ms*
   * et ne songea plus qu'à s'étourdir. // [Il passa le reste de sa vie à dire du mal de Thérèse quand il était ivre, et à lui écrire à jeun des lettres de tendresse auxquelles elle ne répondit jamais. Il n'en fut pas moins un des plus grands artistes

de *rayé*] [Il eut alors un violent et irrémédiable chagrin, d'autant plus qu'il se rendit parfaitement compte de ce qu'il avait perdu. Quelque effort qu'il fit pour dénaturer à ses propres yeux le caractère de Thérèse et pour se consoler de l'avoir perdue [quels que fussent ses soupçons] en la méconnaissant, il lui resta dans l'âme le sentiment d'avoir été aimé d'elle comme il ne le serait plus jamais d'aucune femme, et ce sentiment fut le *rayé*] *ms*

180 * l'affreux châtiment que celui de [Thérèse *rayé*] cet incurable amour *ms*
  * et à [enfanter *rayé*] créer dans la douleur *ms*
  * *Ms et RDM portent signature et date :* George Sand // Gargilesse, 30 mai 1858.

Bibliographie

Il ne saurait être question de dresser une liste exhaustive des ouvrages de référence sur George Sand, ni de recenser toute la littérature consacrée à la liaison Musset-Sand. Nous indiquons seulement ici les ouvrages qui nous ont été les plus utiles.

BARRY (Joe). *Sand et Musset, une aventure à Venise,* in *Présence de George Sand*, n° 18 (novembre 1983).

BODIN (Thierry). *« Elle et Lui » devant la critique*, à paraître dans *Présence de George Sand*, n° 29 (février 1987).

LUBIN (Georges). *La Liaison Musset-Sand* in *Revue d'histoire littéraire de la France*, janvier-février 1973 (p. 99-112).

MARIÉTON (Paul). *Une Histoire d'Amour...* (G. Havard fils, 1897).

MUSSET (Alfred de). *Correspondance*, tome I (1826-1839), éd. par Marie Cordroc'h, Roger Pierrot, Loïc Chotard (Presses Universitaires de France, 1985).

MUSSET (Alfred de). *Œuvres complètes en prose*, éd. Maurice Allem et Paul-Courant (Bibliothèque de la Pléiade, Gallimard, 1960).

MUSSET (Alfred de). *Poésies complètes*, éd. Maurice Allem (Bibliothèque de la Pléiade, Gallimard, 1957).

POLI (Annarosa). *L'Italie dans la vie et dans l'œuvre de George Sand* (Armand Colin, 1960).

POLI (Annarosa). *Un inedito di George Sand : l'Agenda-Memento 1855...*, in *Letterature Moderne*, juillet-août (p. 425-465) et septembre-octobre 1956 (p. 583-606).

SAND (George). Agenda de 1858 (Bibliothèque Nationale, Manuscrits, n.a.fr. 24819).

SAND (George). *Correspondance*, éd. par Georges Lubin, 21 vol. parus (Garnier, 1964-1986).

SAND (George). *Elle et Lui*, préface de Henri Guillemin (Neuchâtel, Ides et Calendes, 1963). Voir la rubrique *Éditions*. Cette préface est réutilisée dans le livre de Guillemin, *La Liaison Musset-Sand* (Gallimard, 1972) ; on se reportera à la mise au point de Georges Lubin signalée plus haut.

SAND (George). *Œuvres autobiographiques*, éd. par Georges Lubin, 2 vol. (Bibliothèque de la Pléiade, Gallimard, 1970-1971).

SAND (George) et MUSSET (Alfred de). *Correspondance*, texte établi et annoté par Louis Évrard (Monaco, Éditions du Rocher, 1956).

SÉCHÉ (Léon). *Alfred de Musset*, 2 vol. (Mercure de France, 1907).

SPOELBERCH DE LOVENJOUL (Vicomte Charles de). *La Véritable histoire de « Elle et Lui »* (Calmann-Lévy, 1897).

Remerciements

Tout travail sur George Sand est redevable à Georges Lubin, à ses publications et à sa science si généreusement dispensée à tous les chercheurs ; qu'il trouve ici une fois de plus l'expression de ma reconnaissance.

Je me dois également de remercier M. Jacques Suffel, qui veille sur les trésors de la Bibliothèque Spoelberch de Lovenjoul ; à la Bibliothèque Nationale, MM. Roger Pierrot, Pierre Janin, Mme Mauricette Berne ; ainsi que MM. Joseph Barry, Carlos van Hasselt, Jean-Jacques Launay, Jean-Yves Mollier, Claude Pichois ; sans oublier Jean Courrier, pour sa compréhensive patience.

La Spezia - 8 mai 1955

TABLE DES ILLUSTRATIONS

Couverture : *Les Amants heureux,* de Courbet (reproduit avec l'autorisation du Musée des Beaux-Arts de Lyon).

Maquette (livre et couverture) : Nicole Courrier.

Elle et Lui.

1ᵉ. Partie. —

Lettre.

Ma chère Thérèse, puisque vous me permettez de ne pas vous appeler made-moiselle, apprenez une nouvelle im-portante, dans le monde des arts, comme dit notre ami ~~Bernard~~ Bernard. Lieu. ça rime ! mais ce qui n'a ni rime ni raison, c'est ce que je vais vous raconter. figurez-vous qu'hier, après vous avoir ~~ennuyé~~ ~~de ma visite~~

~~————————————————~~

~~————————————————~~, je trouvai en rentrant chez moi, un mylord an-glais... après ça, ce n'est peut-être pas un mylord, mais, pour sûr, c'est un anglais

Les Éditions de l'Aurore, dirigées par Lydie Braillon,
proposent la collection
« Les Œuvres de George Sand »
(Direction littéraire : Jean Courrier)

OUVRAGES PARUS

Horace. Texte établi et présenté par Nicole Courrier et Thierry Bodin.

Contes d'une grand-mère (1re série). Présentation de Philippe Berthier.

Le Péché de Monsieur Antoine. Présentation de Jean Courrier et
Jean-Hervé Donnard.

Contes d'une grand-mère (2e série). Présentation de Philippe Berthier.

Consuelo. La Comtesse de Rudolstadt (3 volumes). Édition de Simone
Vierne et René Bourgeois.

Tamaris. Présentation de Georges Lubin.

Le Château des Désertes. Présentation de Joseph-Marc Bailbé.

Un Hiver à Majorque. Présentation et notes de Jean Mallion et Pierre
Salomon.

Jeanne. Préface de Simone Vierne.

George Sand. Biographie, par Pierre Salomon.

Elle et lui. Présentation de Thierry Bodin, préface de Joseph Barry.

A PARAÎTRE

Nanon. Présentation de Nicole Mozet.

André. Présentation de Huguette Burine et Michel Gilot.

Lélia. Présentation de Béatrice Didier.

Le Marquis de Villemer. Présentation de Jean Courrier.

Teverino. Le Poème de Myrza. Présentation de Marie-Jacques Hoog.

Achevé d'imprimer
par Corlet, Imprimeur, S.A.
14110 Condé-sur-Noireau

N° d'Imprimeur : 9393
Dépôt légal : décembre 1986
Imprimé en France